# Shannon apprivoisée

# Du même auteur aux éditions J'ai lu :

# NORA ROBERTS

## Les trois sœurs - 3
# Shannon apprivoisée

Traduit de l'américain par Pascal Haas

Titre original :

**BORN IN SHAME**
Éditeur original :
Jove Books are published by The Berkley Publishing Group, N.Y.

# PROLOGUE

Amanda faisait un rêve épouvantable. Colin était là, son doux visage tant aimé ravagé par le chagrin. *Mandy*, disait-il. Il ne l'appelait jamais autrement que Mandy. Sa Mandy, ma Mandy, Mandy chérie... Mais sa voix était sans joie et ses yeux ne riaient pas.

*Mandy, nous n'y pouvons rien. J'aimerais pourtant... Oh, Mandy, ma Mandy, tu me manques tellement. Je n'aurais hélas jamais cru que tu me rejoindrais si vite. Notre petite fille... c'est si difficile pour elle. Et ça va l'être plus encore. Il faut que tu lui dises, tu sais.*

Puis il sourit, mais avec une tristesse infinie, et son corps, son visage, qui lui avaient semblé si présents, si proches qu'elle avait tendu la main dans son sommeil pour le toucher, commencèrent à devenir flous et à s'évanouir peu à peu.

*Il faut que tu lui dises*, répéta-t-il. *Nous avons toujours su que tu devrais le faire un jour. Il faut qu'elle sache d'où elle vient. Qui elle est. Mais dis-lui bien de ne jamais oublier que je l'aimais. Que j'adorais ma petite fille.*

Oh, Colin, ne t'en va pas... Amanda gémit dans son sommeil d'une voix languissante. Reste avec moi, Colin. Je t'aime. Mon tendre Colin. Je t'aime pour tout ce que tu es.

Mais elle ne pouvait pas le faire revenir. De même qu'elle ne put empêcher son rêve de se poursuivre.

Oh, quel bonheur ce serait de revoir l'Irlande, songea-t-elle en se laissant flotter telle la brume au-dessus des collines vert émeraude contemplées jadis, et de voir la rivière scintiller comme un ruban d'argent éclatant autour d'un cadeau inestimable.

Et puis il y eut Tommy, son Tommy chéri, qui l'attendait. Qui se tournait vers elle, en souriant, pour l'accueillir.

Pourquoi éprouvait-elle tant de chagrin alors qu'elle était enfin de retour et se sentait à nouveau si jeune, si amoureuse ?

*Je croyais que je ne te reverrais plus jamais.* Elle avait le souffle court, mais sa voix était rieuse. *Tommy, je suis revenue vers toi.*

Il restait là à la dévisager. Elle avait beau essayer, elle n'arrivait pas à s'approcher de lui à moins d'un mètre. Mais elle entendait sa voix, aussi claire et caressante qu'autrefois.

*Je t'aime, Amanda. Je t'ai toujours aimée. Il ne s'est pas passé un seul jour sans que j'aie pensé à toi, à ce que nous avons vécu tous les deux.*

Dans son rêve, il se tourna alors vers la rivière où l'eau coulait paisiblement entre les berges verdoyantes.

*Tu lui as donné le nom de cette rivière, en souvenir des jours merveilleux que nous avons passés ici.*

*Elle est si belle, Tommy. Si brillante, si forte... Tu serais fière d'elle.*

*Je le suis. J'aurais tant voulu la... Mais ce n'était pas possible. Nous le savions. Tu le savais.* Il soupira, puis se retourna. *Tu as fait exactement ce qu'il fallait, Amanda. N'oublie jamais ça. Mais maintenant, tu vas devoir la quitter. La souffrance que cela représente et le secret que tu as gardé pendant toutes ces années rendent les choses très difficiles. Il faut pourtant que tu lui dises, elle a le droit de savoir comment elle est née. Et essaie de lui faire comprendre que, en dépit des circonstances, je l'aimais. Et que je le lui aurais montré, si seulement je l'avais pu.*

Je n'y arriverai jamais toute seule, pensa-t-elle en se débattant dans son sommeil tandis que l'image de Tommy s'estompait. Ô mon Dieu, ne m'obligez pas à faire cela toute seule...

— Maman...

Doucement, d'une main tremblante, Shannon effleura le visage en sueur de sa mère.

— Maman, réveille-toi. Ce n'était qu'un rêve. Un cauchemar.

Elle-même ne savait que trop ce que c'était que d'être torturée par des rêves et de redouter l'instant du réveil — comme cela lui arrivait en ce moment chaque matin, de peur que sa mère ne fût plus là. Il y avait dans sa voix un profond désespoir. Pas maintenant, supplia-t-elle en silence. Non, pas encore.

— Il faut te réveiller.

— Shannon... Ils sont partis. Ils ne sont plus là ni l'un ni l'autre. Ils m'ont été enlevés.

— Allons, calme-toi. Je t'en prie, ne pleure pas. Ouvre les yeux et regarde-moi.

Amanda cligna des paupières. Son regard était noyé de chagrin.

— Je suis désolée. Sincèrement... J'ai toujours fait ce que j'ai cru être le mieux pour toi.

— Mais oui, je le sais, maman.

Prise de panique, Shannon se demanda si le délire de sa mère signifiait que la maladie avait gagné le cerveau. Être atteinte d'un cancer des os n'était-il pas déjà suffisamment affreux ? Dans son for intérieur, elle maudit cette épouvantable maladie, puis Dieu, mais sa voix se fit rassurante lorsqu'elle reprit la parole.

— Ça va aller maintenant. Je suis là. Je suis près de toi.

Au prix d'un immense effort, Amanda poussa un profond soupir. Des images flottaient dans sa tête. Colin, Tommy... et sa fille adorée. Le regard de Shannon était si lourd d'angoisse — et elle avait eu l'air si bouleversée quand elle était arrivée à Colombus.

— Ça va mieux, dit faiblement Amanda, prête à faire n'importe quoi pour chasser le désarroi qu'elle devinait dans les yeux de sa fille. Tu es là. Et je suis heureuse que tu sois venue.

*Oh, je regrette tellement de devoir te quitter...*

— Je t'ai fait peur. Pardonne-moi.

C'était la vérité. La peur lui laissait un abominable

goût de fer dans la gorge, mais Shannon s'empressa de nier en secouant vigoureusement la tête. Elle s'était d'ailleurs presque habituée à cette peur qui l'avait envahie lorsqu'elle avait reçu ce coup de téléphone à son bureau de New York lui annonçant que sa mère était en train de mourir.

— Tu as mal?

— Non, non, ne t'inquiète pas.

Amanda soupira à nouveau. Malgré la douleur, une douleur atroce, elle se sentait plus forte. Il le fallait bien, avec ce qu'elle allait devoir affronter... Depuis quelques semaines sa fille était à son chevet, et elle ne lui avait encore rien dit de son pesant secret, l'avait gardé enfoui, ainsi qu'elle l'avait toujours fait depuis sa naissance. Mais elle allait devoir tout lui révéler. Et il ne lui restait plus beaucoup de temps.

— Puis-je avoir un peu d'eau, ma chérie?

— Bien sûr.

Shannon prit le pichet isotherme posé près du lit, remplit un gobelet en plastique, puis tendit la paille à sa mère.

Avec beaucoup de précautions, elle rehaussa le dossier réglable du lit afin d'installer sa mère dans une position plus confortable. Le salon de la jolie maison de Columbus avait été transformé en chambre d'hôpital. Amanda avait souhaité, et Shannon l'avait approuvée, revenir chez elle vivre ses derniers jours.

La chaîne stéréo diffusait une douce musique. Le livre que Shannon avait apporté pour faire la lecture à sa mère était tombé par terre lorsqu'elle s'était levée d'un bond sous l'emprise de la panique. Elle se pencha pour le ramasser, luttant de toutes ses forces pour faire bonne figure.

Lorsqu'elle se retrouvait seule, elle parvenait à se persuader que chaque jour apportait une infime amélioration, mais il lui suffisait de regarder sa mère, de voir son teint gris, la douleur qui creusait les traits de son visage et la dégradation progressive de tout son être pour savoir ce qu'il en était vraiment.

Il n'y avait rien d'autre à faire que tenter de lui

apporter un peu de réconfort, et de compter sur la morphine pour apaiser la souffrance qui ne se laissait néanmoins jamais oublier tout à fait.

Elle avait besoin d'une minute ou deux, réalisa Shannon en sentant l'affolement lui serrer la gorge. Rien qu'une minute, le temps de rassembler son courage.

— Je vais aller chercher un gant imbibé d'eau fraîche pour te laver le visage.

— Merci.

Cela, Dieu lui vienne en aide, lui donnerait assez de temps pour trouver les mots justes, songea Amanda tandis que sa fille s'éloignait.

# 1

Amanda se préparait à cet instant depuis des années, sachant qu'il arriverait, inéluctablement, tout en espérant qu'il ne vînt jamais. Ce qui paraissait loyal et juste envers l'un des hommes qu'elle avait aimés serait pour l'autre une injustice, de quelque manière qu'elle s'y prenne.

Mais ce n'était pas d'eux qu'elle devait se soucier en ce moment. Pas plus qu'elle n'était en droit de s'appesantir sur sa propre honte.

Il lui fallait penser à Shannon, et à elle seule. A sa fille adorée qu'elle allait immanquablement blesser.

Sa fille superbe et brillante qui n'avait été pour elle qu'une joie. Sa joie et sa fierté. Une douleur diffuse se propagea dans tout son être tel un torrent empoisonné, mais elle serra courageusement les dents. Shannon allait souffrir, à cause de ce qui allait bientôt arriver et à cause de ce qui s'était passé il y avait tant d'années en Irlande. De tout son cœur, Amanda aurait voulu trouver un moyen de l'éviter.

Elle regarda sa fille revenir vers elle de son pas énergique, gracieux et plein d'allant. La même démarche que son père, songea-t-elle. Pas comme Colin. Ce pauvre cher Colin... Il avait toujours eu le pas lourd, les gestes patauds et maladroits comme un gros ours.

Mais Tommy avait des ailes aux pieds.

Shannon avait aussi les yeux de son père. D'un vert mousse transparent, comme un lac miroitant en plein soleil. Ses épais cheveux châtains, qui se balançaient

11

joyeusement près de son menton, étaient également un héritage irlandais. Toutefois, pour ce qui était de la forme de son visage, de sa peau laiteuse et de sa bouche pulpeuse, Amanda aimait à penser que sa fille les tenait d'elle.

C'était cependant Colin — paix à son âme — qui lui avait donné la détermination farouche, l'ambition et la confiance qu'elle avait en elle.

Quand Shannon tamponna son visage moite, Amanda lui sourit.

— Je ne t'ai jamais assez dit combien j'étais fière de toi, ma chérie.

— Mais si, maman.

— Non; je t'ai fait part de ma déception lorsque tu as choisi de renoncer à peindre, ce qui était égoïste de ma part. Je suis pourtant bien placée pour savoir qu'une femme doit trouver elle-même sa voie.

— Tu n'as jamais cherché à me dissuader de partir pour New York, ni de me lancer dans la publicité. Et puis d'ailleurs, je continue à peindre, ajouta-t-elle avec un sourire appuyé. J'ai pratiquement terminé une nature morte qui devrait te plaire.

Pourquoi n'avait-elle pas apporté la toile avec elle? Zut, pourquoi n'avait-elle pas pensé à emporter quelques tubes de peinture, ne serait-ce qu'un carnet de croquis pour dessiner à côté de sa mère et lui donner le plaisir de la regarder?

— Celui-ci est un de mes préférés, dit Amanda en montrant le portrait accroché au mur du salon. Celui que tu as fait de ton père, assoupi dans une chaise longue dans le jardin.

— En train de se préparer psychologiquement à tondre la pelouse, ajouta Shannon en riant légèrement.

Elle reposa le gant humide et approcha une chaise près du lit.

— Et chaque fois qu'on lui demandait pourquoi il n'embauchait pas un jardinier, il prétendait que s'occuper du jardin lui plaisait et se rendormait aussi sec!

— Il me faisait tellement rire. Il me manque tant...

12

Sa main effleura le poignet de Shannon.

— Et je sais qu'il te manque à toi aussi.

— J'ai toujours l'impression qu'il va surgir sur le seuil en disant : « Mandy, Shannon, allez vite enfiler votre plus belle robe, je viens de faire gagner dix mille dollars à un client, et nous allons fêter cela au restaurant. »

— Il adorait gagner de l'argent, sourit Amanda. C'était pour lui un jeu. Ce n'était en rien pour l'appât du gain ou par égoïsme. Juste pour le plaisir. Tout comme il prenait un malin plaisir à changer de ville tous les deux ans. « Si on quittait cette ville, Mandy ? Que dirais-tu d'aller vivre dans le Colorado ? Ou à Memphis ? »

Amanda rit en secouant la tête. Ah, c'était si bon de rire, de faire semblant, ne serait-ce qu'un instant, tandis qu'elles bavardaient comme elles l'avaient toujours fait.

— Finalement, quand nous sommes arrivés ici, je lui ai dit que j'avais suffisamment joué les bohémiennes comme ça. Qu'ici, c'était chez moi. Et il s'est aussitôt installé, comme s'il n'avait attendu que de trouver l'endroit et le moment qui lui convenaient.

— Il adorait cette maison, murmura Shannon. Moi aussi. Déménager ne m'a jamais dérangée. Il a toujours su en faire une aventure. Mais je me rappelle que, environ une semaine après notre arrivée ici, j'étais assise dans ma chambre et je me suis dit que, cette fois, je voulais rester...

Elle sourit à sa mère.

— Apparemment, nous avions tous le même désir.

— Pour toi, il aurait été prêt à déplacer des montagnes, à se battre contre des tigres, dit Amanda d'une voix tremblante avant de se reprendre. Te rends-tu vraiment compte à quel point il t'aimait ?

— Oui...

Shannon prit la main de sa mère qu'elle pressa contre sa joue.

— Je le sais.

— Ne l'oublie pas. Ne l'oublie jamais. J'ai des choses

à te dire, Shannon. Des choses qui risquent de te faire du mal, de te mettre en colère et de te troubler. J'en suis désolée.

Elle prit une longue inspiration.

Dans le rêve qu'elle avait fait, il y avait plus que de l'amour et du chagrin. Il y avait aussi une sorte d'urgence. Amanda savait pertinemment qu'elle ne disposait pas des trois pauvres semaines que le médecin lui avait promises.

— Je comprends, maman. Mais il y a encore de l'espoir. Il reste toujours un espoir.

— Ça n'a rien à voir avec ça, dit-elle en levant la main d'un geste englobant toute la pièce transformée en chambre de malade. Ce que j'ai à te dire date de bien avant tout ceci, ma chérie, de très longtemps avant. De l'époque où je suis partie en Irlande, avec une amie, et où j'ai séjourné dans le comté de Clare.

— J'ignorais que tu étais allée en Irlande...

L'idée parut soudain curieuse à Shannon.

— Avec tous les voyages que nous avons faits, je me suis toujours demandé pourquoi nous n'y étions jamais allés, étant donné que papa et toi aviez des origines irlandaises. Et je me suis toujours senti un lien étrange avec ce pays... une sorte d'attirance.

— Vraiment ? demanda doucement Amanda.

— C'est difficile à expliquer.

Se sentant vaguement ridicule, car elle n'était pas du genre à parler de ses rêves, Shannon sourit.

— Je me suis toujours dit que, si jamais j'avais le temps de prendre de longues vacances, ce serait là que j'irais. Mais avec ma promotion et ce nouveau budget qu'on m'a confié...

Elle haussa les épaules, sans prendre la peine d'achever sa phrase.

— Quoi qu'il en soit, je me souviens que les rares fois où j'ai évoqué la possibilité d'aller en Irlande, tu as secoué la tête en me disant qu'il y avait mille autres endroits à voir.

— Je ne supportais pas l'idée d'y retourner, et ton père le comprenait.

Amanda pinça les lèvres tout en observant attentivement le visage de sa fille.

— Tu veux bien rester près de moi ? Et écouter ce que j'ai à te dire ? Et, je t'en prie, je t'en supplie, essaie de comprendre.

Un nouveau frisson d'appréhension parcourut Shannon. Qu'y avait-il de pire que la mort ? se demandat-elle. Et pourquoi avait-elle si peur d'entendre ce que sa mère avait à lui dire ?

Mais elle s'assit docilement et prit la main de la malade entre les siennes.

— Tu es trop agitée, commença-t-elle à dire. Tu sais bien qu'il est très important que tu restes calme.

— Et que je pense à des choses positives, je sais, ajouta Amanda avec un vague sourire.

— Ça marche. Le triomphe de l'esprit sur la matière. D'après ce que j'ai lu...

— Je sais, ma chérie, fit Amanda dont le sourire disparut tout à fait tandis qu'elle s'efforçait de trouver les mots justes. Quand j'étais à peine plus âgée que toi, je suis partie en voyage avec ma meilleure amie — Katherine Reilly — en Irlande. C'était pour nous une fabuleuse aventure. Nous étions toutes deux des femmes adultes, mais avions été élevées l'une et l'autre dans des familles très strictes. Tellement strictes que j'ai attendu d'avoir plus de trente ans pour trouver le courage de partir ainsi en voyage.

Elle tourna légèrement la tête afin d'observer la réaction de Shannon pendant qu'elle lui parlait.

— Tu ne peux pas comprendre. Tu as toujours été si sûre de toi, si brave. Mais lorsque j'avais ton âge, je n'avais pas encore réussi à me débarrasser de toutes mes peurs.

— Tu n'as jamais été peureuse.

— Oh, mais si ! J'étais extrêmement peureuse. Mes parents étaient des Irlandais très collet monté, inflexibles, aussi raides que des papes. Leur plus grande déception — pour des raisons de prestige plus que de religion — a été qu'aucun de leurs enfants n'ait eu la vocation.

15

— Mais tu étais fille unique, coupa Shannon.

— C'est une des choses sur lesquelles je t'ai menti. Je t'ai dit que je n'avais pas de famille, je t'ai fait croire que je n'avais personne. Mais j'avais deux frères et une sœur, et nous n'avons plus échangé un seul mot depuis l'époque qui a précédé ta naissance.

— Mais pourquoi...

Shannon se reprit.

— Excuse-moi. Continue.

— Tu as toujours su écouter. C'est ton père qui t'a appris cela.

Elle s'interrompit un instant en pensant à Colin, et en priant le ciel pour que ce qu'elle s'apprêtait à faire fût juste envers tout le monde.

— Nous n'étions pas une famille très soudée, tu sais. Il y avait chez nous une sorte de... rigidité, des règles comme des manières. Et, en dépit de très violentes objections, j'ai quitté la maison pour partir en Irlande avec Kate aussi excitée qu'une collégienne partant faire un pique-nique. Tout d'abord à Dublin. Ensuite, nous nous sommes contentées de nous promener en suivant la carte, et nos humeurs. Je me suis sentie libre pour la première fois de ma vie.

C'était si facile de faire revivre tous ces souvenirs. Au bout de tant d'années, Amanda se rappelait les moindres détails du voyage avec une précision étonnante. Les fous rires de Kate, les soubresauts de la minuscule voiture qu'elles avaient louée, les petites routes sur lesquelles elles s'étaient égarées...

Tout comme le premier regard émerveillé qu'elle avait posé sur les collines ondoyantes et sur les hautes falaises qui se dressaient fièrement à l'ouest du pays avec l'impression étrange d'être enfin chez elle.

— Nous voulions voir tout ce qu'il y avait à voir, et quand nous sommes arrivées dans les comtés de l'Ouest, nous avons trouvé une ravissante auberge au bord de la rivière Shannon. Nous nous y sommes installées et avons décidé que ce serait notre base pour partir faire des excursions dans la région. Les falaises de Mohr, Galway, la plage de Ballybunnion et tous ces

16

petits endroits fascinants qu'on trouve à l'écart des routes au moment où on s'y attend le moins.

Amanda fixa alors sa fille au fond des yeux, le regard brillant.

— Oh, j'aimerais tellement que tu ailles là-bas, que tu te rendes compte par toi-même de la magie de cet endroit! La mer qui s'abat contre les rochers dans un bruit de tonnerre, l'air qui sent si bon, qu'il pleuve tout doucement ou que le vent hurlant souffle de l'Atlantique. Et cette lumière! Elle a l'éclat d'une perle fine éclaboussée d'or.

Il y avait infiniment d'amour dans les paroles que venait de prononcer sa mère pensa Shannon, intriguée. Et une nostalgie qu'elle n'avait jamais soupçonnée.

— Mais tu n'y es jamais retournée.

— Non, soupira Amanda, je n'y suis jamais retournée. T'es-tu déjà demandé comment, bien qu'on ait tout prévu avec le plus grand soin, il suffisait que quelque chose arrive, une petite chose apparemment insignifiante, pour que tout soit bouleversé, que rien ne soit plus jamais pareil?

Ce n'était pas tant une question qu'une affirmation. Aussi Shannon se contenta-t-elle d'attendre, en se demandant quelle était cette petite chose qui avait pu bouleverser ainsi la vie de sa mère.

La douleur, insidieuse et lancinante, reprit de plus belle. Amanda ferma les yeux un instant afin de se concentrer et de la repousser de son mieux. Elle tiendrait bon, se promit-elle, jusqu'à ce qu'elle ait terminé.

— Un matin de la fin de l'été, il crachinait et Kate ne se sentait pas bien. Elle avait décidé de passer la journée au lit, à lire et à se dorloter. Je ne tenais pas en place, j'avais le sentiment qu'il y avait des tas d'endroits où je devais aller. Alors j'ai pris la voiture et j'ai roulé au hasard. Je me suis retrouvée à Loop Head. Je suis descendue de voiture, j'ai entendu les vagues se briser contre les rochers et j'ai marché jusqu'au bord de la falaise. Une délicieuse odeur d'océan, mêlée de pluie, imprégnait l'air. Il émanait de ce lieu une force étrange. J'ai alors aperçu un homme qui se tenait là, immobile sous la pluie, le regard tourné vers la mer — vers l'Amérique. A part lui, il n'y avait personne. Il était emmitouflé dans un imperméable, sa casquette dégoulinante de pluie enfoncée au ras des yeux. Il s'est tourné vers moi, comme s'il m'attendait, et il m'a souri.

Tout à coup, Shannon eut envie de se lever, de dire à sa mère d'en rester là, de se reposer, n'importe quoi pourvu qu'elle s'arrête. Sans s'en rendre compte, elle avait recroquevillé les doigts, serré les poings. Et une énorme boule d'angoisse lui nouait l'estomac.

— Il n'était pas jeune, reprit doucement Amanda, mais il était extrêmement séduisant. Il y avait dans son regard quelque chose de si triste, de si perdu... Il a souri, m'a dit bonjour, puis a ajouté que c'était une magnifique journée alors que la pluie se déversait sur nos têtes et que le vent nous cinglait le visage. Et bien que je fusse habituée à l'accent mélodieux des Irlandais de l'Ouest, sa voix avait un tel charme que j'ai pensé que je pourrais l'écouter pendant des heures et des heures. Nous sommes donc restés là, à bavarder. Je lui ai parlé de mes voyages, de l'Amérique. Lui m'a raconté qu'il était fermier. Un piètre fermier, ce qu'il regrettait profondément, car il avait deux petites filles à nourrir. Mais lorsqu'il parlait d'elles, il n'y avait aucune tristesse dans ses yeux. Au contraire, son regard s'illuminait. Sa Maggie Mae et sa Brie, comme il les appelait. De sa femme, en revanche, il n'a pratiquement rien dit.

« Le soleil est finalement revenu, poursuivit Amanda en poussant un soupir. Tout doucement, pendant que nous discutions, de petits rayons dorés ont percé les nuages. Nous nous sommes promenés le long des sentiers tout en continuant à parler, comme si nous nous connaissions depuis toujours. Et je suis tombée amoureuse de lui, au sommet de ces hautes falaises si impressionnantes. Ce qui aurait dû m'effrayer...

Elle jeta un coup d'œil à Shannon et tendit le bras pour lui prendre la main.

— J'avais honte de moi. C'était un homme marié, un

père de famille... Mais je croyais être la seule à éprouver ce sentiment. Et puis, quel mal y avait-il à ce qu'une vieille fille se laisse éblouir par un homme séduisant par un beau matin d'été ?

Ce fut avec soulagement qu'Amanda sentit les doigts de sa fille se refermer autour des siens.

— Mais je n'étais pas toute seule à ressentir cela. Nous nous sommes revus, oh ! en toute innocence, dans un pub, à proximité des falaises, et un jour, il nous a emmenées, Kate et moi, à une foire, à côté d'Ennis. Les choses ne pouvaient en rester là. Nous n'étions plus des enfants, ni lui ni moi, et ce que nous éprouvions l'un pour l'autre était si fort, si bouleversant, et, il faut que tu me croies, si légitime. Kate était au courant — tous les gens qui nous voyaient comprenaient au premier coup d'œil — et elle m'a parlé comme on parle à une amie. Je l'aimais, et j'étais heureuse quand j'étais avec lui. Il ne m'a jamais rien promis. Nous avons rêvé ensemble, mais il n'y a jamais eu aucune promesse entre nous. Il était lié à sa femme, qui ne l'aimait pas, et à ses enfants qu'il adorait.

Amanda s'humecta les lèvres et but une gorgée d'eau lorsque Shannon lui tendit le gobelet sans piper mot. Elle attendit encore quelques secondes, car le plus dur restait encore à dire.

— Tu sais, Shannon, je savais ce que je faisais. C'est même moi qui ai tenu à ce que nous devenions amants. Il a été le premier homme à me toucher, et quand il l'a finalement fait, tout s'est passé avec tellement de douceur, de tendresse et d'amour que nous avons ensuite sangloté longuement dans les bras l'un de l'autre, car nous savions que nous nous étions trouvés trop tard, et que c'était sans espoir.

« Néanmoins, nous avons commencé à faire des projets insensés. Il trouverait un moyen de quitter sa femme en pourvoyant à ses besoins et viendrait me rejoindre avec ses filles, en Amérique, où nous formerions une famille. Cet homme désirait une famille aussi désespérément que moi. Nous avons parlé dans cette chambre qui donnait sur la rivière en faisant comme si notre histoire allait durer toujours. Nous sommes restés là trois semaines, et chaque jour était plus merveilleux que le précédent, et plus déchirant. Il fallait que je les quitte, lui et l'Irlande. Il m'a dit qu'à chaque fois qu'il irait à Loop Head, là où nous nous étions rencontrés, il regarderait la mer, vers New York, vers moi.

« Il s'appelait Thomas Concannon. C'était un fermier qui aurait voulu être poète.

— Est-ce que tu...

La voix de Shannon se fit rauque, hésitante.

— Est-ce que tu l'as revu?

— Non. Je lui ai écrit pendant quelque temps. Il m'a répondu.

Les lèvres serrées, Amanda regarda sa fille droit dans les yeux.

— Peu après mon retour à New York, j'ai appris que je portais son enfant.

Shannon secoua la tête, refusant instinctivement de croire ce qu'elle venait d'entendre, saisie brusquement d'une crainte gigantesque.

— Tu étais enceinte?

Son cœur se mit à battre à toute vitesse dans sa poitrine. Encore une fois, elle secoua vigoureusement la tête et voulut retirer sa main car elle avait compris. Sans que d'autres paroles fussent nécessaires, elle savait. Et refusait de savoir.

— J'étais folle de joie, poursuivit Amanda en resserrant l'étreinte de sa main au prix d'un pénible effort. Dès que j'ai su, j'ai été folle de joie. Je n'avais jamais espéré avoir d'enfant, ni trouver quelqu'un qui m'aimerait assez pour m'offrir un pareil cadeau. Cet enfant, je le voulais, je l'aimais déjà et je remerciais le ciel de m'en avoir fait don. Mon seul regret était de savoir que je ne pourrais jamais partager avec Tommy le merveilleux fruit de notre amour. La lettre qu'il m'a envoyée après que je l'ai eu prévenu trahissait son affolement. Il s'inquiétait pour moi, de ce que j'allais devoir affronter seule. Je savais qu'il ferait tout ce qui serait en son pouvoir pour venir me rejoindre, et j'ai bien failli me

20

laisser tenter. Mais ça n'aurait pas été bien, alors que l'aimer n'avait jamais été mal. Aussi lui ai-je écrit une dernière lettre. Et pour la première fois, je lui ai menti, en lui disant que je n'avais pas peur, que je n'étais pas seule et que j'allais quitter New York.

— Tu es fatiguée...

Shannon cherchait désespérément à interrompre le récit de sa mère. Tout son univers était en train de basculer, et elle dut faire un effort considérable pour garder son calme.

— Tu parles trop. Il est l'heure de prendre tes médicaments.

— Il t'aurait aimée, déclara farouchement Amanda. S'il en avait eu l'occasion. Tout au fond de mon cœur, j'ai la conviction qu'il t'aimait sans avoir jamais pu poser les yeux sur toi.

— Arrête...

Finalement, Shannon se leva, déchirée par des sentiments contradictoires. Elle avait mal au cœur, et sa peau lui parut tout à coup trop mince et glacée, incapable de la protéger.

— Je refuse de t'écouter davantage. Je n'ai nullement besoin d'entendre ça.

— Mais si. Je regrette de te faire souffrir ainsi, mais il faut que tu saches tout. Je suis effectivement partie, reprit Amanda aussitôt. Ma famille est entrée dans une rage folle en apprenant que j'étais enceinte. Ils voulaient que je quitte la ville et que je t'abandonne discrètement afin d'échapper au scandale et à la honte. Mais j'aurais préféré mourir plutôt que de t'abandonner. Tu étais à moi, et à Tommy. Des mots horribles, des menaces, des ultimatums, ont résonné dans notre maison. Ils m'ont reniée, et mon père, en homme d'affaires avisé qu'il était, a bloqué mon compte en banque de manière que je ne puisse pas retirer l'argent que ma grand-mère m'avait laissé. Pour lui, vois-tu, l'argent n'avait jamais été un jeu. Il était synonyme de pouvoir.

« J'ai donc quitté la maison sans le moindre regret, avec les quelques billets que j'avais dans mon porte-monnaie et une simple valise.

21

Shannon avait l'impression d'être sous l'eau et de se débattre pour refaire surface et respirer. Mais elle n'en eut pas moins la vision de sa mère, jeune, enceinte et sans un sou, une petite valise à la main.

— Personne ne pouvait t'aider ?

— Kate l'aurait fait volontiers, mais je savais qu'elle en aurait subi les conséquences. J'étais seule responsable. Et folle de joie. J'ai pris un train pour le Nord, dans la région des Catskills, où j'ai trouvé un emploi de serveuse dans une petite ville de villégiature. C'est là que j'ai rencontré Colin Bodine.

Voyant Shannon s'éloigner, Amanda attendit qu'elle se fût arrêtée devant le feu qui était en train de mourir dans la cheminée. La pièce était plongée dans un épais silence, seulement troublé par le crépitement des dernières braises et le vent qui faisait trembler les carreaux. Mais derrière ce calme apparent, elle devinait la tempête qui couvait dans le cœur de cette enfant qu'elle aimait plus que sa vie. Et elle souffrait déjà le martyre, sachant que cette tempête n'allait pas tarder à s'abattre sur elles deux.

— Il était en vacances avec ses parents. Je ne faisais guère attention à lui. Il n'était pour moi qu'un de ces clients riches et privilégiés que je servais. De temps en temps, il me racontait des blagues auxquelles je me contentais de sourire poliment. Je ne pensais qu'à mon travail, à mon salaire, et à l'enfant qui grandissait en moi. Beaucoup de clients préféraient rester dans leurs chambres pour déjeuner. Un jour où j'apportais un plateau dans un des bungalows, en me dépêchant de peur que la nourriture ne refroidisse et qu'on ne se plaigne de mes services, Colin a tout à coup surgi devant moi, trempé comme une soupe, et m'a bousculée. Le pauvre, il était si maladroit...

Shannon, qui regardait fixement les braises rougeoyantes, sentit les larmes lui monter aux yeux.

— Il disait toujours que c'était comme ça qu'il t'avait rencontrée. En te mettant K.-O.

— Et c'est vrai. Nous t'avons toujours dit la vérité, chaque fois que nous l'avons pu. Il m'a envoyée valdinguer dans la boue, le plateau a volé et a atterri par terre. Il a commencé à s'excuser et m'a aidée à tout ramasser. Moi, je ne voyais que la nourriture gâchée. Et puis j'avais mal au dos à force de porter ces énormes plateaux et mes jambes étaient si fatiguées qu'elles avaient du mal à me soutenir. Si bien que j'ai fondu en larmes. Et je me suis assise dans la boue en sanglotant. Je ne pouvais plus m'arrêter. Même quand il m'a soulevée pour m'emmener dans sa chambre, j'ai continué à pleurer.

« Il était tellement gentil... Il m'a déposée dans un fauteuil, m'a mis une couverture sur les genoux, puis il s'est assis près de moi et m'a tapoté la main jusqu'à ce que mes larmes cessent de couler. J'étais morte de honte, et lui, il était si adorable. Il ne m'a laissée repartir que quand je lui ai eu promis de dîner avec lui.

Cette rencontre aurait pu être charmante et follement romantique, songea Shannon en s'efforçant de respirer normalement, mais il n'en avait rien été. Ce qui s'était passé était tout simplement monstrueux.

— Il ne savait pas que tu étais enceinte.

Amanda accusa le coup en clignant des yeux, comme si une lame de couteau venait de lui transpercer le corps.

— Non. Pas à ce moment-là. Mon ventre n'était pas encore très gros, et je m'arrangeais pour le dissimuler, de crainte de perdre ma place. A cette époque, ce n'était pas comme aujourd'hui. Une serveuse célibataire et enceinte ne serait pas restée longtemps dans un endroit pour gens fortunés.

— Tu l'as laissé s'éprendre de toi...

La voix de Shannon était glaciale, aussi froide que la membrane de glace qui semblait lui tenir lieu de peau.

— ... alors que tu portais l'enfant d'un autre homme.

Et cet enfant, c'était moi, pensa-t-elle avec désespoir.

— J'étais devenue une femme, dit prudemment Amanda en scrutant le visage de sa fille et en se désolant de ce qu'elle y devinait. Et personne ne m'avait jamais vraiment aimée. Avec Tommy, tout s'était passé très vite, comme un coup de foudre. J'étais encore aveuglée par notre histoire quand j'ai rencontré Colin. J'étais encore recroquevillée sur mon chagrin. Tout ce que je ressentais pour Tommy, je l'avais transféré sur l'enfant que nous avions fait ensemble. Je pourrais te dire que je ne voyais Colin que comme un homme gentil. A vrai dire, c'est même ce que j'ai cru au début. Mais j'ai très vite compris qu'il s'agissait d'autre chose.

— Et tu n'as rien empêché.

— J'aurais sans doute pu le faire, admit Amanda en poussant un long soupir. Je n'en sais rien. La semaine suivante, il m'a fait envoyer des fleurs dans ma chambre tous les jours, ainsi que tout un tas de petites babioles comme il adorait en offrir. Il se débrouillait pour passer du temps avec moi. Dès que j'avais une pause de dix minutes, il était là. Pourtant, il m'a fallu plusieurs jours avant de comprendre qu'il me faisait la cour. J'étais terrorisée. J'avais devant moi cet homme adorable, qui n'était pour moi qu'attentions et gentillesse, et il ne savait pas que j'attendais l'enfant d'un autre. Finalement, je le lui ai dit, je lui ai tout raconté, persuadée que cela mettrait un terme à nos relations, tout en le regrettant amèrement, car il était mon premier et unique ami depuis que j'avais quitté New York... avec Kate. Il m'a écoutée, comme il savait si merveilleusement le faire, sans m'interrompre, sans me poser de questions ni me condamner. Quand j'ai eu terminé, je me suis mise à pleurer. Il m'a pris la main et il m'a dit : « Vous feriez mieux de m'épouser, Mandy. Je prendrai soin de vous et du bébé. »

Les larmes avaient jailli ; et elles coulaient encore sur les joues de Shannon lorsqu'elle se retourna. Le visage de sa mère lui aussi était mouillé de larmes, mais elle n'avait pas l'intention de se laisser attendrir. Son univers ne venait pas seulement de basculer ; il était réduit en miettes.

— Aussi simplement que ça ? Comment les choses ont-elle pu se passer aussi simplement ?

— Il m'aimait. Je me suis sentie très humble quand j'ai compris qu'il m'aimait vraiment. Bien entendu, j'ai refusé sa proposition. Que pouvais-je faire d'autre ? Je me disais qu'il se montrait exagérément galant, ou bien qu'il était fou. Mais il a insisté. Même quand je me suis fâchée et que je lui ai demandé de me laisser tranquille, il a persisté.

En y repensant, un sourire se dessina sur ses lèvres.

— C'était comme si j'étais un rocher, et lui la vague qui venait s'y briser, inlassablement. Comme s'il était déterminé, avec le temps, à venir à bout de ma résistance. Il m'apportait des affaires pour le bébé. Tu t'imagines ? Un homme qui fait la cour à une femme en apportant des cadeaux pour l'enfant qu'elle va mettre au monde ? Un jour, il est entré dans ma chambre, m'a expliqué qu'on allait demander une licence de mariage et m'a conseillé de prendre mes papiers. J'ai fait ce qu'il m'a dit. Et deux jours plus tard, je me suis retrouvée mariée.

Amanda lança un bref coup d'œil vers sa fille, anticipant la question qu'elle ne manquerait pas de lui poser.

— Je te mentirais en te disant que je l'aimais à ce moment-là. J'avais beaucoup d'affection pour lui. C'eût été difficile de ne pas en avoir pour un homme pareil. Et je lui étais infiniment reconnaissante. Ses parents étaient furieux, naturellement, mais il prétendait qu'il finirait par leur faire entendre raison. Connaissant Colin, je pense qu'il y serait parvenu, mais ils ont été tués tous les deux dans un accident de voiture en repartant chez eux. Il ne restait donc plus que nous deux... et toi. Je m'étais juré d'être une bonne épouse, de lui donner un foyer agréable et de l'accepter dans mon lit. Et je m'étais juré de ne plus penser à Tommy. Mais c'était impossible. Il m'a fallu des années avant de comprendre que ce n'était en rien un péché, qu'il n'y avait aucune honte à me souvenir du premier homme que j'avais aimé, que ce n'était en rien déloyal envers mon mari.

— Ce n'était pas mon père, murmura Shannon entre ses lèvres glacées. C'était ton mari, mais ce n'était pas mon père.

— Oh, mais si, c'était ton père !

25

Pour la première fois, une pointe de colère vibra dans la voix d'Amanda.

— Et ne t'avise surtout pas d'aller penser le contraire.

— C'est pourtant ce que tu viens de m'expliquer, non? rétorqua Shannon d'un ton amer.

— Il t'a aimée alors que tu étais encore dans mon ventre, il nous a prises toutes les deux sous son aile, sans aucune hésitation, s'empressa de dire Amanda, aussi vite que le lui permettait la douleur. Et je peux te dire que j'avais honte de me languir pour quelqu'un que je n'aurais jamais, alors qu'un homme aussi bon était à mes côtés. Le jour où tu es née, quand je l'ai vu te prendre dans ses grosses mains pataudes, que j'ai vu son regard émerveillé, sa fierté, et l'amour qui brillait dans ses yeux pendant qu'il te berçait avec délicatesse, comme si tu étais aussi fragile que du verre, je suis tombée amoureuse de lui. Je l'ai aimé autant qu'une femme peut aimer un homme depuis ce jour. Et il a été ton père, comme Tommy voulait l'être sans l'avoir jamais pu. Si nous avons eu un regret, ce fut seulement de ne pouvoir avoir d'autres enfants ensemble pour partager ce bonheur que nous connaissions grâce à toi.

— Et tu voudrais que j'accepte cela?

Se cramponner à la colère était moins douloureux que de s'abandonner au chagrin. Shannon dévisagea sa mère avec de grands yeux. La femme étendue dans ce lit lui fit brusquement l'effet d'une parfaite étrangère, tout autant qu'elle se sentait étrangère à elle-même.

— Et que je continue à vivre comme si ça ne changeait rien?

— Je voudrais que tu te donnes le temps de l'accepter, et de comprendre. Je voudrais que tu saches que nous t'aimions, tous.

Son monde volait tout à coup en éclats, tout ce dont elle se souvenait, tout ce qu'elle avait toujours cru était soudain réduit à néant.

— Que j'accepte quoi? Que tu aies couché avec un homme marié, que tu te sois retrouvée enceinte et que tu aies épousé le premier homme qui a bien voulu avoir pitié de toi? Que tu m'aies raconté des mensonges toute ma vie, que tu m'aies trompée?

— Tu as le droit de te mettre en colère, répondit Amanda, luttant contre la douleur aussi bien physique que morale qui l'assaillait.

— En colère? Parce que tu crois que ce que je ressens est aussi anodin que de la colère? Seigneur, comment as-tu pu faire une chose pareille?

Shannon pivota sur elle-même, partagée entre l'horreur et l'amertume.

— Comment as-tu fait pour ne rien me dire pendant toutes ces années, pour me laisser croire que j'étais quelqu'un que je n'étais pas?

— Ça ne change rien à ce que tu es, riposta Amanda, désespérée. Colin et moi avons fait ce que nous pensions être le mieux pour toi. Nous ne savions pas très bien comment et quand te le dire. Nous...

— Parce que vous en parliez?

Débordée par ses propres émotions, Shannon fit volte-face pour regarder la femme frêle couchée dans le lit. Elle avait une envie folle de prendre ce corps délabré à pleines mains et de le secouer de toutes ses forces.

— Tiens, c'est aujourd'hui que nous allons dire à Shannon qu'elle n'est qu'une petite erreur commise sur la côte ouest de l'Irlande! Ou peut-être demain...

— Non, pas une erreur. Tu n'as jamais été une erreur. Un miracle. Bon sang, Shannon...

Amanda s'interrompit sous l'assaut de la douleur qui lui dévorait le corps. Tout à coup, sa vision se brouilla. Elle sentit une main lui soulever la tête, une autre glisser un comprimé entre ses lèvres, puis la voix de sa fille lui parvint, douce et apaisée.

— Bois un peu d'eau. Encore... Voilà. Maintenant, allonge-toi et ferme les yeux.

— Shannon...

Sa main fut là pour prendre la sienne quand elle la chercha.

— Oui, je suis là. La douleur va diminuer. Tu n'auras bientôt plus mal et tu pourras dormir.

La souffrance s'atténuait déjà, mais une grande lassitude s'abattit sur elle comme un épais brouillard. Pas assez de temps, ce fut tout ce qu'Amanda réussit à se dire. Pourquoi n'avait-on jamais assez de temps?

— Ne me hais pas, chuchota-t-elle en s'enfonçant dans le brouillard. Je t'en prie, ne me hais pas.

Accablée de chagrin, Shannon alla s'asseoir, longtemps après que sa mère se fut endormie.

Pour ne plus se réveiller, jamais.

## 2

Alors que l'une des filles de Tom Concannon affrontait la mort et le chagrin d'un côté de l'océan, de l'autre, ses deux autres se réjouissaient de l'arrivée d'une toute nouvelle vie.

Brianna Concannon Thane serrait sa fille dans ses bras, admirant ses magnifiques yeux bleus bordés de cils immenses, les petits doigts aux ongles minuscules et parfaits, la bouche délicate. Et personne n'arriverait à la persuader qu'elle ne venait pas de lui sourire.

Au bout de moins d'une heure, elle avait déjà tout oublié de la tension et de la fatigue de l'accouchement, des efforts, de la douleur, et même de la panique qui l'avait un moment envahie.

Elle avait un enfant.

— Elle est là pour de vrai, dit Grayson Thane avec émotion en effleurant du bout du doigt la joue du bébé. Elle est à nous.

Kayla, songea-t-il. Sa fille Kayla. Elle avait l'air si petite, si fragile, si démunie.

— Tu crois qu'elle m'aimera? demanda-t-il.

Penchée sur son épaule, sa belle-sœur pouffa de rire.

— Ma foi, comme nous t'aimons tous... la plupart du temps. Elle semble pourtant avoir une préférence pour toi, Brie, décida Maggie en prenant Gray par la taille pour le réconforter. Elle va avoir ta couleur de cheveux. Pour l'instant elle est rousse, mais je parie qu'elle sera du même blond-roux que toi d'ici peu.

Enchantée par cette idée, Brianna s'illumina. Elle

caressa la tête de sa fille qui lui parut aussi douce que du duvet.

— Tu crois?

— On dirait qu'elle a mon menton, suggéra Gray, plein d'espoir.

— Voilà bien les hommes! commenta Maggie en faisant un clin d'œil à son mari qui lui sourit de l'autre côté du lit. Les femmes supportent tous les inconvénients de la grossesse, les malaises, les chevilles enflées, elles se traînent comme des vaches pendant des mois, endurent les douleurs de l'accouchement...

— Ne m'en parle plus...

Gray ne put s'empêcher de frissonner. Brianna n'y pensait peut-être plus, mais lui, si. Et ce moment continuerait à le hanter, il en était certain, pendant des années.

Transition, songea-t-il avec terreur. En tant qu'écrivain, il avait toujours considéré cela comme le simple passage d'une scène à une autre. Mais ce mot n'évoquerait plus jamais la même chose à son esprit.

Incapable de garder son sérieux plus longtemps, Maggie se coinça la langue dans le creux de la joue. L'affection qu'elle avait pour Gray l'encourageait à se sentir libre de se moquer gentiment de lui à la moindre occasion.

— Combien de temps a duré le travail? Voyons, dix-huit heures. Tu as passé dix-huit heures en salle de travail, Brie.

Brianna réprima un petit sourire en voyant Gray pâlir de plus belle.

— Oui, à peu près. En tout cas, sur le moment, ça m'a paru beaucoup plus long, avec tous ces gens qui me disaient de respirer correctement et ce pauvre Gray qui a failli succomber à une hyperventilation à force de me montrer comment faire.

— Quand je pense que les hommes trouvent normal de se plaindre quand ils ont passé huit heures au bureau! fit Maggie en lissant sa chevelure flamboyante. Et pourtant, ils persistent à parler de nous comme du sexe faible.

30

— Tu ne m'entendras jamais dire ça, répliqua Rogan en lui souriant.

Il se souvint de la naissance de son fils, et de la manière dont sa femme s'était battue comme une guerrière pour mettre Liam au monde.

— Tout de même, reprit-il, personne n'a idée de ce que le père doit endurer. Comment va ta main, Grayson?

Les sourcils froncés, Gray ouvrit et ferma plusieurs fois la main — à laquelle sa femme s'était frénétiquement accrochée pendant une contraction particulièrement douloureuse.

— Rien de cassé. Ça va.

— Toi, au moins, tu ne t'es pas fait insulter, ajouta Rogan, arquant un sourcil noir et élégant à l'intention de sa femme. Les noms dont Margaret Mary ici présente m'a traité lorsque Liam est né ne manquaient certes pas d'originalité. Mais je ne peux en aucun cas les répéter.

— Essaie d'accoucher de quatre kilos, Sweeney, et on verra quels mots te viennent à l'esprit. Tout ce qu'il a trouvé à me dire en voyant Liam a été que le petit avait son nez!

— Mais c'est la vérité!

— Et maintenant, ça va? demanda soudain Gray à sa femme d'un air affolé.

Elle était encore un peu pâle, remarqua-t-il, mais ses yeux avaient retrouvé leur splendide clarté. Son regard terrifié et concentré avait complètement disparu.

— Ça va?

— Très bien...

Pour le rassurer, Brie lui caressa le visage. Ce visage qu'elle aimait tant, avec sa bouche de poète et ses yeux pailletés d'or.

— Je te délivre de la promesse que tu m'as faite de ne plus jamais me toucher. Tu as dit ça dans un moment de panique.

En riant, elle nicha son nez dans le cou du bébé.

— Si tu avais entendu ce qu'il a crié au médecin, Maggie! « Nous avons changé d'avis... Finalement, nous ne voulons pas de ce bébé. Ôtez-vous de mon chemin, je ramène ma femme à la maison. »

— Mieux vaudrait que tu ne m'aies pas entendu...

Gray caressa à nouveau la tête du bébé.

— Il faut dire que la naissance d'un enfant n'a rien de facile, même pour un homme.

— Surtout qu'au moment crucial, tout le monde se fiche pas mal qu'on soit là ou pas, renchérit Rogan.

Voyant que sa femme fronçait les sourcils, Rogan lui tendit la main.

— Viens, Maggie, nous avons des coups de fil à passer.

Dès qu'ils furent à nouveau seuls, Brianna jeta un regard rayonnant à son mari.

— Nous avons une famille, Grayson. Nous avons une petite fille.

— Oui, une fille...

Avec beaucoup de respect et d'humilité, il se pencha sur la petite forme endormie.

— Je n'ai pas vérifié. Tu en es sûre ?

Sans attendre la réponse de sa femme, il enfouit son visage dans ses longs cheveux.

— Elle est magnifique. C'est la chose la plus magnifique que j'aie jamais vue de ma vie. Je t'aime. Je vous aime toutes les deux.

— Nous aussi, on t'aime...

Prenant ses mains, Brianna les posa délicatement sur la tête du bébé.

— Désormais, nous formons une vraie famille, Grayson.

Une heure plus tard, Grayson jeta un regard anxieux et suspicieux à l'infirmière qui emporta le bébé.

— Je devrais garder un œil sur elle. Cette fille ne m'inspire pas confiance.

— Allons, papa, ne t'inquiète pas.

— Papa...

Un grand sourire jusqu'aux oreilles, il se tourna vers sa femme.

— C'est comme ça qu'elle va m'appeler ? C'est facile à dire. Elle est probablement capable de le dire dès maintenant, tu ne crois pas ?

— Oh, certainement...

Brianna prit son visage entre ses mains et se pencha pour l'embrasser.

— Notre Kayla est une petite fille brillante!

— Kayla Thane, s'entraîna à dire Gray en continuant à sourire. Kayla Margaret Thane, première présidente des États-Unis. Nous avons déjà eu une présidente en Irlande. Mais après tout, elle fera comme elle voudra. Tu es belle, Brianna.

Il l'embrassa à nouveau, étonné tout à coup que ce fût la vérité. Ses yeux, encadrés de boucles blond-roux, brillaient intensément. Ses joues étaient encore un peu pâles, mais on devinait déjà les couleurs qui revenaient progressivement.

— Mais tu dois être épuisée. Je devrais te laisser dormir.

— Dormir? fit-elle en levant les yeux au ciel et en l'attirant contre elle pour qu'il lui donne un autre baiser. Tu plaisantes? Je crois que je serai incapable de dormir avant plusieurs jours, je sens une telle énergie en moi. Par contre, je meurs de faim. Je donnerais n'importe quoi au monde pour qu'on m'apporte un énorme sandwich et une montagne de frites.

— Tu veux manger? demanda-t-il d'un air surpris en clignant des yeux. Quelle femme! Et ensuite, tu voudras peut-être aller bêcher un champ!

— Ça, je m'en dispenserais volontiers. Mais je te rappelle que je n'ai rien avalé depuis plus de vingt-quatre heures. Tu pourrais demander qu'on m'apporte quelque chose à grignoter?

— De la nourriture d'hôpital? Sûrement pas. Pas pour la mère de ma fille.

Quel bonheur c'était, songea soudain Gray. Il n'était pas encore tout à fait habitué à dire « ma femme », et voilà qu'il disait déjà « ma fille ». Mon enfant.

— Je vais aller te chercher le meilleur sandwich qu'on puisse trouver sur la côte ouest de l'Irlande.

Brianna s'adossa aux oreillers en riant lorsqu'il sortit en trombe de la chambre. Quelle année elle venait de passer! Il y avait à peine un an qu'elle l'avait rencontré, encore moins de temps qu'elle l'aimait, et ils formaient à présent une famille.

Bien qu'elle s'en défendît, ses paupières étaient lourdes de sommeil, et elle s'endormit sans difficulté.

Lorsqu'elle se réveilla, émergeant tout doucement de ses rêves, elle aperçut Gray, assis au bord du lit, en train de l'observer.

— Elle a dormi aussi, commença-t-il à dire en portant sa main à ses lèvres. J'ai tellement insisté qu'ils ont fini par me laisser la prendre. Ils ont dit deux ou trois choses intéressantes sur les Yankees, mais ont fait preuve d'une relative indulgence à mon égard. Elle m'a regardé, Brie, elle m'a regardé. Elle savait qui j'étais, et elle a enroulé ses petits doigts — elle a des doigts magnifiques — autour du mien et s'y est cramponnée.

Gray s'interrompit, un air paniqué laissant soudain place à son regard radieux.

— Tu pleures... Mais pourquoi ? Tu as mal quelque part ? Je vais prévenir le médecin. Je vais chercher quelqu'un.

— Non...

En reniflant, Brianna posa la tête sur l'épaule de son mari.

— Je n'ai mal nulle part. C'est juste que je t'aime tant... Oh, Grayson, je suis tellement émue de voir l'air que tu as quand tu parles d'elle. Ça me touche profondément.

— J'ignorais qu'il en serait ainsi, murmura-t-il tout en lui caressant les cheveux. Je ne me doutais pas que ce serait aussi fort, aussi incroyable. Tu verras, je serai un bon père.

Il dit cela avec une telle ferveur, mêlée d'une légère trace d'appréhension, qu'elle se mit à rire.

— J'en suis convaincue.

Comment pourrait-il en être autrement, pensa-t-il, étant donné la totale confiance qu'elle avait en lui ?

— Je t'ai rapporté un sandwich et deux ou trois autres bricoles.

— Merci.

Brianna renifla de plus belle en s'essuyant les yeux. Quand elle eut fini de sécher ses larmes, elle papillota des yeux en regardant autour d'elle et se remit instantanément à pleurer.

— Oh, Grayson, tu es merveilleux, mais tu es fou...

Il avait rempli la chambre de fleurs, de plantes, de vases ainsi que de ballons de toutes les couleurs et de toutes les formes qui s'étaient collés au plafond. Un gros chien en peluche violet souriait au pied du lit.

— Le chien est pour Kayla, expliqua-t-il en prenant une poignée de mouchoirs en papier qu'il lui tendit. Ne va surtout pas te faire des idées... Voilà ton sandwich, et j'ai mangé quelques-unes de tes frites. Mais il y a une part de gâteau au chocolat, si ça te fait envie.

Brianna ravala ses larmes.

— Je vais attaquer le gâteau.

— Qu'est-ce que c'est que ça ? On festoie déjà ? s'exclama Maggie en entrant dans la chambre, un bouquet de jonquilles dans les bras.

Son mari était juste derrière, caché par un gros ours en peluche.

— Bonjour, maman...

Rogan Sweeney se pencha sur le lit pour embrasser sa belle-sœur avant de faire un clin d'œil à Gray.

— Salut, papa.

— Elle mourait de faim, dit Gray avec un sourire béat.

— Et je suis trop gourmande pour partager mon gâteau avec vous, enchaîna Brianna, en enfournant un gros morceau.

— Nous venons de jeter un coup d'œil derrière la vitre de la pouponnière, dit Maggie en se laissant tomber sur une chaise, et je peux dire sans mentir que c'est le plus beau bébé de toute la maternité. Elle a tes cheveux, Brie, d'un beau blond ambré, et la jolie bouche de Gray.

— Murphy t'embrasse et te félicite, ajouta Rogan en posant l'ours à côté du chien. Nous venons de l'appeler pour lui annoncer la nouvelle. Liam et lui sont en train de fêter ça devant le gâteau que tu as sorti du four juste avant de partir accoucher.

— C'est très gentil à lui de garder Liam pendant que vous êtes là.

Maggie balaya sa remarque d'un geste de la main.

— Ça n'a rien à voir avec la gentillesse. Si je l'écoutais, il garderait Liam du matin au soir. Ils s'amusent beaucoup tous les deux. Au fait, avant que tu ne me poses la question, tout va très bien à l'auberge. Mrs. O'Malley s'occupe de tes clients. Bien que je ne comprenne toujours pas pourquoi tu as accepté des réservations en sachant que tu allais avoir un bébé.

— Pour la même raison, j'imagine, que tu as continué à souffler le verre jusqu'à ce qu'on te transporte à l'hôpital pour la naissance de Liam, répliqua sèchement Brianna. C'est comme ça que je gagne ma vie. Maman et Lottie sont reparties chez elles ?

— Oui, il y a un instant.

Par égard pour sa sœur, Maggie se força à garder le sourire. Leur mère s'était plainte et s'était inquiétée des microbes qu'elle risquait d'attraper à l'hôpital, ce qui n'avait rien de très surprenant.

— Elles sont passées mais, voyant que tu dormais, Lottie a décidé de raccompagner maman. Elles reviendront demain pour vous voir, toi et Kayla.

Maggie se tut et se tourna vers Rogan. Le discret hochement de tête qu'il lui adressa lui laissa l'entière décision de révéler ou non la nouvelle à sa sœur. Parce qu'elle la comprenait et la connaissait parfaitement, Maggie se leva, vint s'asseoir sur le lit et prit la main de Brianna.

— C'est d'ailleurs aussi bien qu'elle soit repartie. Je t'en prie, ne me regarde pas comme ça, je ne pensais pas à mal... J'ai des nouvelles pour toi qu'il est préférable qu'elle n'entende pas. Du moins, pour l'instant. Le type de Rogan, le détective, pense avoir retrouvé Amanda. Non, attends, ne t'emballe pas... On a déjà été suffisamment échaudées comme ça.

— Mais cette fois est peut-être la bonne.

Brianna ferma les yeux un instant. Il y avait un peu plus d'un an, elle avait trouvé par hasard trois lettres d'Amanda Dougherty écrites à son père. Des lettres d'amour, qui l'avaient choquée et plongée dans un terrible désarroi. Et la découverte de l'existence d'un enfant avait entraîné de longues recherches frustrantes pour retrouver la femme que son père avait aimée, ainsi que cet enfant qu'il n'avait jamais connu.

— Peut-être...

Ne voulant pas voir sa femme une nouvelle fois déçue, Gray choisit ses mots avec précaution.

— Brie, tu sais pourtant que nous n'avons trouvé que des fausses pistes depuis la découverte de ce certificat de naissance.

— Nous savons que nous avons une sœur, répliqua Brianna avec entêtement. Nous connaissons son nom, nous savons qu'Amanda s'est mariée et qu'elles ont déménagé plusieurs fois. Ces multiples déménagements compliquent tout. Mais tôt ou tard, nous finirons bien par les retrouver.

Elle serra la main de Maggie.

— Et c'est peut-être pour cette fois.

— Oui, peut être.

Maggie ne s'était pas encore habituée à cette idée. Elle n'était pas vraiment certaine de vouloir retrouver la femme qui était sa demi-sœur.

— Il est parti pour une ville qui s'appelle Columbus, dans l'Ohio. D'une manière ou d'une autre, nous saurons bientôt ce qu'il en est.

— Papa aurait voulu que nous fassions cela, dit calmement Brianna. Il aurait été heureux de savoir qu'on tente tout pour les retrouver.

Maggie se leva en hochant la tête.

— Eh bien, la machine est lancée, et rien ne pourra plus l'arrêter...

Elle espérait seulement que personne n'aurait à souffrir de ce qu'il adviendrait.

— En attendant, tu ferais mieux de t'occuper de ta nouvelle famille, au lieu de te faire du souci pour une chose qui n'arrivera peut-être jamais.

— Dès que tu auras du nouveau, préviens-moi, insista Brianna.

— Promis, mais d'ici là, cesse d'y penser.

**Maggie** promena son regard dans la chambre et sourit.

— Veux-tu que nous emportions quelques-unes de ces fleurs chez toi, Brie? Comme ça, elles seront là pour t'accueillir quand tu rentreras avec le bébé.

Prenant sur elle, Brianna s'empêcha de poser les questions qui lui tournaient dans la tête. Des questions qui restaient encore sans réponse.

— Oui, je veux bien. Gray s'est laissé emporter.

— Tu as besoin d'autre chose, Brianna? s'enquit Rogan en prenant avec bonne humeur les fleurs que sa femme lui entassait dans les bras. Tu veux un autre gâteau?

Brianna baissa les yeux en rougissant.

— Je n'en ai pas laissé une miette. Merci quand même, mais je crois que ça ira. Allez, rentrez vite chez vous et passez une bonne nuit.

— Pas de problème. Je t'appelle demain, promit Maggie gaiement.

L'inquiétude réapparut dans ses yeux lorsqu'elle sortit de la chambre avec Rogan.

— J'aimerais bien qu'elle ne soit pas si optimiste, et si convaincue que cette sœur que nous n'avons jamais vue nous tombera dans les bras.

— Elle est faite ainsi, tu n'y peux rien.

— Sainte Brianna! soupira Maggie. Tu sais, Rogan, je ne supporterais pas de la voir souffrir à cause de cette histoire. Il suffit de la regarder pour deviner ce qu'elle se raconte dans sa tête... et dans son cœur. Ce n'est peut-être pas bien de ma part, mais j'aurais préféré qu'elle ne trouve jamais ces lettres.

— Ne t'inquiète pas, dit Rogan en appuyant sur le bouton de l'ascenseur.

— Le problème n'est pas que je m'inquiète ou pas, marmonna-t-elle. Elle ne devrait pas se soucier de tout ça maintenant. Il faut qu'elle pense au bébé, et il se peut que Gray parte en tournée d'ici quelques mois faire la promotion de son livre.

— Je croyais qu'il l'avait annulée?

Rogan remit en place quelques fleurs qui menaçaient de lui échapper.

— C'est ce qu'il voulait faire. Mais Brie le pousse à y aller, sous prétexte qu'elle ne veut le gêner en rien dans son travail.

Impatiente, soucieuse, Maggie fixait les portes de l'ascenseur en fronçant les sourcils.

— Elle est absolument certaine de pouvoir s'occuper de tout en même temps, d'un bébé, de l'auberge, de tous ces fichus clients et de cette affaire concernant Amanda Dougherty Bodine.

— Tu sais aussi bien que moi que Brianna est suffisamment forte pour faire face, quoi qu'il arrive. Elle est exactement comme toi.

Maggie leva les yeux, prête à lui répondre. Mais le sourire amusé de Rogan eut raison de sa colère.

— Tu as sans doute raison... pour une fois, ajouta-t-elle avec un sourire espiègle.

Vaguement apaisée, elle le débarrassa d'une partie des fleurs.

— Et puis, c'est une journée trop magnifique pour s'inquiéter d'une chose qui n'arrivera probablement jamais. Nous avons une très belle nièce, Sweeney.

— En effet. Je trouve qu'elle a ton menton, Margaret Mary.

— C'est justement ce que je me disais.

Elle passa devant lui et entra dans l'ascenseur. Comme il était simple de laisser derrière soi ce qui faisait de la peine pour ne garder que les moments heureux, songea-t-elle.

— Et je me disais aussi que, maintenant que Liam commence à trottiner partout, nous pourrions envisager de lui donner une petite sœur... ou un petit frère.

Avec un sourire réjoui, Rogan se débrouilla pour l'embrasser entre les jonquilles.

— C'est justement ce que je me disais...

# 3

*Je suis la Résurrection et la Lumière.*

Shannon savait que les paroles, toutes les paroles du prêtre, étaient censées réconforter, apaiser, ou même inspirer. Elle les entendit résonner en cette splendide journée de printemps devant la tombe de sa mère, après les avoir entendues dans l'église bondée et éclaboussée de soleil pendant la messe d'enterrement. Toutes ces paroles lui étaient familières depuis sa prime jeunesse. Aussi s'était-elle agenouillée, levée, assise, et avait-elle même murmuré de façon automatique une partie des formules imprimées dans son cerveau depuis l'enfance.

Mais elle ne se sentait ni réconfortée, ni apaisée, ni inspirée.

La scène n'avait rien d'un rêve. Elle était au contraire trop réelle. Le prêtre noir dans son costume sombre avec sa belle voix de baryton, les dizaines et les dizaines de gens venus pleurer la défunte, les rayons de soleil qui faisaient étinceler les poignées de cuivre du cercueil recouvert de fleurs. Et le bruit des sanglots, et le pépiement des oiseaux.

Shannon enterrait sa mère.

A côté de la tombe fraîchement creusée, il y en avait une autre, avec une pierre relativement récente où figurait le nom de l'homme qu'elle avait cru toute sa vie être son père.

Elle aurait dû pleurer. Mais elle avait déjà beaucoup pleuré.

Elle aurait dû prier. Mais les prières ne venaient pas.

Debout, la voix du prêtre résonnant clairement dans l'air transparent, Shannon ne voyait rien d'autre qu'elle-même arpentant le salon, folle de rage.

Elle savait sa mère endormie. Mais tant de questions, tant de réponses se pressaient dans sa tête qu'elle avait décidé de la réveiller.

Tout doucement. Dieu merci, elle avait fait cela avec beaucoup de douceur et de délicatesse. Mais sa mère ne s'était pas réveillée, elle n'avait pas bougé.

Shannon avait alors été prise de panique. Sans plus aucune délicatesse, elle l'avait secouée, avait crié, supplié. Et pendant quelques minutes, brèves heureusement, elle s'était retrouvée dans le vide le plus complet et avait cédé malgré elle à l'hystérie.

Ensuite, il y avait eu l'appel affolé pour une ambulance, le trajet épouvantablement long jusqu'à l'hôpital. Et l'attente, l'attente interminable.

Très vite, il n'y avait plus rien eu à attendre. Amanda avait sombré dans le coma, puis était passée du coma à la mort.

Et de la mort, comme avait dit le prêtre, à la vie éternelle.

Tout le monde lui avait assuré que c'était une bénédiction. Tout d'abord le médecin, ainsi que les infirmières qui avaient fait preuve d'une inépuisable gentillesse. Puis les amis et les voisins l'avaient appelée à leur tour en disant que c'était mieux ainsi. Qu'elle n'avait pas souffert au cours de ces dernières quarante-huit heures. Qu'elle s'était simplement endormie tandis que son corps et son cerveau lâchaient prise.

Seuls les vivants souffraient, pensa Shannon. Seuls face à leur culpabilité, à leurs remords et à leurs questions restées sans réponses.

— Elle est partie rejoindre Colin, murmura quelqu'un.

Shannon revint à la réalité en clignant des yeux et vit que tout était fini. Déjà, les gens se dirigeaient vers elle. Elle allait devoir accepter leurs condoléances, leurs paroles de réconfort, leur propre chagrin, comme elle l'avait fait dans la salle mortuaire.

Bien entendu, nombre d'entre eux viendraient ensuite à la maison. Elle s'y était préparée, avait pensé à tout dans les moindres détails. Finalement, c'était encore là qu'elle se débrouillait le mieux, pensa-t-elle en répondant machinalement à ceux qui venaient lui parler. Les détails.

Les obsèques avaient été organisées correctement, sans grande pompe. Sa mère aurait voulu quelque chose de simple, elle le savait, et Shannon avait fait de son mieux pour s'acquitter de son ultime devoir envers Amanda. Un simple cercueil en bois, les fleurs et la musique qu'elle aimait, et une cérémonie catholique solennelle.

Et un repas, évidemment. Cela semblait légèrement indélicat de s'en remettre à un traiteur en pareille occasion, mais elle n'avait eu ni le temps ni l'énergie de préparer à manger pour les amis et voisins qui passeraient à la maison en sortant du cimetière.

Tout à coup, enfin, elle se retrouva seule devant la tombe. Pendant quelques instants elle ne sut plus que penser. Que voulait-elle ? Qu'est-ce qui était juste ? Néanmoins, les larmes et les prières refusaient toujours de venir. D'une main hésitante, Shannon toucha le cercueil, mais elle ne sentit sous sa paume que le bois chauffé par le soleil et le parfum entêtant des roses.

— Je regrette, murmura-t-elle. Les choses n'auraient pas dû se terminer comme ça entre nous. Je ne sais pas comment faire, comment y remédier. Je ne sais pas comment vous dire au revoir à tous les deux.

Elle regarda fixement la pierre tombale sur sa gauche.

COLIN ALAN BODINE
MARI ET PÈRE ADORÉ

Même ces derniers mots gravés dans le granit n'étaient qu'un mensonge, pensa-t-elle avec tristesse. Et son unique souhait, alors qu'elle se tenait là, devant la tombe de ces deux êtres qu'elle avait aimés toute sa vie, eût été de n'avoir jamais appris la vérité.

Cette volonté farouche, égoïste, n'avait d'égale que la culpabilité avec laquelle elle allait désormais devoir vivre.

Lentement, Shannon se détourna, puis elle marcha, triste et solitaire, jusqu'à la voiture qui l'attendait.

De longues heures s'écoulèrent avant que la foule commence à s'amenuiser et la maison à retrouver son calme. Amanda avait été très aimée, et tous ceux qui avaient eu de l'affection pour elle s'étaient rassemblés dans sa maison. Shannon leur dit au revoir, les remercia une dernière fois, accepta encore quelques témoignages de sympathie, puis referma la porte. Enfin, elle se retrouvait seule.

La fatigue commença à se faire sentir pendant qu'elle errait dans le bureau de son père.

Amanda avait modifié très peu de choses depuis maintenant onze mois que son mari était mort brutalement. Le grand bureau avait été débarrassé des dossiers, mais il y avait encore son ordinateur, le modem, le fax et les diverses machines dont il se servait dans son activité de courtier et de conseiller financier. Ses jouets, comme il les appelait... Sa femme les avait précieusement gardés alors qu'elle avait réussi à donner ses vêtements, ses chaussures et ses cravates excentriques.

Tous les dossiers étaient encore sur les étagères — prévisions fiscales, bilans immobiliers, livres comptables.

Très lasse, Shannon se laissa tomber dans le gros fauteuil en cuir qu'elle lui avait offert pour la fête des Pères cinq ans plus tôt. Il l'adorait, se rappela-t-elle en posant la main sur le cuir bordeaux tout lisse de l'accoudoir. Assez grand pour y asseoir un cheval, avait-il dit, et il avait ri en la prenant sur ses genoux.

Elle aurait voulu se convaincre qu'elle parvenait encore à sentir sa présence. Mais ce n'était pas le cas. Elle ne sentait plus rien. Et elle comprit alors, plus encore que pendant la messe de requiem, plus encore qu'au cimetière, à quel point elle était seule. Vraiment seule.

Elle n'avait eu le temps de rien. Si seulement elle avait su plus tôt... Elle ne savait pas très bien si elle faisait référence à la maladie de sa mère ou aux mensonges. Si seulement elle avait su, se dit-elle à nouveau, en se forçant à se concentrer sur la maladie. Elles auraient pu envisager d'autres solutions, les médecines alternatives, les concentrés de vitamines, toutes les petites choses simples qu'elle avait lues dans les livres d'homéopathie qu'elle avait amassés. Mais elle n'avait pas eu le temps de les mettre à l'épreuve.

Tout s'était passé en quelques semaines. Sa mère lui avait caché sa maladie, comme tant d'autres choses.

Des choses qu'elle n'avait pas voulu partager avec elle, pensa-t-elle, tiraillée entre l'amertume et le chagrin. Avec sa propre fille...

Si bien que les dernières paroles dites à sa mère avaient été pleines de colère et de suffisance. Et elle n'y pourrait rien changer.

Les poings crispés, comme pour résister à un ennemi invisible, Shannon se leva et s'éloigna du bureau. Elle avait besoin de temps, que diable! Elle avait besoin de temps pour comprendre ou, du moins, pour apprendre à vivre avec ce qu'elle savait.

Brusquement, les larmes se mirent à couler, brûlantes et désespérées. Car tout au fond de son cœur, elle savait bien qu'elle aurait préféré que sa mère fût morte avant de tout lui avoir révélé. Et elle s'en voulait.

Lorsqu'elle eut pleuré tout son soûl, elle éprouva le besoin d'aller dormir. Comme un automate, elle monta l'escalier, passa un peu d'eau fraîche sur ses joues en feu et s'allongea tout habillée en travers du lit.

Il allait falloir vendre la maison. Ainsi que les meubles. Et puis, il y avait tout un tas de papiers à trier.

Elle n'avait pas dit à sa mère qu'elle l'aimait.

Le cœur lourd, elle sombra dans un profond sommeil.

Faire la sieste laissait toujours à Shannon en se réveillant l'impression d'être vaseuse. Elle ne faisait la sieste que lorsqu'elle était malade, or elle l'était rarement. Quand elle se releva, la maison était plongée dans un épais silence. Un bref coup d'œil à la pendule lui apprit qu'elle avait dormi moins d'une heure, mais elle était toute raide et engourdie malgré la brièveté de son somme.

Elle allait se faire du café, se dit-elle, puis elle s'installerait dans un fauteuil et réfléchirait à la meilleure façon de se séparer des affaires de sa mère et de cette maison qu'elle avait adorée...

La sonnette de la porte d'entrée retentit avant même qu'elle eût atteint le bas de l'escalier. Pourvu que ce ne soit pas quelque voisin bien intentionné venu lui offrir son aide ou sa compagnie! Elle ne voulait ni de l'une ni de l'autre pour l'instant.

Mais l'homme qui se tenait derrière la porte était un parfait inconnu. Un individu de taille moyenne, avec une légère bedaine qu'on devinait sous son costume sombre. Il avait les cheveux gris, et des yeux vifs. Une curieuse sensation de malaise l'envahit lorsque son regard se posa sur elle.

— Je cherche Amanda Dougherty Bodine.

— Vous êtes bien chez les Bodine, répliqua Shannon en s'efforçant de deviner ce qu'il voulait.

Était-ce un représentant de commerce? Non, elle ne le pensait pas.

— Je suis sa fille. Que voulez-vous?

L'homme resta impassible, mais Shannon sentit son attention se renforcer.

— Quelques minutes de conversation avec Mrs. Bodine, si c'est possible. Je m'appelle John Hobbs.

— Je regrette, Mr. Hobbs, mais ce n'est pas possible. J'ai enterré ma mère ce matin, aussi je vous prie de m'excuser.

— Je suis désolé.

Il posa la main sur la porte que Shannon s'apprêtait à refermer.

— Je viens d'arriver en ville. Par l'avion de New York. J'ignorais que votre mère était décédée.

Hobbs s'efforça de réfléchir à toute vitesse. Il était trop près du but pour s'en aller maintenant.

— Vous êtes Shannon Bodine?

— C'est exact. Que voulez-vous exactement, Mr. Hobbs?

— Un peu de votre temps, répondit-il assez aimablement. Dès que cela vous sera possible. Je voudrais que vous m'accordiez un rendez-vous afin d'avoir un entretien avec vous d'ici quelques jours.

Shannon lissa ses cheveux ébouriffés.

— D'ici quelques jours, je serai de retour à New York.

— Je serai ravi de vous y rencontrer.

Ses yeux se plissèrent tandis qu'elle s'efforçait de sortir de sa torpeur.

— Ma mère vous connaissait, Mr. Hobbs?

— Non, Miss Bodine.

— Dans ce cas, je pense que nous n'avons rien à nous dire. Maintenant, je vous prie de bien vouloir m'excuser.

— Je détiens des informations que mes clients m'ont autorisé à transmettre à Mrs. Amanda Dougherty Bodine.

Hobbs se contenta de garder la main sur la porte tout en observant Shannon.

— Vos clients?...

Malgré elle, Shannon était intriguée.

— S'agit-il d'une affaire concernant mon père?

Hobbs hésita une seconde, mais elle le remarqua. Et son cœur se mit à battre plus fort.

— Cela concerne votre famille, oui. Si nous pouvions prendre rendez-vous, j'informerais mes clients de la mort de Mrs. Bodine.

— Qui sont vos clients, Mr. Hobbs? Non, ne me dites pas que c'est confidentiel. Vous arrivez chez moi le jour de l'enterrement de ma mère pour lui parler d'une histoire de famille. Or, désormais, je suis ma seule famille. Par conséquent vos informations me concernent directement. Qui sont vos clients?

— Il faut que je passe un coup de fil... de ma voiture. Pouvez-vous attendre un instant?

— D'accord, fit-elle, plus sur une impulsion que par envie de se montrer patiente. J'attends.

Mais elle referma la porte lorsqu'il s'éloigna vers la voiture garée au coin de la rue. Elle avait l'impression qu'elle allait avoir grand besoin de ce café.

Il ne fut pas long à revenir. La sonnette retentit pour la seconde fois alors qu'elle avalait sa première goutte de café. Emportant sa tasse, Shannon alla ouvrir.

— Miss Bodine, mon client m'a autorisé à faire ce que je jugerais bon.

Mettant la main dans sa poche, il en sortit une carte de visite qu'il lui tendit.

— Enquêtes et filatures Doubleday, New York, lut-elle en haussant les sourcils. Vous êtes loin de chez vous, Mr. Hobbs.

— Dans mon travail, on voyage pas mal. Et cette affaire m'a conduit jusqu'ici. Puis-je entrer, Miss Bodine, ou bien préférez-vous que nous prenions rendez-vous?

Shannon résista à l'envie de lui claquer la porte au nez. Non qu'elle eût peur de lui physiquement. Son appréhension venait de plus loin et, le reconnaissant, elle choisit de l'ignorer.

— Entrez. Je viens de faire du café.

— J'en boirais volontiers.

Fidèle à une très longue habitude, Hobbs balaya la maison du regard lorsqu'il suivit Shannon, notant au passage l'aisance discrète et le bon goût qui se dégageaient de la maison. Tout ce qu'il avait appris sur les Bodine depuis des mois se reflétait dans cette maison. Ils étaient — avaient été — une famille unie et sans prétention de la bourgeoisie aisée.

— C'est un moment difficile pour vous, commença à dire Hobbs en s'asseyant sur la chaise que Shannon lui indiqua. Je ne voudrais pas ajouter à votre peine.

— Ma mère est morte il y a deux jours, Mr. Hobbs. Je ne vois pas ce qui pourrait être pire. De la crème, du sucre?

— Je le prends noir, merci.

Il l'observa tandis qu'elle se servait. Parfaitement maîtresse d'elle-même, remarqua-t-il. Ce qui lui faciliterait la tâche.

— Votre mère était malade, Miss Bodine ?

— Cancer, répondit-elle brièvement.

Cette jeune femme ne demandait aucune sympathie et n'en avait aucune à offrir en retour.

— Je représente Rogan Sweeney, poursuivit Hobbs, ainsi que sa femme et sa famille.

— Rogan Sweeney ?

Prudente, Shannon s'assit face à lui.

— Je connais ce nom, bien entendu. Worldwide Galleries a une filiale à New York. Son siège social est en...

Elle laissa sa phrase en suspens et reposa sa tasse avant que ses mains ne se mettent à trembler. En Irlande, songea-t-elle.

— Vous semblez être au courant.

Hobbs vit dans son regard qu'elle savait. Encore une chose qui lui faciliterait la tâche.

— Mes clients étaient inquiets que les circonstances vous soient inconnues.

Décidée à ne pas craquer, Shannon reprit sa tasse.

— Quel rapport y a-t-il entre Rogan Sweeney et moi ?

— Mr. Sweeney est mariée à Margaret Mary Concannon, la fille aînée de feu Thomas Concannon, et réside dans le comté de Clare, en Irlande.

— Concannon...

Shannon ferma les yeux pour s'empêcher de hausser les épaules.

— Je vois...

Lorsqu'elle rouvrit les yeux, son regard brillait d'une ironie amère.

— Je suppose qu'ils vous ont engagé pour me retrouver. Il me paraît curieux qu'ils s'intéressent à moi après tant d'années.

— J'ai été engagé au départ pour retrouver votre mère, Miss Bodine. Je peux vous assurer que mes clients n'ont découvert son existence — et la vôtre —

48

que l'année dernière. C'est à ce moment-là que l'enquête a commencé. Néanmoins, nous avons eu beaucoup de difficulté à localiser Amanda Dougherty. Comme vous le savez, elle a quitté New York brusquement, sans préciser sa destination à sa famille.

— J'imagine qu'elle ne la connaissait pas elle-même. Elle a été jetée hors de chez elle parce qu'elle était enceinte.

Repoussant sa tasse, Shannon croisa les mains.

— Que veulent vos clients ?

— Leur premier objectif était d'entrer en contact avec votre mère et de lui faire savoir que les enfants de Mr. Concannon avaient découvert des lettres qu'elle lui avait écrites et, avec sa permission, de prendre contact avec vous.

— Ses enfants... Il est pourtant mort, fit-elle en se frottant la tempe. Oui, vous me l'avez dit. Il est mort. Ils le sont tous. Eh bien, vous m'avez retrouvée, Mr. Hobbs, votre mission est accomplie. Vous pouvez informer vos clients que j'ai été contactée et que je ne souhaite pas poursuivre.

— Vos sœurs...

Le regard de Shannon se glaça.

— Je ne les considère pas comme mes sœurs.

Hobbs inclina légèrement la tête.

— Mrs. Sweeney et Mrs. Thane souhaiteront peut-être vous contacter personnellement.

— Je ne peux pas les en empêcher. Mais vous pouvez leur dire que le fait d'organiser une petite réunion avec des femmes que je ne connais pas ne m'intéresse pas. Ce qui s'est passé entre leur père et ma mère il y a vingt-huit ans ne change rien à ce qui est ; par conséquent...

Elle s'interrompit en plissant les yeux.

— Margaret Mary Concannon, avez-vous dit ? L'artiste ?

— Oui, elle est connue pour ses sculptures sur verre.

— C'est le moins qu'on puisse dire, murmura Shannon.

Elle était allée à l'une des expositions de

M.M. Concannon à la galerie Worldwide de New York et avait même envisagé d'acheter une pièce. Il y avait presque de quoi rire.

— Ma foi, c'est amusant ! Vous pouvez dire à Margaret Mary Concannon et à sa sœur...

— Brianna. Brianna Concannon Thane. Elle tient un Bed & Breakfast dans le comté de Clare. Vous avez sans doute entendu parler de son mari. C'est un auteur de romans policiers à succès.

— Grayson Thane ?

En voyant Hobbs hocher affirmativement la tête, Shannon faillit éclater de rire.

— Elles ont apparemment fait de beaux mariages. Tant mieux pour elles. Dites-leur de continuer à vivre leur vie comme j'ai moi-même l'intention de le faire.

Elle se leva.

— Vous avez fini, Mr. Hobbs ?

— Je dois encore vous demander si vous souhaitez récupérer les lettres écrites par votre mère. Auquel cas, accepteriez-vous que mes clients en gardent une copie ?

— Je n'en veux pas. Je ne veux rien du tout.

Shannon se retint de cracher le venin qui lui emplissait subitement la bouche. Elle soupira.

— Ce qui est arrivé n'est pas plus leur faute que la mienne. J'ignore ce qu'elles pensent de tout ceci, Mr. Hobbs, et je m'en moque. S'il s'agit de leur part de curiosité, de culpabilité mal placée ou d'un sens poussé des obligations familiales, vous pouvez leur dire de tout laisser tomber.

Hobbs se leva à son tour.

— A voir le temps, les efforts et l'argent qu'elles ont consacrés à vous retrouver, je dirais que c'est un mélange des trois. Ou d'autres choses encore. Mais je le leur dirai.

Il lui tendit la main, que Shannon se surprit à serrer.

— Si vous changez d'avis, ou si des questions vous viennent à l'esprit, vous pourrez me joindre au numéro inscrit sur la carte. Je reprends l'avion pour New York ce soir.

Le ton détaché avec lequel il s'exprima fit à Shannon l'effet d'un aiguillon, sans qu'elle sût dire pourquoi.

— J'ai le droit d'avoir une vie privée.

— Absolument, fit le détective en hochant la tête. Inutile de me raccompagner, Miss Bodine. Merci de m'avoir accordé du temps... et pour le café.

Qu'il aille au diable... Ce fut tout ce qu'elle trouva à se dire lorsqu'il sortit calmement de la cuisine. Maudit soit-il pour être si froid, si objectif, si subtilement catégorique.

Et maudites soient les filles de Thomas Concannon de vouloir la retrouver, d'attendre de sa part qu'elle satisfasse leur curiosité... en lui proposant de satisfaire la sienne.

Elle ne voulait pas d'elles. N'avait pas besoin d'elles. Qu'elles restent donc en Irlande, avec leur vie douillette et leurs brillants maris. Elle avait sa vie à elle, dont il fallait qu'elle recolle au plus vite les morceaux.

Essuyant les larmes qu'elle n'avait pas senties venir, Shannon se précipita sur l'annuaire du téléphone. Elle le feuilleta rapidement, parcourut la page du bout du doigt et composa un numéro.

— Allô, j'ai une maison à vendre. Tout de suite.

Une semaine plus tard, Shannon était de retour à New York. La maison avait été mise en vente, et elle espérait que quelqu'un l'achèterait rapidement. Pas pour l'argent. Elle avait découvert qu'elle était riche. La mort de sa mère lui avait rapporté près d'un demi-million de dollars, grâce aux investissements judicieux que son père avait faits tout au long de sa vie. Cette somme ajoutée à son précédent héritage, elle n'aurait plus jamais besoin de se soucier de choses aussi triviales que l'argent.

Il lui avait suffi de devenir orpheline pour le gagner.

Toutefois, la fille de Colin Bodine savait que la maison devait être vendue, et que l'opération rapporterait un capital considérable. Certains des meubles qu'elle n'avait pas eu le cœur de vendre ou de donner étaient entreposés dans un garde-meubles. Elle pouvait bien attendre encore un peu avant de décider quoi faire des vases et des lampes.

Shannon n'avait emballé que quelques objets ayant une valeur sentimentale pour les emporter avec elle à New York. Notamment, tous les tableaux peints pour ses parents au fil des années.

De ça, elle ne pouvait pas se séparer.

Bien que son patron lui eût proposé de prendre le reste de la semaine, elle était revenue travailler dès le lendemain de son retour de Columbus, convaincue que cela l'aiderait, que le travail était le meilleur remède.

Il lui fallait s'occuper sérieusement du nouveau budget sur lequel elle venait tout juste de commencer à travailler quand elle avait dû partir. Elle avait eu à peine deux semaines pour s'habituer à cette promotion, à ses nouvelles responsabilités.

Depuis le début de sa vie active, elle avait travaillé en vue de décrocher ce poste. Elle avait gravi les échelons, au rythme rapide et régulier qu'elle s'était fixé. Le bureau en angle était maintenant le sien, et son agenda était rempli de multiples réunions et présentations. Le directeur général de l'agence lui-même connaissait son nom, respectait son travail et, elle le savait, lui réservait des responsabilités plus importantes encore.

C'était ce qu'elle avait toujours voulu, planifié, prévu.

Comment aurait-elle pu deviner que rien au bureau n'aurait d'un seul coup plus d'importance? Plus la moindre importance.

Sa table à dessin, ses outils, le budget dont on l'avait chargée le jour même où elle avait reçu le coup de téléphone de Columbus, et qu'elle avait dû confier à un collègue, plus rien ne comptait. Cette promotion qu'elle s'était échinée à obtenir lui semblait désormais très loin d'elle. De même que la vie qu'elle avait menée, une petite vie planifiée sagement et avec soin, lui paraissait être celle de quelqu'un d'autre.

Shannon se surprit en train de regarder le portrait de son père endormi dans le jardin. Elle l'avait simplement posé contre le mur, sans l'accrocher. Pour des raisons qu'elle n'arrivait pas à comprendre, elle n'en voulait finalement pas dans son bureau.

— Shannon?

La femme qui passa la tête dans l'embrasure de la porte était séduisante et impeccablement habillée. Lilly était son assistante, une amie dans ce que Shannon commençait à voir comme une vie remplie de vagues amis.

— J'ai pensé que tu voulais peut-être faire une pause.

— Je n'ai rien fait qui nécessite une pause.

— Hé! s'exclama Lilly en s'approchant du bureau pour frictionner énergiquement les épaules de Shannon, donne-toi un peu de temps. Tu n'es rentrée que depuis quelques jours.

— J'aurais mieux fait de m'abstenir...

D'un geste agacé, elle s'éloigna du bureau.

— Je ne produis rien du tout.

— Tu traverses une passe difficile.

— Ouais.

— Tu veux que j'annule tes rendez-vous de cet après-midi?

— Il faut bien que je me remette au boulot un jour ou l'autre...

Elle regarda par la fenêtre la vue fabuleuse de New York qu'elle avait tant rêvé de contempler chaque jour.

— Mais annule le déjeuner avec Tod. Je ne suis pas d'humeur à faire la conversation.

Lilly fit la moue et prit des notes sur son carnet.

— Il y a de l'eau dans le gaz?

— Disons plutôt que je trouve cette liaison improductive elle aussi — et puis j'ai trop de travail en retard pour perdre du temps à déjeuner.

— C'est tout?

— Oui, merci.

Shannon se retourna.

— Lilly, je ne t'ai pas remerciée pour tout ce que tu as fait pendant mon absence. J'ai jeté un coup d'œil, et je voulais te dire que ton travail est formidable.

— C'est pour ça qu'on me paie...

Lilly tourna une page de son carnet.

— L'affiche Mincko attend la touche finale. Rien ne satisfait le client de Rightway. Tilghmanton pense que tu peux faire quelque chose. Il a envoyé ce matin un mémo en demandant que tu regardes les épreuves et que tu trouves quelque chose de nouveau... d'ici à la fin de la semaine.

— Parfait.

Elle hocha la tête.

— Ce genre de défi est exactement ce dont j'ai besoin. Commençons par Rightway. Tu me donneras des précisions sur Mincko plus tard.

— OK, dit Lilly en repartant vers la porte. Oh, au fait ; Rightway veut quelque chose de traditionnel mais de différent, de subtil mais d'audacieux, de sexy mais de décent.

— Ben voyons... Je vais sortir ma baguette magique de mon attaché-case.

— Je suis contente que tu sois de retour, Shannon.

Quand la porte se referma, Shannon poussa un long soupir. Oui. C'était bon d'être de retour.

En tout cas, il lui fallait le croire.


Il pleuvait à verse. Après une triste journée de dix heures qui s'était conclue par une rupture avec l'homme dont elle avait tenté de tomber amoureuse, Shannon regardait la pluie tomber derrière la vitre du taxi qui la ramenait chez elle.

Nul doute, elle avait eu raison de retourner immédiatement au travail. La routine, les contraintes et la concentration l'avaient aidée à oublier quelque peu son chagrin. Du moins temporairement. Elle avait besoin de cette routine. De cette cadence infernale qui lui avait permis d'obtenir ce poste à l'agence Ry-Tilghmanton.

Son travail, la carrière qu'elle s'était forgée, était désormais tout ce qui lui restait. Elle n'avait même plus l'illusion de vivre une histoire d'amour satisfaisante pour remplir une partie de sa vie.

En revanche, elle avait eu raison de rompre avec Tod. Ils n'avaient été l'un pour l'autre que des accessoires plaisants. Or la vie, elle venait de le découvrir, était trop courte pour faire des choix irréfléchis.

Shannon paya le taxi qui l'arrêta au coin de la rue et courut jusqu'à son immeuble, en adressant au passage un bref sourire au portier. D'un geste automatique, elle ramassa son courrier qu'elle passa en revue dans l'ascenseur.

La lettre d'Irlande la fit se figer sur place.

En jurant, elle la mit en dessous de la pile, ouvrit la porte et jeta le tout sur une table. Le cœur battant à se rompre, elle suivit néanmoins sa petite routine habituelle, comme si de rien n'était. Elle suspendit son manteau, retira ses chaussures et se servit un verre de vin. Une fois assise devant la petite table près de la fenêtre qui donnait sur Madison Avenue, elle commença à lire son courrier.

Au bout de quelques minutes, elle céda et déchira en hâte l'enveloppe de Brianna Concannon Thane.

*Chère Shannon,*

*Je suis sincèrement désolée d'apprendre la mort de votre mère. Vous devez être profondément affligée, et je doute que les mots puissent vous être d'un quelconque réconfort. D'après les lettres qu'elle a écrites à mon père, je sais qu'elle était une femme merveilleuse et peu banale. Je regrette de ne pas avoir eu l'occasion de la rencontrer et de le lui dire moi-même.*

*Vous avez vu le détective engagé par Rogan, Mr. Hobbs. D'après son rapport, je crois comprendre que vous étiez au courant de la liaison entre votre mère et mon père. J'imagine que cela a dû vous faire du mal, et je le regrette. Je suppose également que vous n'apprécierez guère d'entendre parler de moi. Mais je tenais à vous écrire, au moins une fois.*

*Votre père, le mari de votre mère, vous aimait sûrement beaucoup. Je ne veux pas me mêler de ce que vous pouvez ressentir, ni de vos souvenirs qui sont certainement très précieux pour vous. Je voudrais seulement vous offrir une occasion d'en apprendre davantage sur l'autre partie de votre famille, et vos origines. Mon père n'était pas un homme facile, mais il était bon, et il n'a jamais oublié votre mère. J'ai trouvé ses lettres long-temps après sa mort, encore attachées par le ruban qu'il avait noué autour.*

*J'aimerais les partager avec vous ou, si vous n'en vou-lez pas, vous donner la possibilité de voir l'Irlande où vous avez été conçue. Si le cœur vous en dit, j'aimerais beaucoup que vous veniez passer quelque temps chez moi. A défaut d'autre chose, la campagne par ici est un endroit idéal pour apaiser le chagrin.*

*Vous ne me devez rien, Shannon, et peut-être pensez-vous que je ne vous dois rien non plus. Mais si vous aimiez votre mère autant que j'aimais mon père, vous savez sans doute que nous le leur devons. Peut-être qu'en devenant amies, sinon sœurs, nous leur rendrons un peu de ce à quoi ils ont renoncé pour nous.*

*Ma maison vous est ouverte. Si jamais vous avez envie de venir, vous serez la bienvenue.*

*A vous, sincèrement,*

*Brianna.*


Shannon la lut deux fois de suite. Et quand elle l'eut mise de côté, elle la reprit pour la relire encore. Cette femme était-elle vraiment si simple, si peu égoïste, si désireuse d'ouvrir ainsi son cœur et sa maison ?

De toute façon, elle n'avait nul besoin du cœur de Brianna ou de sa maison, se dit Shannon.

Et pourtant. Pourtant... Allait-elle se mentir à elle-même et prétendre ne pas y avoir déjà pensé ? Un voyage en Irlande... Un regard vers le passé. Elle cares-sait l'idée d'aller là-bas sans contacter aucune des sœurs Concannon.

Était-ce parce qu'elle avait peur ? Oui, sans doute. Mais aussi parce qu'elle voulait n'avoir à subir aucune pression, aucune question, aucune exigence.

La femme qui avait écrit cette lettre avait promis

qu'il n'y aurait rien de tout cela. Et lui avait offert bien davantage.

Peut-être vais-je finalement la prendre au mot, songea Shannon.

Ou peut-être pas.

## 4

— Je ne vois pas pourquoi tu te donnes autant de mal, se plaignit Maggie. On dirait que tu t'apprêtes à recevoir la reine.

— Je veux qu'elle soit confortablement installée...

Brianna posa le vase de tulipes au centre de la commode, puis changea d'avis et alla le placer sur la petite table devant la fenêtre.

— Elle vient de très loin pour nous rencontrer. Je veux qu'elle se sente ici chez elle.

— Autant que je sache, tu as déjà fait deux fois le ménage de fond en comble, il y a suffisamment de bouquets pour fleurir au moins cinq mariages et tu as fait cuire assez de gâteaux et de tartes pour nourrir une armée entière.

Tout en parlant, Maggie s'approcha de la fenêtre et tripota le rideau en dentelle, le regard perdu vers les collines.

— Tu te prépares à une belle déception, Brie.

— Et toi, tu as décidé une fois pour toutes de ne pas tirer le moindre plaisir de son arrivée.

— La lettre dans laquelle elle acceptait ton invitation ne débordait pas vraiment d'enthousiasme, je me trompe ?

Brianna cessa de tapoter les oreillers et considéra le dos raide de sa sœur.

— Elle est seule, Maggie. Nous, nous avons toujours été deux, et nous le serons encore quand elle sera repartie. Sans compter qu'elle a perdu sa mère depuis à peine un mois. Je ne m'attendais pas à une réponse enflammée de sa part. Je suis déjà contente qu'elle ait finalement décidé de venir.

— Elle a dit au type de Rogan qu'elle ne voulait rien avoir à faire avec nous.

— Comme s'il ne t'était jamais arrivé dans ta vie de dire quelque chose que tu avais regretté ensuite !

Cette remarque arracha un sourire à Maggie.

— Pas que je me souvienne, non.

Lorsqu'elle se retourna, elle souriait toujours.

— Combien de temps nous reste-t-il avant de partir la chercher à l'aéroport ?

— Très peu. Il faut d'abord que je nourrisse Kayla, que j'aille ensuite me changer...

En voyant l'expression de Maggie, elle poussa un soupir.

— Je ne vais quand même pas accueillir une sœur que je n'ai jamais vue avec un tablier et un pantalon couverts de poussière.

— Moi, en tout cas, je ne me change pas, fit Maggie avec un haussement d'épaules dans la grande chemise rentrée dans son vieux jean.

— Comme tu voudras, dit Brianna d'un ton léger en sortant de la chambre. Mais tu pourrais coiffer ce nid à rats que tu as sur la tête.

Maggie fit la moue, mais jeta tout de même un coup d'œil furtif dans le miroir. C'était une bonne description, songea-t-elle, amusée, en apercevant sa tignasse rousse aux boucles tout emmêlées.

— J'ai travaillé, cria-t-elle en courant rejoindre sa sœur au bas de l'escalier. Mes pipes à souffler le verre se fichent pas mal que je sois coiffée ou non. Ce n'est pas comme si j'avais affaire à des gens jour et nuit, comme toi.

— Ce dont ces gens te sont infiniment reconnaissants. Prépare-toi un sandwich ou ce que tu voudras, Margaret Mary, ajouta Brianna en entrant dans la cuisine, tu as l'air à bout de forces.

— Absolument pas, grommela Maggie, qui mourait de faim, en se dirigeant vers la boîte à pain. J'ai l'air enceinte, un point c'est tout.

Brianna se figea sur place.

— Quoi? Oh, Maggie...

— Et c'est ta faute si je le suis, marmonna-t-elle d'un air renfrogné tout en se coupant une tranche de pain frais.

Riant de bon cœur, Brianna se retourna pour serrer sa sœur dans ses bras.

— Eh bien, voilà une déclaration des plus étranges, qui intéressera sans doute les autorités médicales du monde entier !

Maggie pencha la tête, une lueur ironique dans le regard.

— Et qui vient d'avoir un bébé, tu peux me le dire? Qui m'a fait tenir cette superbe petite fille quelques minutes à peine après qu'elle était née pour me faire perdre la tête?

— Dis-moi, tu n'as rien contre le fait d'avoir un autre bébé? rétorqua Brianna, l'air soudain inquiet. Rogan est content?

— Je ne lui ai encore rien dit. Je n'ai encore aucune certitude. Mais je le sens.

Instinctivement, elle plaqua la main sur son ventre.

— Eh non, je n'ai rien contre ; je te taquine. Je serais ravie.

Elle tapota affectueusement la joue de sa sœur et retourna à la préparation de son sandwich.

— Ce matin, j'ai eu mal au cœur.

— Oh ! s'exclama Brianna, les larmes aux yeux. C'est merveilleux !

Maggie s'approcha du réfrigérateur en grognant.

— Il se trouve que je suis suffisamment cinglée pour être d'accord avec toi. Mais ne dis rien encore, même à Gray, avant que j'en sois sûre.

— Promis... à condition que tu ailles t'asseoir pour manger ton sandwich et que tu prennes une tasse de thé.

— C'est un compromis honnête... Allez, va vite nourrir ma nièce et te changer, sinon nous serons en retard à l'aéroport pour accueillir la reine.

Brianna faillit réagir, mais se contenta finalement

d'un soupir avant de filer dans ses appartements qui jouxtaient la cuisine.

Lesquels appartements s'étaient considérablement agrandis depuis un an qu'elle était mariée. Le premier étage de la maison ainsi que le grenier aménagé, étaient réservés aux clients de passage à Blackthorn Cottage. En revanche, au-delà de la cuisine, c'était le coin réservé à la famille.

Le petit salon et la chambre contiguë avaient largement suffi à Brianna à l'époque où elle vivait seule. Depuis, on avait ajouté une seconde chambre et une nursery, claire et baignée de soleil, avec des fenêtres à double vitrage qui ouvraient sur les collines et sur le jeune amandier en fleur planté par Murphy pour Kayla le jour de sa naissance.

Au-dessus du berceau, attrapant joliment les reflets de la lumière, se balançait un mobile, une ménagerie de verre fabriquée par Maggie, avec des licornes, des chevaux ailés et des sirènes. Juste en dessous, suivant des yeux les mouvements et les reflets, le bébé admirait leur danse.

— Te voilà, mon amour, murmura Brianna.

Et cette fois encore une bouffée d'émotion et d'émerveillement la saisit. Son enfant. Enfin. Son enfant à elle.

— Tu as vu comme les lumières brillent, ma chérie ? Elles sont si jolies, et ta tante Maggie est si douée...

Elle prit Kayla dans les bras et respira son odeur en la serrant tout contre elle.

— Aujourd'hui, tu vas faire la connaissance d'une autre tante. Ta tante Shannon, d'Amérique. Ça va être merveilleux, non ?

Le bébé sur un bras, Brianna déboutonna son corsage tout en s'asseyant dans le rocking-chair. Elle jeta un coup d'œil vers le plafond et sourit, sachant que Gray était là-haut dans son bureau, probablement en train d'écrire une sombre histoire de meurtre ou quelque chose d'horrible.

— Voilà, ça vient, chantonna-t-elle en approchant la bouche de Kayla de son sein. Et quand tu auras assez mangé et que tu seras changée, tu seras gentille avec ton papa pendant que je serai partie — pas pour long-temps. Tu as déjà tellement grandi... Ça ne fait qu'un mois, tu sais. Un mois aujourd'hui.

Gray les observait depuis le seuil de la chambre, comblé. Il y avait peu de temps encore, personne n'aurait pu lui faire croire que ce serait à ce point magnifique de contempler sa femme et son enfant. D'avoir une femme et un enfant à lui. Le petit poing de Kayla reposait sur le sein galbé de sa mère. Ivoire sur ivoire. Le soleil jouait doucement dans leurs cheveux, qui étaient pratiquement de la même couleur. Elles se regardaient, liées d'une manière qu'il ne pouvait qu'imaginer.

Soudain, Brianna leva les yeux et lui sourit.

— Je croyais que tu travaillais ?

— Je t'ai entendue dans l'interphone.

Il fit un geste vers le petit moniteur qu'il avait tenu à installer. Il s'approcha d'elles et s'accroupit près du rocking-chair.

— Mes femmes sont si belles...

Brianna se pencha vers lui avec un rire léger.

— Embrasse-moi, Grayson.

Ce qu'il fit, longuement, avant de se reculer pour caresser la tête de Kayla.

— Elle a faim.

— Cette petite a l'appétit de son père.

Ce qui la ramena aussitôt à des considérations d'ordre plus pratique.

— Je t'ai laissé de la viande froide et du pain tout frais de ce matin. Si j'ai le temps, je te préparerai quel-que chose avant de partir.

— Ne t'inquiète pas. Et si des clients reviennent de promenade avant ton retour, je sortirai les scones et je ferai du thé.

— Tu deviens un parfait hôtelier, Grayson. Mais tout de même, je ne veux pas que tu t'interrompes dans ton travail.

— Mon travail avance bien.

— Je le vois. Tu n'es pas de mauvaise humeur, et je

ne t'ai pas entendu marcher de long en large depuis des jours.

— C'est une histoire de meurtre-suicide, dit-il en lui adressant un clin d'œil. En tout cas, ça en a tout l'air. Ça me met d'excellente humeur.

Il laissa courir un doigt paresseux sur son sein, juste au-dessus de la tête de sa fille. Comme il regardait Brianna, il eut la satisfaction de voir une brève lueur de plaisir passer dans ses yeux.

— Quand je te referai l'amour, ce sera comme si c'était la première fois.

Brianna laissa échapper un gros soupir.

— Ce n'est pas bien de chercher à me séduire pendant que je nourris notre fille.

— C'est bien quel que soit le moment, répliqua-t-il en tendant la main pour faire miroiter son alliance en or au soleil. Je te rappelle que nous sommes mariés.

— Contrôle-toi, Grayson Thane! s'écria Maggie depuis la cuisine. Il nous reste moins de vingt minutes avant de partir à l'aéroport.

— Ce n'est pas du jeu, marmonna Gray en se relevant avec un sourire. Et en plus, je vais avoir deux sœurs sur le dos à partir de maintenant.

Gray était cependant la dernière personne dont se souciât actuellement Shannon. Elle était en train de découvrir l'Irlande à travers le hublot de l'avion, le vert vif des champs, le noir des falaises. C'était magnifique, et, bizarrement, étrangement familier.

Elle regrettait déjà d'être venue.

Mais on ne revenait jamais en arrière, songea-t-elle. C'était stupide d'y compter. Il était vrai qu'elle avait pris la décision de partir sur une impulsion, en se laissant influencer par la culpabilité et le chagrin qui la rongeaient, ainsi que par la compréhension pleine de simplicité qui émanait de la lettre de Brianna. Mais elle avait suivi son instinct jusqu'au bout, avait demandé un congé à l'agence, fermé son appartement et pris l'avion pour se lancer dans un voyage de cinq mille kilomètres qui allait s'achever dans quelques minutes.

Shannon avait cessé de s'interroger sur ce qu'elle espérait trouver ou sur ce qu'elle voulait prouver. De toute façon, elle ne possédait aucune réponse. Tout ce qu'elle savait, c'était qu'il fallait qu'elle vienne ici. Néanmoins, toutes sortes de craintes l'assaillaient — celle d'être déloyale envers le seul père qu'elle eût jamais connu, ou encore de se retrouver tout à coup au milieu de parents qu'elle ne désirait nullement connaître.

Tout en secouant la tête, Shannon sortit son poudrier de son sac. Dans sa lettre, elle avait été très claire, se rappela-t-elle en s'efforçant de rafraîchir son maquillage. Elle avait refait le texte trois fois avant d'être satisfaite et d'aller poster sa réponse à Brianna. Une réponse polie, légèrement distante et sans la moindre trace d'émotion.

Et c'était ainsi qu'elle avait l'intention de continuer à se comporter.

Elle essaya de ne pas faire la grimace quand les roues de l'appareil touchèrent le sol. Elle avait encore le temps, se rassura-t-elle, pour se composer une attitude. Des années de voyage avec ses parents l'avaient rendue familière de la routine du débarquement, du passage de la douane et du contrôle des passeports. Comme un automate, elle avança tout en s'appliquant à conserver son calme.

Ayant retrouvé sa confiance, et avec le sentiment de se sentir vaguement extérieure à ce qui se passait, elle se fondit dans la foule qui se dirigeait vers le terminal principal.

Elle ne s'était nullement attendue à les reconnaître au premier coup d'œil. Ni à avoir la certitude absolue que les deux femmes debout parmi tant d'autres étaient les Concannon. Bien entendu, elle aurait pu se dire que c'était à cause de la couleur de leur peau, de leur teint clair et crémeux, de leurs yeux verts et de leurs cheveux roux. Elles avaient quelques similitudes en commun, bien que la plus grande des deux eût le regard plus doux et que ses cheveux fissent davantage penser à de l'or qu'à des flammes.

Ce ne fut cependant une question ni de couleur ni de ressemblance familiale qui attira son regard sur elles deux au milieu de tous ces gens qui pleuraient et riaient en se jetant dans les bras les uns des autres. Ce fut une reconnaissance profonde, viscérale, qui s'avéra étonnamment douloureuse.

Shannon ne disposa que d'un bref instant pour les observer : la plus grande, nette et impeccable dans une petite robe bleue toute simple et l'autre, qui avait une allure étonnante, bien que vêtue d'une chemise trop vaste et d'un vieux jean usé. Et elle remarqua qu'elles la reconnaissaient en retour, la première arborant un sourire radieux, la seconde, un regard distant et plein de réserve.

— Shannon... Shannon Bodine ?

Sans hésiter, Brianna se précipita vers Shannon et l'embrassa légèrement sur la joue.

— Bienvenue en Irlande. Je suis Brianna.

— Enchantée.

Shannon se félicita de tenir le chariot à bagages à deux mains mais très vite, Brianna la poussa délicatement pour le lui prendre.

— Et voici Maggie. Nous sommes heureuses que vous soyez venue.

— J'imagine que vous mourez d'envie de sortir de cette foule, fit Maggie en inclinant la tête, réservant son jugement sur cette femme distante en tailleur-pantalon élégant. C'est un long voyage au-dessus de l'océan.

— Je suis habituée à voyager.

— C'est toujours très excitant, n'est-ce pas ?

Bien que nerveuse, Brianna parlait facilement tout en poussant le chariot.

— Maggie est allée dans beaucoup plus d'endroits que moi. Chaque fois que je prends l'avion, j'ai l'impression d'être quelqu'un d'autre. Vous avez fait un bon voyage ?

— Très calme.

Un peu désespérée de constater qu'elle n'arrivait à tirer de Shannon que des phrases aussi lapidaires, Brianna se mit à parler du temps — il faisait beau — et de la durée du trajet jusqu'au cottage — heureusement, ce n'était pas long. De chaque côté d'elle, Shannon et Maggie s'observaient avec une méfiance réciproque.

— Nous vous donnerons quelque chose à manger en arrivant, poursuivit Brianna en chargeant les valises dans le coffre de la voiture. Ou vous pourrez d'abord vous reposer un peu, si vous êtes fatiguée.

— Je ne veux en aucun cas vous déranger, dit Shannon d'un ton si catégorique que Maggie ne put s'empêcher de râler dans sa barbe.

— Être dérangée est ce que Brie préfère, répliqua-t-elle froidement. Et pour vous la première. En tant qu'invitée.

Quelle garce ! se dit Shannon en redressant le menton, un peu comme Maggie avait la manie de le faire, en s'installant sur le siège passager.

Brianna serra les dents. Elle était hélas habituée aux querelles de famille mais cela ne l'en blessait pas moins.

— Vous n'êtes jamais venue en Irlande, Shannon ?

— Non.

Sa réponse avait été brutale. Elle se sentit tout à coup aussi garce qu'elle avait jugé Maggie. Elle se força à relaxer ses épaules.

— Ce que j'ai vu d'avion m'a paru magnifique.

— Mon mari a voyagé dans le monde entier, mais il dit que cet endroit est le plus beau qu'il ait jamais vu...

Brianna jeta un sourire à Shannon en s'engageant sur la route à la sortie de l'aéroport.

— Mais c'est désormais chez lui, aussi doit-il avoir quelques préjugés.

— Vous êtes marié avec Grayson Thane.

— Oui. Cela fera un an fin juin. Il était venu en Irlande, dans la région de Clare, pour faire des recherches pour un livre. Qui va d'ailleurs sortir bientôt. Actuellement, il travaille sur un autre, bien entendu, et prend un plaisir évident à assassiner des gens ici et là.

— J'aime bien ses livres...

C'était là un sujet de conversation sans risque, décida Shannon. Simple et sans risque.

— Et mon père était un de ses fervents admirateurs.

Cette dernière remarque fut suivie d'un lourd et inconfortable silence.

— Cela a été dur pour vous, dit prudemment Brianna, de perdre vos deux parents en si peu de temps. J'espère que votre séjour ici vous aidera à oublier votre peine.

— Merci.

Shannon tourna la tête pour admirer le paysage. L'endroit était magnifique, c'était indéniable. De même qu'il y avait effectivement quelque chose de spécial dans la façon qu'avait le soleil de se faufiler à travers les nuages et d'illuminer l'air.

— Le type de Rogan a dit que vous étiez dessinatrice dans une agence de publicité, commença Maggie, plus par curiosité que par courtoisie.

— C'est exact.

— Vous vendez des choses et vous faites du marketing, c'est bien ça ?

Shannon fronça les sourcils. Elle savait parfaitement reconnaître le dédain lorsqu'elle l'entendait, aussi léger fût-il.

— Oui, d'une certaine manière...

Délibérément, elle se retourna et regarda Maggie droit dans les yeux.

— Vous aussi vous vendez... des choses.

— Non, rétorqua Maggie avec un sourire insipide. Je les crée. C'est quelqu'un d'autre qui s'occupe de les vendre.

— C'est intéressant, vous ne trouvez pas ? glissa rapidement Brianna. Que vous soyez toutes les deux des artistes.

— Plutôt bizarre, marmonna Maggie.

Et elle haussa les épaules quand Brianna lui adressa un regard de mise en garde dans le rétroviseur.

Shannon se contenta de croiser les mains. A elle, au moins, on avait enseigné les bonnes manières.

— Brianna, votre maison est-elle à proximité d'une ville ? Je pensais louer une voiture.

— Nous sommes un peu à l'écart du village. Vous ne trouverez pas de voiture à louer là-bas. Mais vous pourrez utiliser la mienne autant que vous voudrez.

— Je ne veux pas vous priver de votre voiture.

— Elle reste garée devant la maison la plupart du temps. Et Gray en a une aussi, par conséquent... Vous voudrez sans doute faire un peu de tourisme. L'une de nous se fera un plaisir de vous servir de guide, si vous le désirez. Bien qu'on puisse préférer quelquefois se promener tout seul. Ah, voici notre village.

Ce n'était donc rien de plus, pensa Shannon, un peu déçue. Un endroit minuscule, avec des rues étroites et pentues et des boutiques et des maisons serrées les unes contre les autres. Charmant, sans aucun doute, et pittoresque. Mais pas très commode, se dit-elle en soupirant intérieurement. Il n'y avait là ni théâtre, ni galerie, ni fast-food. Et pas de foule au milieu de laquelle se perdre...

Un homme tourna la tête en entendant le bruit du moteur, sourit de part et d'autre de la cigarette collée sur sa lèvre inférieure et fit un signe de la main en continuant à marcher.

Brianna lui rendit son salut et l'interpella par la fenêtre ouverte :

— Bonjour, Matthew Finney !

— Pour l'amour du ciel, ne t'arrête pas ! s'écria Maggie en le saluant à son tour. Si tu t'arrêtes, il va nous tenir la jambe jusqu'à la semaine prochaine.

— Je n'ai pas l'intention de m'arrêter. Shannon a sûrement envie de se reposer, pas d'écouter les potins du village. Tout de même, je me demande si sa sœur Colleen va épouser ce représentant de commerce anglais.

— D'après ce que j'ai entendu dire, elle ferait mieux, fit Maggie en se penchant et en croisant les bras sur le siège avant. Car il lui a déjà vendu quelque chose qu'elle va devoir payer dans neuf mois.

— Colleen est enceinte ?

— Cet Anglais lui a planté un môme dans le ventre et maintenant, son père menace de l'étrangler d'une main tout en cherchant à faire publier les bans de l'autre. Murphy m'a raconté toute l'histoire l'autre soir, au pub.

Malgré elle, Shannon sentit sa curiosité s'éveiller.

— Vous voulez dire... qu'ils vont forcer cet homme à l'épouser ?

— Oh, forcer est un bien grand mot, répondit Maggie d'un air ironique. Disons plutôt... l'encourager. Fermement, en lui faisant comprendre quel est le choix le plus raisonnable entre se marier et se faire démolir le portrait.

— C'est une solution archaïque, vous ne pensez pas ? Après tout, la femme est aussi responsable que l'homme.

— Et elle sera coincée avec lui comme lui le sera avec elle. A eux ensuite de s'en débrouiller.

— Jusqu'à ce qu'ils fassent six autres enfants et divorcent, dit rapidement Shannon.

— Ma foi, dans ce domaine, nous prenons tous les mêmes risques, remarqua Maggie en se radossant à la banquette. Et nous, les Irlandais, nous sommes fiers d'en prendre un maximum, et de beaucoup plus grands que la plupart.

Ce n'était pas faux, songea Shannon en redressant à nouveau le menton. Avec l'IRA, l'absence de pilule contraceptive, l'alcoolisme et les mariages dont on ne pouvait se sortir...

Heureusement qu'elle n'était là qu'en touriste.

Son cœur s'accéléra lorsque la route se rétrécit soudain. La voiture s'engagea sous un épais tunnel de haies plantées si près de la route que les feuilles frôlèrent la carrosserie à plusieurs reprises. De temps à autre, il y avait un trou dans ce mur de verdure, et l'on apercevait une petite maison ou une cabane.

Shannon préféra ne pas imaginer ce qui se passerait si une autre voiture arrivait en face...

Puis Brianna amorça un virage, et le monde s'ouvrit devant elle.

Sans s'en rendre compte, Shannon se pencha en avant, les yeux écarquillés, les lèvres entrouvertes de ravissement et de surprise.

La vallée faisait penser à un tableau. Car tant de beauté ne pouvait être réelle. Le vert des collines s'étendait à perte de vue, entrecoupé ici et là par des murets de pierres, un carré de terre brune fraîchement labourée ou la tache de couleur vive d'une prairie de fleurs sauvages.

Des maisons et des granges de la taille de jouets étaient harmonieusement disposées ici et là, entre le bétail en train de paître et les cordes sur lesquelles du linge se balançait gaiement.

Les ruines d'un vieux château, d'énormes pierres et un haut mur se dressaient au milieu d'un champ, comme figées dans le temps.

Le soleil nimbait tout le paysage d'un halo doré et faisait miroiter le mince ruban argenté d'une rivière.

Chaque brin d'herbe se détachait nettement sous le ciel d'un bleu si intense qu'il semblait vibrer.

Pour la première fois depuis des semaines, Shannon oublia son chagrin, sa culpabilité et ses soucis. Elle restait là à jouir du spectacle, un sourire aux lèvres, avec l'étrange impression tout au fond de son cœur qu'elle avait su depuis toujours que ce serait ainsi.

— C'est beau, n'est-ce pas ? murmura Brianna en ralentissant pour permettre à Shannon de profiter encore un peu de la vue.

— Oui. Je n'ai jamais rien vu d'aussi beau. Je comprends pourquoi ma mère adorait cet endroit.

Et cette pensée la ramena à son chagrin, si bien qu'elle dut détourner le regard.

Mais ce qu'elle aperçut alors lui parut tout aussi charmant. Blackthorn Cottage se dressait devant ses yeux, avec ses fenêtres étincelantes et sa façade aux pierres incrustées de mica qui scintillait au soleil. Un jardin splendide s'étendait au-delà des haies qui se préparaient elles-mêmes à fleurir.

Un chien les accueillit en aboyant dès que Brianna s'arrêta derrière un cabriolet Mercedes rutilant.

— Ça, c'est Concobar, mon chien, expliqua-t-elle en riant lorsqu'elle vit les yeux de Shannon s'arrondir alors que le chien se mettait à courir vers la voiture. Il est impressionnant, mais il n'est pas méchant. Vous n'avez pas peur des chiens, au moins ?

— Généralement pas.

— Assis, ordonna Brianna en descendant de voiture. Et tiens-toi correctement.

Instantanément, le chien obéit et frappa sa queue grise et touffue contre le sol pour manifester sa joie. Il leva les yeux vers Shannon, qui s'approcha prudemment, puis lui tendit la patte.

— D'accord, fit-elle en prenant sa respiration et en acceptant de lui serrer la patte. Tu es beau, dis-moi !

Vaguement rassurée, elle lui caressa la tête. Puis elle jeta un coup d'œil de côté et vit que Maggie et Brianna étaient déjà en train de décharger ses valises.

— Je vais m'en occuper.

— Ce n'est pas la peine.

Avec une force surprenante pour une femme aussi menue, Brianna emporta les valises jusqu'au seuil de la maison.

— Bienvenue à Blackthorn Cottage, Shannon. J'espère que vous vous y plairez.

Sur ces mots, elle ouvrit la porte d'entrée, et ce fut soudain un véritable tohu-bohu.

— Reviens tout de suite, espèce de petit diable ! Je ne plaisante pas, Liam. Elle va me scalper !

Un petit garçon aux cheveux bruns déboula dans l'entrée à toute vitesse, semant derrière lui les miettes des gâteaux qu'il tenait dans la main. Son rire éclatant résonna contre les murs. Juste derrière lui, un homme à l'air harassé apparut, un bébé hurlant dans les bras.

Voyant qu'il y avait du monde, le petit garçon se fendit d'un sourire rayonnant, son visage angélique tout barbouillé de nourriture. Il écarta généreusement les bras.

— Maman !

— Oui, maman, répéta Maggie en l'attrapant dans ses bras. Regarde-toi un peu, Liam Sweeney, il n'y a pas un centimètre de propre sur ta figure. Et tu t'es goinfré de gâteaux avant l'heure du goûter.

L'enfant sourit et ses yeux bleus se mirent à danser.

— Un baiser!

— Tu es exactement comme ton père. Tu crois que les baisers arrangent tout...

Toutefois elle l'embrassa, avant de se retourner en lançant un regard meurtrier à Gray.

— Alors, Grayson Thane, qu'as-tu à dire pour ta défense?

— Je plaide la démence...

Il fit passer le bébé sur son autre bras, lui tapota doucement le dos, puis écarta une mèche qui lui tombait sur les yeux.

— Ce n'est pas ma faute. Rogan a été appelé à la galerie et Murphy est en train de planter je ne sais trop quoi; j'ai donc été chargé de garder ce petit désastre ambulant. Et puis le bébé s'est mis à pleurer et Liam est tombé dans les gâteaux. Ah, la cuisine... Tu ferais mieux de ne pas y aller, Brie.

— C'est si grave que ça?

— Oui, crois-moi. Quant au salon, il est un peu... En fait, nous étions simplement en train de jouer... Je te rachèterai un vase.

Brianna écarquilla les yeux d'un air menaçant.

— Pas mon Waterford?

— Euh...

Cherchant de l'aide là où il pouvait en trouver, Gray se tourna vers Shannon.

— Bonjour. Pardon pour tout ceci. Je suis Gray.

— Ravie de vous rencontrer.

Shannon sursauta légèrement quand Conco lui frôla les jambes pour se précipiter sur les miettes qui jonchaient le sol. Puis elle sursauta à nouveau quand Liam se pencha en l'empoignant par les cheveux.

— Un baiser, exigea-t-il.

— Oh...

Elle sentit son cœur fondre. Délicatement, elle déposa un baiser sur la bouche toute sale qu'il lui tendait.

— Gâteau au chocolat, je reconnais, dit-elle en souriant.

— J'ai fait des gâteaux hier...

Ayant pitié de son mari, Brianna prit Kayla dans ses bras.

— Mais d'après ce que je vois, il n'en reste que des miettes.

— Je cherchais seulement à le distraire, dit Gray, sur la défensive. Kayla avait besoin d'être changée, le téléphone sonnait... Seigneur, comment se fait-il que deux enfants donnent plus que le double de travail qu'un seul ?

— C'est un de ces mystères insondables... Rachète-toi, Grayson, et monte les bagages de Shannon dans sa chambre, tu veux ?

— Pas de problème. C'est vraiment un endroit très calme, lui assura-t-il. Enfin... d'habitude. Ah, Brie, pour la tache sur le tapis du salon, je t'expliquerai plus tard.

Les sourcils froncés, Brianna s'avança de quelques pas et découvrit l'étendue du chaos qui régnait dans la pièce qu'elle avait laissée impeccable.

— Tu as intérêt... Shannon, je suis vraiment désolée.

— Ça ne fait rien.

Et c'était effectivement vrai. Cet accueil mouvementé lui avait davantage permis de se détendre que ne l'aurait fait l'échange banal des politesses d'usage.

— C'est votre bébé ?

— Notre fille, Kayla.

Brianna se recula pour que Shannon puisse mieux la voir.

— Elle a un mois aujourd'hui.

— Elle est superbe.

Un peu plus raide, elle se tourna vers Maggie.

— Et c'est votre fils ?

— C'est lui. Liam, dis bonjour à...

Elle hésita un instant avant de finalement se décider.

— Miss Bodine.

— Shannon.

Décidée à ne pas se laisser impressionner, Shannon sourit à l'enfant.

— Bonjour, Liam.

Il lui répondit quelque chose qui aurait nécessité de recourir à un interprète, mais son sourire parlait à lui tout seul.

— Je vais lui laver la frimousse, Brie. Donne-moi Kayla, je m'occuperai d'eux pendant que tu montreras sa chambre à Shannon.

— Je te remercie.

Elle lui passa Kayla, et Maggie partit vers la cuisine, un enfant dans chaque bras.

— Du chocolat, demanda très distinctement Liam.

— Ça, mon gars, tu peux faire une croix dessus! lui répondit sa mère.

— Bon, fit Brianna en remontant une mèche folle dans son chignon. Eh bien, si nous allions vous installer? Je vous ai donné la chambre du grenier. C'est au deuxième étage, mais c'est la plus tranquille et la plus originale.

Elle lui jeta un coup d'œil avant de s'engager dans l'escalier.

— Mais si vous préférez ne pas avoir autant de marches à monter, je peux vous changer de chambre sans aucun problème.

— Les marches ne me dérangent pas.

A nouveau, Shannon se sentit mal à l'aise. C'était curieux, mais elle arrivait plus facilement à se débrouiller de l'agressivité ouverte de Maggie que de la gentillesse manifeste de Brianna.

— La chambre n'est terminée que depuis quelques mois. J'ai fait aménager le grenier.

— C'est une belle maison.

— Merci. J'ai procédé à quelques changements depuis que mon père est mort et m'a légué la maison. C'est à ce moment-là que j'ai décidé d'ouvrir un Bed & Breakfast. Ensuite, quand j'ai épousé Grayson, il nous a fallu davantage de place, et nous avons ajouté un bureau et une nursery. Nos appartements sont au rez-de-chaussée, derrière la cuisine.

— Où est Kayla? s'enquit Gray lorsqu'il les croisa sur le palier.

— Avec Maggie.

D'un geste naturel qui reflétait une longue habitude, Brianna lui caressa la joue.

— Tu devrais aller faire un tour, Grayson, histoire de te changer un peu les idées.

— Je crois que je vais obéir. Content de vous avoir parmi nous, Shannon.

— Merci.

Elle leva un sourcil intrigué en le voyant embrasser sa femme. Ce baiser n'avait rien du baiser ordinaire que peut donner un homme à sa femme avant d'aller se promener.

— Je serai de retour pour le thé, promit-il avant de filer.

Brianna conduisit Shannon à l'étage supérieur, où une porte grande ouverte invitait à entrer.

La chambre était très différente de ce à quoi Shannon s'attendait. Spacieuse et très lumineuse, avec un joli sofa devant une fenêtre percée entre les poutres et un grand lit en cuivre dans une alcôve du côté opposé. Les fenêtres en demi-cercle laissaient entrer le soleil et l'air printaniers. Les rideaux en dentelle qui se soulevaient légèrement sous la brise étaient assortis au couvre-lit de couleur crème.

Plusieurs bouquets de fleurs fraîches embaumaient la pièce, et les meubles, amoureusement cirés, étincelaient.

Shannon sourit, comme elle l'avait fait tout à l'heure en découvrant la vue sur la vallée.

— C'est ravissant. Vraiment ravissant, Brianna.

— Je voulais faire de cette chambre quelque chose de spécial. De la fenêtre, on voit la ferme de Murphy et très loin au-delà.

— Murphy?

— Oh, c'est un ami, un voisin. Murphy Muldoon. Ses terres commencent juste après le mur de mon jardin. Vous le rencontrerez sûrement. Il passe souvent à la maison.

Tout en parlant, Brianna fit le tour de la chambre, arrangeant un abat-jour, lissant le dessus-de-lit.

— Et cette chambre est plus intime que les autres, et un peu plus grande. La salle de bains est juste à côté. Grayson a compulsé quelques ouvrages et lui et Murphy l'ont dessinée tous les deux.

— Je croyais que ce Murphy était fermier ?

— Oui. Mais il sait faire toutes sortes de choses.

— Oh...

Le sourire de Shannon s'élargit en découvrant la petite salle de bains, avec la baignoire à pieds en griffes de lion, le lavabo sur un piédestal et les serviettes raffinées suspendues à des anneaux de cuivre.

— On se croirait dans une maison de poupée.

— Oui, c'est vrai.

Plus nerveuse qu'elle ne l'eût été face à n'importe quel client, Brianna croisa les mains.

— Voulez-vous que je vous aide à défaire vos valises ou préférez-vous d'abord vous reposer ?

— Je n'ai pas besoin d'aide, merci. Je pense que je vais me plonger dans cette baignoire.

— Faites comme chez vous. Il y a d'autres serviettes dans cette petite malle, mais je pense que vous trouverez tout ce dont vous aurez besoin.

Une fois de plus, Brianna hésita avant de poursuivre.

— Voulez-vous que je vous apporte un plateau quand il sera l'heure du thé ?

C'eût été plus simple d'accepter, pensa Shannon. Et de rester pelotonnée toute seule dans sa chambre pour s'y cacher.

— Non, je descendrai, répondit-elle néanmoins par souci de politesse.

Quand la porte se referma derrière Brianna, elle alla s'asseoir au bord du lit. En privé, elle pouvait laisser ses épaules se relâcher et fermer les yeux.

Elle était en Irlande et n'avait pas la plus petite idée de ce qu'elle allait faire maintenant.

## 5

— Alors, à quoi ressemble-t-elle, cette sœur américaine?

Aussi à l'aise que s'il avait été dans sa propre cuisine, Murphy Muldoon prit un des choux à la crème que Brianna était en train de disposer sur un plateau.

C'était un homme grand, plutôt mince. Chaque fois qu'il entrait dans la maison, il retirait sa casquette, comme sa mère le lui avait appris. Ses cheveux très bruns, qu'il coiffait avec ses doigts, étaient emmêlés et auraient eu besoin d'une bonne coupe.

— Ôte tes pattes de là, lui ordonna Brianna en lui donnant une tape. Attends que j'aie servi.

— Je risquerais de ne pas en avoir autant que je voudrais, fit-il avec un sourire désarmant qui illumina ses yeux bleu foncé.

Puis il enfourna un gâteau d'un air gourmand.

— Elle est aussi jolie que toi, Brie?

— Elle a les mêmes yeux que papa — même si elle n'aimerait certainement pas entendre ça — d'un vert très clair. Elle est à peu près de ma taille, mince. Très élégante. Même après des heures d'avion, elle n'avait pas un seul faux pli.

— Maggie dit qu'elle est un peu froide.

Voyant que Brianna surveillait ses gâteaux comme une poule ses poussins, Murphy se rabattit sur une tasse de thé.

— Réservée, corrigea-t-elle. Maggie se refuse à l'aimer. Il y a quelque chose de triste en elle qu'elle dissimule derrière une certaine froideur, effectivement.

Ce que Brianna comprenait parfaitement.

— Mais elle a souri, vraiment souri, quand nous sommes arrivées sur la route d'où on découvre toute la vallée.

— C'est un beau point de vue, c'est vrai.

Murphy fit bouger les muscles de ses épaules tout en se versant du thé. Son dos était vaguement douloureux, car il avait labouré son champ dès l'aube. Mais c'était de la bonne douleur, due à une saine journée de labeur.

— Elle ne doit pas voir la même chose à New York.

— Tu parles toujours de New York comme s'il s'agissait d'une autre planète alors que c'est juste de l'autre côté de l'océan.

— Pour moi, c'est aussi loin que la lune.

En riant, Brianna se retourna pour le regarder. Il était encore plus beau que lorsqu'il était jeune. Or, déjà à cette époque, les femmes du village s'extasiaient sur son visage d'ange. Mais il y avait maintenant dans son expression un petit quelque chose de diabolique qui ne faisait que renforcer le charme de son regard bleu vif et de son sourire en coin.

La vie au grand air qu'il menait lui convenait à merveille ; son visage avait acquis au fil des ans une minceur émaciée qui séduisait beaucoup les femmes, ce dont il ne se plaignait nullement. Ses cheveux épais aux boucles rebelles étaient un défi permanent au peigne. Il avait le corps sec, les bras musclés, les épaules larges et les hanches étroites. Il était aussi fort que ses chevaux adorés, et beaucoup plus gentil.

Malgré sa force et sa rudesse, il y avait quelque chose en lui de poétique. Sans doute à cause de son regard rêveur, songea-t-elle avec affection.

— Pourquoi tu me regardes comme ça ? demanda-t-il en se passant la main sur le menton. J'ai de la crème partout ?

— Non, j'étais en train de me dire qu'il était dommage que tu n'aies pas trouvé une femme pour profiter de ce beau visage.

Bien que toujours souriant, Murphy se tortilla sur sa chaise d'un air gêné.

— Pourquoi faut-il que, quand une femme se marie, elle veuille que tout le monde en fasse autant?

— Parce qu'elle est heureuse.

Le regard de Brianna se posa sur Kayla, allongée dans son fauteuil, l'air ravi.

— Tu ne trouves pas qu'elle ressemble davantage à Grayson?

— C'est ton portrait craché. Pas vrai, jolie Kayla? fit-il en se penchant pour chatouiller le menton du bébé. Que vas-tu dire à ta mère, Brie?

— Rien pour l'instant.

Préférant ne pas trop y penser, elle croisa les mains d'un geste nerveux.

— Il faudra qu'on lui dise, bien sûr, mais je voudrais laisser à Shannon le temps de se retourner avant que l'orage éclate.

— Ça risque d'être une sacrée tempête. Tu es certaine qu'elle n'est pas au courant? Qu'elle ignore totalement qu'il y a eu une autre femme et un enfant?

— Sûre et certaine, soupira Brianna en se levant pour aller chercher d'autres tasses. Tu sais comment les choses se passaient entre eux. Si maman avait su, elle l'aurait harcelé à mort.

— C'est probable.

Murphy lui caressa la joue du dos de la main jusqu'à ce qu'elle le regarde en face.

— Brie, ne prends pas tout sur toi. Tu n'es pas toute seule.

— Je sais. Mais ça m'inquiète, Murphy. Les choses sont encore très tendues entre maman et moi, et elles n'ont jamais été faciles entre elle et Maggie. Rien ne dit que ça ne deviendra pas encore pire. Mais nous ne pouvions pas faire autrement. Papa aurait voulu que Shannon vienne ici et ait l'occasion de connaître sa famille.

— Essaye de ne plus y penser pour l'instant.

Sa tasse dans une main, il la prit de l'autre par l'épaule et se pencha pour l'embrasser sur la joue.

Et tout à coup, son univers bascula.

Une apparition se tenait sur le seuil et le dévisageait

de ses yeux verts, superbes et glacés. Sa peau était comme de l'albâtre et semblait aussi crémeuse que du lait frais. Ses cheveux encadraient les contours de son visage et caressaient le menton qu'elle redressait fièrement.

La reine des fées... ce fut tout ce qu'il réussit à se dire. Et c'était comme si elle venait de lui jeter un sort.

— Oh, Shannon...

Brianna rougit en apercevant sa demi-sœur. Qu'avait-elle entendu de leur conversation ? Et qu'allait-elle en faire ?

— Le thé est bientôt prêt. J'ai pensé que nous pourrions le prendre ici. Je vais servir les clients au salon.

— Dans la cuisine, c'est très bien.

Shannon avait tout entendu et déciderait elle-même ce qu'elle en ferait en temps voulu. Pour l'instant, son attention était fixée sur l'homme qui la contemplait bouche bée, comme si c'était la première fois de sa vie qu'il voyait une femme.

— Shannon Bodine... voici notre cher ami et voisin, Murphy Muldoon.

— Enchantée.

Aucune parole cohérente ne lui vint à l'esprit. Murphy hocha la tête, pleinement conscient d'avoir l'air de l'idiot du village.

— Murphy, tu veux bien aller prévenir les autres que le thé est servi ?

N'obtenant pas de réponse, Brianna se tourna vers lui.

— Murphy ?

— Quoi ?

Il cligna des yeux, s'éclaircit la gorge et remua les pieds.

— Oui, j'y vais.

Il arracha son regard de l'apparition et considéra Brianna d'un air hagard.

— Leur dire quoi ?

Dans un éclat de rire, Brianna le poussa vers la porte.

— Tu ne vas quand même pas t'endormir debout

comme le font tes chevaux ! Va dire à Grayson, à Maggie et à Liam que le thé est servi.

Elle lui donna une dernière bourrade, et il franchit la porte qu'elle referma derrière lui.

— Je suppose qu'il travaille depuis le lever du soleil et qu'il est claqué. D'habitude, Murphy est plus vif que ça.

Shannon en doutait sincèrement.

— C'est un paysan ?

— Un excellent paysan. Il élève aussi des chevaux. Il a toujours été comme un frère pour Maggie et moi.

Ses yeux croisèrent ceux de Shannon.

— Il n'y a rien que je ne puisse dire à Murphy, en sachant qu'il le gardera pour lui.

— Je vois...

Shannon resta plantée où elle était, à la limite du seuil de la cuisine.

— C'est sans doute pour ça que vous avez jugé bon de lui parler de cette situation particulière.

Brianna posa la théière sur la table en fronçant les sourcils.

— Vous ne me connaissez pas, Shannon, pas plus que vous ne connaissez Murphy ou aucun d'entre nous. Je n'ai pas le droit de vous demander de faire confiance à des gens que vous venez juste de rencontrer. Aussi ne le ferai-je pas. En revanche, je vous propose de vous asseoir et de savourer ce goûter.

Intriguée, Shannon inclina la tête.

— Vous pouvez vous montrer glaciale quand vous le voulez.

— Maggie a pris tout le feu.

— Elle ne m'aime pas.

— Pour l'instant.

Shannon éprouva bizarrement une soudaine envie de rire à laquelle elle ne résista pas.

— Tant mieux. Je ne l'aime pas non plus. Qu'y a-t-il pour le goûter ?

— Des petits sandwichs au fromage et au pâté, des biscuits au sucre candi, des scones, des choux à la crème et de la tarte aux pommes.

Shannon s'approcha pour admirer l'étendue du choix.

— Vous préparez ça tous les après-midi ?

— J'aime beaucoup cuisiner.

A nouveau souriante, Brianna s'essuya les mains sur son tablier.

— Et puis je voulais marquer votre premier jour ici par quelque chose de spécial.

— Vous êtes quelqu'un de très déterminé, n'est-ce pas ?

— Nous avons une certaine tendance à être têtus dans cette famille... Ah, les voilà ! Maggie, veille à ce que les garçons aillent se laver les mains, tu veux ? Il faut que j'aille servir au salon.

— Des choux à la crème ! s'extasia Gray. Où les avais-tu cachés ?

— Tu ne mangeras pas mes gâteaux avec des mains sales, dit calmement Brianna en finissant de charger une petite table roulante. Servez-vous, Shannon. Je vais m'occuper de mes clients et je reviens.

— Asseyez-vous...

Maggie fit un signe vers la table dès qu'elle eut fini de laver les mains de son fils dans l'évier. Elle installa Liam dans une chaise haute et lui donna un sandwich à grignoter.

— Vous prenez du sucre ?

— Non, merci, répondit Shannon tout aussi sèchement.

— Vous allez vous régaler, dit Gray en remplissant son assiette. Il a beau y avoir les meilleurs restaurants du monde à New York, vous n'avez sûrement rien mangé de comparable à la cuisine de Brianna. Vous travaillez chez Ry-Tilghmanton ?

Ce disant, il prit sur lui de garnir l'assiette de Shannon.

— Oui... Oh, c'est trop... J'y suis depuis cinq ans.

— Ils ont une bonne réputation. Excellente, même.

Gray s'attaqua joyeusement à un premier sandwich.

— Où avez-vous fait vos études ?

— A Carnegie Mellon.

— Mmm... Difficile de trouver mieux. Il y a une petite pâtisserie, à Pittsburgh, à trois cents mètres de l'université... C'est un couple juif qui tient ça. Ils font de délicieux babas au rhum.

— Je connais très bien l'endroit...

En y repensant, Shannon sourit, soulagée de pouvoir parler avec un autre Américain.

— J'y suis allée chaque dimanche matin pendant quatre ans.

Comme Maggie était occupée avec Liam, et que tout ce dont Murphy semblait capable était de la dévisager fixement, Shannon n'éprouva aucun scrupule à les ignorer pour se concentrer sur Gray.

— Brianna m'a dit que vous étiez venu en Irlande faire des recherches pour un livre. Cela veut-il dire que votre prochain roman se passe ici ?

— Oui. Il sort dans quelques mois.

— Il me tarde de le lire. J'apprécie beaucoup vos ouvrages.

— Je vous en donnerai un exemplaire.

Comme la petite Kayla commençait à s'agiter, Gray la prit au creux de son bras, et elle se calma aussitôt.

Shannon mordilla dans son sandwich — qu'elle trouva bon, très bon même — et se rendit compte qu'elle avait faim. Satisfaite, mais pas particulièrement impressionnée, elle goûta un chou.

Tout son corps enregistra alors une onde de plaisir extrême. Un plaisir immense et immoral.

Gray ébaucha un sourire en la voyant fermer à moitié les yeux.

— Qu'est-ce que le paradis, comparé à cela ?

— Ne m'interrompez pas, murmura-t-elle. Je suis en train de faire une expérience tout ce qu'il y a de plus sacré.

— Oui, il est vrai que les pâtisseries de Brie ne sont pas sans rapport avec la religion, commenta Gray en se resservant.

— Goinfre ! fit Maggie en fronçant le nez. Laisses-en au moins quelques-uns pour que je les rapporte à Rogan.

— Pourquoi n'apprends-tu pas à en faire toi-même ?

— Pourquoi me donnerais-je cette peine alors qu'il me suffit de venir ici pour manger les tiens ?

D'un air suffisant, Maggie se lécha le bout du pouce.

— Vous habitez dans le coin ? demanda Shannon dont le plaisir diminua sensiblement à cette idée.

— Juste au bout de la route.

Le fin sourire que lui adressa Maggie indiquait clairement qu'elle avait très bien compris ce que pensait Shannon.

— Rogan l'entraîne régulièrement loin d'ici. A Dublin ou dans une de leurs galeries. Les choses redeviennent alors immédiatement plus tranquilles, expliqua Gray en piquant un biscuit à Liam.

— Mais je suis ici suffisamment souvent pour garder un œil sur ce qui se passe... et veiller à ce que Brianna ne se fasse pas exploiter.

— Brianna est parfaitement capable de veiller sur elle toute seule ! s'exclama la jeune femme en question en revenant dans la cuisine. Gray, laisse quelques choux à Rogan.

— Tu vois ?

Gray fit une grimace à Maggie avant d'attraper sa femme au passage pour la faire asseoir près de lui.

— Tu n'as pas faim, Murphy ?

La façon dont il la fixait commençant à sérieusement l'agacer, Shannon se mit à tambouriner du bout des doigts sur la table.

— Mr. Muldoon est trop occupé à me regarder pour penser à manger.

— Espèce de plouc ! grommela Maggie en donnant à Murphy un coup de coude.

— Je vous demande pardon...

Murphy s'empara de sa tasse avec tant de précipitation qu'il renversa un peu de thé.

— Je rêvassais... Je ferais mieux de rentrer.

Une fois de retour chez lui, peut-être arriverait-il enfin à retrouver ses esprits...

— Merci pour le thé, Brie. Bienvenue en Irlande, miss Bodine.

Il attrapa sa casquette, l'enfonça sur sa tête et fila en vitesse.

— Eh bien, je n'aurais jamais cru que je verrais un jour Murphy Muldoon laisser une assiette pleine !

Perplexe, Maggie se leva pour aller poser celle-ci sur le comptoir.

— Je vais rapporter ça à Rogan.

— Bonne idée, fit Brianna d'un air absent. Tu crois qu'il couve quelque chose ? Il n'avait pas l'air d'aller très bien.

Shannon se dit qu'il avait l'air au contraire en parfaite santé. Elle haussa les épaules, puis oublia l'étrange Mr. Muldoon pour se reconcentrer sur le goûter.


Un peu plus tard, alors que le ciel passait doucement du bleu au gris, Shannon alla faire un tour dans le jardin de Brianna. Son hôtesse avait fermement insisté pour qu'elle sorte de la cuisine à la fin du dîner. N'étant pas particulièrement fanatique de la vaisselle, Shannon ne s'était donc pas fait prier quand elle lui avait suggéré d'aller prendre l'air et de profiter de la tranquillité du jardin.

C'était certes un endroit idéal pour ne rien faire, décida Shannon en se promenant autour de la serre, mais Brianna ne profitait apparemment que très rarement de ce lieu de délassement.

Que ne faisait pas cette femme ! Elle cuisinait, tenait l'équivalent d'un petit hôtel raffiné, s'occupait d'un bébé, jardinait et cajolait un homme très séduisant, tout en réussissant le tour de force de ressembler à une image de magazine.

Après avoir fait le tour de la serre, Shannon repéra un petit coin charmant près d'un parterre d'impatiens et de violettes. Elle s'installa dans un fauteuil en bois qui s'avéra aussi confortable qu'il en avait l'air, et décida de ne plus penser à Brianna ni à Maggie, ni à qui que ce soit de cette maisonnée dont elle faisait temporairement partie. Rien qu'un instant, elle allait ne penser à rien.

L'air était doux et délicieusement parfumé. Elle crut percevoir le meuglement assourdi d'une vache dans le lointain — bruit qui était aussi étranger à son univers que la légende des elfes et des fées.

Ce devait être une vache de la ferme de Murphy. Elle espérait pour lui qu'il était plus doué pour s'en occuper que pour faire la conversation.

Une vague de lassitude s'empara d'elle peu à peu. Probablement à cause du décalage horaire qu'elle faisait semblant d'ignorer depuis des heures. Mais cette fois, elle laissa le sommeil l'envahir, et effacer ses trop nombreux tracas.

Et elle rêva d'un homme sur un cheval blanc. Ses cheveux noirs flottaient au vent et sa cape noire luisait sous la pluie torrentielle que déversait un ciel gris plomb.

Un violent éclair illumina un instant son visage, ses pommettes hautes, ses yeux bleu cobalt d'Irlandais et de guerrier. Une broche de cuivre scintillait sur sa cape au niveau de son cou. Une torsade compliquée de métal entourant la tête sculptée d'un étalon.

Semblant faire corps avec lui, sa monture fendait l'air en martelant la tourbe. L'animal et son cavalier galopaient droit sur elle, aussi menaçants l'un que l'autre, et tout aussi superbes. Elle entrevit l'éclat d'une épée et le scintillement d'une armure maculée de boue.

Son cœur répondit au rugissement du tonnerre tandis qu'une pluie glacée lui cinglait le visage. Mais elle n'avait pas peur. Le menton haut, elle les regarda foncer vers elle, et un éclair vert étincela dans ses yeux plissés à cause de la pluie.

Dans une gerbe d'eau et de boue, le cheval s'arrêta à quelques centimètres d'elle. L'homme qui le chevauchait la dévisagea de ses yeux perçants, une expression de triomphe et de désir dans le regard.

— Enfin, s'entendit-elle dire d'une voix qu'elle ne reconnut pas. Tu es revenu.

Shannon se réveilla en sursaut, ébranlée et troublée par l'étrangeté et la clarté limpide de son rêve. C'était comme si elle n'avait pas dormi du tout, pensa-t-elle en renvoyant ses cheveux en arrière. Comme si elle s'était tout simplement souvenue de quelque chose.

Elle eut à peine le temps de se moquer d'elle-même à cette idée que son cœur se mit à battre deux fois plus fort. Un homme se tenait près d'elle, à moins d'un mètre, et l'observait.

— Je vous prie de m'excuser, dit Murphy en sortant de la pénombre qui commençait à gagner le jardin. Je ne voulais pas vous effrayer. Je croyais que vous somnoliez.

A la fois confuse et gênée, Shannon se redressa dans le fauteuil.

— Vous êtes venu pour me regarder encore, Mr. Muldoon ?

— Non... Enfin, je...

Il laissa échapper un soupir de frustration. Ne venait-il pas de se reprocher amèrement sa conduite ? Il ne pouvait pas se permettre de se retrouver une seconde fois devant elle sans être capable d'aligner trois mots.

— Je ne voulais pas vous déranger, reprit-il. J'ai cru un instant que vous vous étiez réveillée et que vous m'aviez parlé, mais je me suis trompé.

Il essaya de lui sourire, de ce sourire dont raffolaient habituellement les dames.

— A la vérité, Miss Bodine, j'étais revenu m'excuser de la façon dont je vous ai fixée tout à l'heure, pendant le thé. C'était grossier de ma part.

— Bien. Oubliez ça.

Et allez-vous-en, supplia-t-elle intérieurement.

— Je pense que c'est à cause de vos yeux.

Il savait cependant qu'il s'agissait de bien autre chose. Il avait su avec exactitude ce qu'elle représentait pour lui à l'instant même où il avait tourné la tête et l'avait aperçue. C'était la femme qu'il attendait.

— De mes yeux ? souffla-t-elle avec impatience.

— Vous avez des yeux de fée. Clairs comme de l'eau, verts comme la mousse, et ils brillent d'un éclat magique.

A cette seconde, il n'avait pas l'air débile du tout,

réalisa Shannon avec méfiance. Sa voix avait pris ce rythme mélodieux destiné à faire tout oublier à une femme en dehors de sa musique.

— C'est très intéressant, Mr. Muldoon...

— Murphy, si ça ne vous dérange pas. Nous allons sans doute devenir voisins.

— En aucun cas. Mais vous appeler Murphy ne me dérange pas. Et maintenant, si vous voulez bien m'excuser...

Au lieu de se lever comme elle en avait l'intention, Shannon se tassa brusquement au fond du fauteuil en lâchant un cri étouffé. Quelque chose de brillant et de rapide venait de surgir de la pénombre. Et cette chose grognait.

— Conco !

Il suffit à Murphy de prononcer calmement ce nom pour que le chien s'arrête net en agitant la queue.

— Il ne voulait pas vous faire peur...

Murphy caressa la tête de l'animal du plat de la main.

— Il vient de faire sa promenade du soir et quelquefois, quand il m'aperçoit, il vient jouer avec moi. Il voulait parler plus que grogner, vous savez...

— Parler...

Shannon ferma les yeux, le temps que son cœur cessât de cogner follement dans sa poitrine.

— Un chien qui parle, c'est vraiment tout ce dont j'avais besoin ce soir !

Alors, Conco s'approcha d'elle et posa la tête sur ses genoux en la regardant de toute son âme dans les yeux. Même un iceberg aurait fondu.

— Je suppose que tu viens t'excuser de m'avoir fait peur.

Elle leva le regard vers Murphy.

— Vous faites une sacrée paire tous les deux.

— Il est vrai qu'il nous arrive d'être aussi maladroits l'un que l'autre.

Et d'un geste gracieux qui démentait ses paroles, il sortit un bouquet de fleurs des champs de derrière son dos.

— Bienvenue dans le comté de Clare, Shannon Bodine. J'espère que votre séjour ici sera aussi doux et coloré que ces fleurs, et qu'il durera plus longtemps.

Abasourdie, et charmée malgré elle, elle prit le bouquet qu'il lui tendait.

— Je trouvais que vous étiez un homme étrange, Murphy, murmura-t-elle. Apparemment, j'avais raison.

Mais un sourire se dessina sur ses lèvres lorsqu'elle se leva.

— Merci.

— Voilà une chose que je vais être impatient de revoir. Votre sourire, ajouta-t-il en la voyant hausser les sourcils. Ça vaut le coup d'attendre. Bonne nuit, Shannon. Dormez bien.

Puis il s'éloigna et s'enfonça dans la pénombre. Quand le chien voulut le suivre, il lui dit quelque chose d'une voix douce et Conco revint s'asseoir docilement aux pieds de Shannon.

Le parfum des fleurs qu'elle tenait à la main lui titilla les narines tandis qu'elle regardait le dénommé Murphy se fondre dans la nuit.

— Finalement, la première impression n'est pas toujours la bonne, dit-elle à Conco.

Puis elle secoua la tête.

— Je crois qu'il est temps de rentrer. Je dois être plus fatiguée que je ne le pensais.

# 6

Des orages et des chevaux blancs. Des hommes à la beauté sauvage et un cercle de pierres.

Hantée par ses rêves, Shannon n'avait pas passé une nuit paisible.

Et elle se réveilla gelée. Ce qui l'étonna car dans la petite cheminée les braises étaient encore rougeoyantes, et elle était enfoncée jusqu'au menton sous la couette épaisse et moelleuse. Pourtant, sa peau était si glacée qu'elle frissonnait.

Le plus étrange était qu'elle n'avait pas seulement froid. Avant de toucher son visage, elle aurait juré qu'elle était trempée. Comme si elle venait de sortir sous une pluie battante.

Elle s'assit dans le lit et se passa la main dans les cheveux. Jamais au cours de sa vie elle n'avait fait de rêves d'une telle clarté. Elle n'était pas certaine de vouloir que cela devienne une habitude.

Mais, ces rêves fous et cette nuit agitée mis à part, elle était maintenant complètement réveillée. Or elle savait par expérience qu'il ne lui servirait à rien de replonger sous l'oreiller pour essayer de se rendormir. A New York, paresser au lit eût été trop frustrant. Il y avait toujours mille choses à faire, et elle se réveillait généralement très tôt afin de ne pas perdre une seconde.

Elle avait toujours un budget à étudier, des paperasses à remplir, ou tout simplement des tâches domestiques à accomplir avant de se rendre au bureau. Une fois ces choses faites, elle aurait jeté un coup d'œil dans son agenda électronique sur les rendez-vous prévus pour la journée — et les sorties en fin de soirée. Le journal télévisé du matin l'aurait renseignée sur la météo et les dernières informations. Elle aurait pris son attaché-case, son sac de gym, selon le jour de la semaine, et serait partie à pied jusqu'à son bureau.

La vie satisfaisante et bien organisée d'une jeune femme avide de gagner du galon. Cette routine était la sienne depuis plus de cinq ans.

Mais ici... En poussant un soupir, Shannon se tourna vers la fenêtre derrière laquelle le ciel était encore sombre. Elle n'avait aujourd'hui ni rendez-vous, ni réunions, ni présentations. Elle avait provisoirement rompu avec cette structure banale et routinière qui cependant la rassurait.

Que faisait-on à l'aube dans la campagne irlandaise ? Après s'être extirpée du lit, elle alla ranimer le feu, puis s'approcha de la fenêtre devant laquelle elle s'assit.

Elle distinguait les champs, l'ombre des murets de pierres, les contours d'une maison et de ses dépendances sous le ciel qui s'illuminait progressivement, passant de l'indigo à un bleu plus doux. Le cri d'un coq lui arracha un sourire.

Peut-être accepterait-elle finalement l'offre de Brianna et emprunterait-elle sa voiture pour rouler au hasard. N'importe où. Cette partie de l'Irlande était réputée pour ses paysages. Shannon se dit qu'elle ferait tout aussi bien de profiter de sa présence ici pour aller les voir. Peut-être utiliserait-elle le reste de son temps libre pour peindre, si l'envie lui en prenait.

Dans la salle de bains, elle referma le rideau circulaire autour d'elle et découvrit avec plaisir que l'eau était chaude et abondante. Elle choisit un col roulé noir et un jean et, décidant de prendre au pied de la lettre l'invitation de Brianna à faire comme chez elle, elle descendit se préparer du café.

La maison était si silencieuse qu'elle aurait pu s'y

croire seule. Il y avait cependant des clients au premier étage, elle le savait, mais elle ne percevait rien de plus que le léger craquement de l'escalier sous ses pas.

Arrivée sur le palier du premier étage, elle s'arrêta devant la fenêtre qui donnait vers l'est, fascinée par le spectacle qu'offrait le lever du soleil sur la mer. De gros nuages striés de rouge barraient l'horizon. Tout à coup, un immense incendie embrasa le ciel entier, dardant ses langues de feu vers l'étendue bleu pâle et rose nacré. Tels des vaisseaux en flammes, les nuages dérivaient lentement dans le ciel maintenant tout illuminé.

Pour la première fois depuis des mois, Shannon éprouva l'envie de peindre. Bien qu'elle eût apporté une partie de son matériel plus par habitude que par véritable désir, elle s'en félicita, se demandant jusqu'où il lui faudrait aller pour trouver les fournitures qui risquaient de lui manquer.

Ravie de cette idée, et de s'être trouvé une activité, elle se dirigea vers la cuisine, où elle eut la surprise de découvrir Brianna, les mains déjà plongées dans la farine.

— Je croyais être la première debout.

— Bonjour. Vous êtes une lève-tôt, dit Brianna avec un grand sourire tout en continuant à pétrir sa pâte. Kayla aussi, et quand elle se réveille, elle meurt de faim. Il y a du thé, ou du café, si vous préférez. Je viens d'en faire pour Grayson.

— Parce qu'il est debout, lui aussi?

Apparemment, elle pouvait faire une croix sur sa matinée solitaire...

— Oh, il s'est levé il y a des heures pour travailler. Ça lui arrive parfois quand son roman le turlupine. Je vais vous préparer un petit déjeuner dès que j'aurai mis cette pâte à lever.

— Non, du café me suffira.

Après s'être servi une tasse, Shannon resta plantée là, mal à l'aise, en cherchant quoi dire.

— Vous faites votre pain vous-même?

— Oui. C'est très apaisant. Vous prendrez bien quelques toasts. Il y a du pain de mie dans le tiroir.

— Un peu plus tard. Je pensais aller faire un petit tour en voiture, vers les falaises ou ailleurs.

— Oh, mais oui, vous avez sûrement envie de voir des tas d'endroits.

D'un geste habile, Brianna fit une boule de pâte qu'elle déposa dans une grande jatte.

— Les clés sont là, sur ce crochet. Prenez-les chaque fois que vous aurez envie de partir vous balader. Vous avez passé une bonne nuit?

— A vrai dire, je...

Shannon s'interrompit, étonnée d'avoir été sur le point de raconter ses rêves à Brianna.

— Oui, la chambre est très confortable.

A nouveau mal à l'aise, elle but une gorgée de café.

— Il y a une salle de gym dans le coin?

Brianna couvrit la pâte d'un torchon avant d'aller se rincer les mains.

— Une salle de gym?

— Oui, j'y vais trois ou quatre fois par semaine. Pour faire des haltères, ramer ou courir sur un tapis roulant.

— Oh...

Brianna posa une poêle en fer sur la cuisinière tout en réfléchissant.

— Non, nous n'avons pas ça par ici. Vous courez sur un tapis roulant?

— Oui.

— Pour faire ça, nous avons les champs. Vous pouvez faire une belle balade à travers champs. Et le grand air est parfait pour prendre de l'exercice. C'est un matin idéal pour sortir, mais nous aurons de la pluie cet après-midi. Il faudra vous munir d'une veste, ajouta-t-elle en faisant un mouvement de tête vers la veste en jean accrochée à une patère près de la porte.

— Une veste?

— Oui ; il fait frais dehors.

Brianna mit du bacon à frire dans la poêle.

— Faire de l'exercice vous ouvrira l'appétit. Vous prendrez votre petit déjeuner en rentrant.

Shannon fixa le dos de Brianna en haussant les

sourcils. Il lui semblait clair et évident qu'elle allait partir se promener. Un peu surprise, elle reposa sa tasse et prit la veste en jean.

— Je ne serai pas longue.

— Prenez votre temps, dit gaiement Brianna.

Puis elles se séparèrent sur un sourire amusé.

Shannon ne s'était jamais considérée comme une grande sportive. Elle n'était pas folle de la marche et préférait de loin l'atmosphère civilisée d'une salle de gym bien équipée, avec des bouteilles d'eau minérale, la télévision, où l'on pouvait regarder les nouvelles, et des machines qui vous tenaient régulièrement informée de vos progrès. Elle y passait cinquante minutes trois fois par semaine et éprouvait une certaine satisfaction à se sentir forte, en bonne santé et joliment musclée.

Mais elle n'avait jamais compris les gens qui s'équipaient de grosses chaussures et d'énormes sacs à dos pour partir sur des sentiers ou escalader des montagnes.

Néanmoins, une telle discipline était ancrée en elle qu'elle ne pouvait pas se permettre de renoncer à toute forme d'exercice. Une seule journée passée à Blackthorn Cottage lui avait démontré que la cuisine de Brianna pouvait poser un problème, aussi allait-elle marcher.

Shannon enfonça les mains dans les poches de la veste qu'elle avait empruntée, car l'air était en effet extrêmement vif. Une agréable petite brise matinale chassait les moindres traces d'avion dans le ciel.

Elle passa devant le jardin où les primevères étaient encore couvertes de rosée, puis devant la serre, et ne résista pas à l'envie de coller son nez contre la vitre, les mains en œillères, pour regarder à l'intérieur. Ce qu'elle aperçut la laissa bouche bée. Elle s'était plusieurs fois rendue avec sa mère chez des pépiniéristes professionnels moins bien organisés et moins bien approvisionnés.

Impressionnée, elle poursuivit son chemin, puis s'arrêta. Tout était si immense, pensa-t-elle en contemplant les terres qui s'étendaient à perte de vue. Et si vide. Malgré elle, elle frissonna sous sa veste. Marcher sur les trottoirs de New York en évitant les passants ne la dérangeait pas. De même, la circulation incessante, le bruit continu des klaxons et des gens qui s'interpellaient lui étaient familiers, beaucoup plus que ne l'était ce silence vibrant.

— Rien à voir avec un petit jogging à Central Park, marmonna-t-elle, rassurée d'entendre résonner sa propre voix.

Toutefois, trouvant moins décourageant de continuer que de revenir dans la cuisine, elle se remit en marche.

Il y avait pourtant des tas de bruits. Les oiseaux, le ronronnement lointain d'une machine agricole, les aboiements d'un chien. Mais être ici toute seule lui faisait un effet étrange. Plutôt que de s'appesantir là-dessus, elle accéléra le pas. Flâner n'aidait en rien à raffermir les muscles.

Lorsqu'elle arriva devant le premier muret de pierres, elle envisagea plusieurs solutions. Elle pouvait soit le longer, soit l'escalader pour sauter dans le terrain voisin. Après un vague haussement d'épaules, elle enjamba le muret.

Elle reconnut un champ de blé, juste assez haut pour se balancer sous la brise, et, au milieu, un arbre solitaire. Bien qu'il lui parût extrêmement vieux, ses feuilles étaient d'un vert tendre et printanier. Un oiseau, perché sur une branche haute et noueuse, chantait à tue-tête.

Elle s'arrêta pour regarder et écouter, regrettant de ne pas avoir apporté son carnet de croquis. Il faudrait qu'elle revienne avec. Il y avait trop longtemps qu'elle n'avait pas eu l'occasion de peindre un vrai paysage.

Le mieux serait d'arriver très tôt un matin, décida-t-elle en enjambant un nouveau muret tout en continuant à regarder derrière elle.

Se retournant, elle se retrouva nez à nez avec une vache.

— Seigneur...

Shannon battit en retraite et se cogna contre le mur qu'elle escalada. La vache se contenta de la considérer d'un œil torve en remuant la queue.

— Qu'est-ce que c'est gros, souffla Shannon du haut de son perchoir. Je ne pensais pas qu'une vache était si grosse.

Prudente, elle leva les yeux et constata que cette charmante demoiselle n'était pas seule. Le pré était parsemé de vaches en train de paître, des vaches aux grands yeux placides, à la robe noir et blanc. Voyant qu'elles ne semblaient pas particulièrement s'intéresser à elle, Shannon s'assit lentement sur le muret.

— Eh bien, j'imagine que ma promenade s'arrête là. Tu ne vas pas mugir un coup ou faire quelque chose de méchant ?

Comme pour lui faire plaisir, la vache la plus proche déplaça son énorme masse avant de se remettre à brouter tranquillement. Plutôt amusée, Shannon se détendit et regarda plus attentivement alentour. Ce qu'elle vit lui fit écarquiller les yeux.

— Des bébés...

En riant elle se redressa, prête à aller caresser les jeunes veaux qui gambadaient au milieu de leurs aînés. Prudente, elle jeta un coup d'œil à la vache qui se trouvait tout près d'elle, ne sachant plus très bien si les vaches mordaient ou non.

— Bon, je suppose que je ferais mieux de les regarder d'ici.

Toutefois, sa curiosité l'emporta. Elle tendit la main, les yeux rivés sur la vache. Elle voulait juste la toucher. Elle se pencha, en prenant bien soin de rester sagement assise sur le muret. Si l'animal n'appréciait pas son geste, elle pourrait toujours sauter de l'autre côté du mur. N'importe quelle femme faisant de la gymnastique trois fois par semaine devait être capable de distancer une vache.

Quand ses doigts la touchèrent, elle découvrit que les poils étaient durs et raides, et que la vache ne semblait voir aucune objection à se faire caresser. De plus en plus confiante, Shannon s'avança encore un peu pour poser la main sur son flanc.

— Celle-là, ça ne la dérange pas qu'on la touche, dit Murphy derrière elle.

Le cri de stupeur que poussa Shannon fit s'enfuir une partie du troupeau. Après quelques meuglements de protestation, les vaches se figèrent à nouveau. Mais Murphy riait encore, et sa main resta sur l'épaule de Shannon qu'il avait agrippée pour l'empêcher de basculer la tête la première.

— Du calme ! Vous êtes un vrai paquet de nerfs.

— Je croyais être seule.

Elle ignorait si elle se sentait plus honteuse d'avoir crié ou de s'être laissée surprendre en train de caresser un animal.

— Je revenais de conduire mes chevaux au pâturage quand je vous ai aperçue.

D'un mouvement leste, il sauta sur le mur, s'assit en regardant le champ opposé et alluma une cigarette.

— Belle matinée, n'est-ce pas?

Shannon lui répondit par un grognement. Elle n'avait pas pensé une seconde être sur ses terres. Et maintenant, voilà qu'elle se trouvait à nouveau coincée avec lui.

— Vous vous occupez vous-même de toutes ces vaches?

— Oh, je me fais aider de temps en temps, quand il le faut. Allez-y, vous pouvez la caresser. Ça ne la dérange pas.

— Je ne la caressais pas...

Il était un peu tard pour retrouver un semblant de dignité ; toutefois, Shannon fit de son mieux.

— J'étais seulement curieuse de sentir à quoi ça ressemblait.

— Vous n'avez jamais touché une vache?

A cette idée, il esquissa un sourire.

— Je crois pourtant qu'il y en a, aux États-Unis.

— Bien sûr qu'il y a des vaches! Mais on les voit rarement déambuler sur la Cinquième Avenue.

Elle lui jeta un coup d'œil en biais. Il souriait toujours et regardait l'arbre solitaire qui avait été le point de départ de toute cette aventure.

— Pourquoi ne l'avez-vous pas coupé? Il est en plein milieu de votre champ de blé.

— Labourer et semer autour ne me gêne pas, dit-il calmement. Et puis, il est ici depuis plus longtemps que moi.

Pour l'instant, Murphy semblait surtout intéressé par Shannon. Elle sentait si délicieusement bon... N'était-ce pas extraordinaire qu'il ait été justement en train de penser à elle en rentrant chez lui?

Et elle avait été là, comme si elle l'attendait.

— Vous avez beau temps pour votre premier jour à Clare. Mais il va pleuvoir cet après-midi.

Brianna lui avait dit la même chose, se rappela Shannon en fronçant les yeux pour admirer le ciel bleu.

— Pourquoi dites-vous cela?

— Vous n'avez pas vu le lever du soleil?

Alors qu'elle se demandait quel rapport il y avait, Murphy la prit par le menton pour qu'elle se tourne vers l'ouest.

— Regardez là-bas, dit-il en tendant la main. Les nuages sont tous rassemblés au-dessus de la mer. Ils vont se rapprocher vers midi et nous apporter la pluie. Mais une petite pluie fine, pas un orage. Il n'y a pas d'électricité dans l'air.

La main qu'il avait laissée sur son visage était dure comme de la pierre, et douce comme du duvet. Shannon se rendit compte qu'il transportait avec lui une odeur de ferme — une bonne odeur de terre, d'herbe et de chevaux. Il lui sembla soudain plus sage de se concentrer sur le ciel.

— Les paysans sont obligés d'apprendre à prévoir le temps, j'imagine.

— Ce n'est pas vraiment la peine d'apprendre. On le sait.

Cédant à son envie, il effleura ses cheveux du bout des doigts avant de laisser retomber sa main. A ce geste, intime et naturel, elle pivota la tête vers lui.

Ils avaient beau être tournés dans des directions opposées, leurs jambes se balançant de part et d'autre du muret, ils n'en étaient pas moins hanche contre hanche. Et se trouvaient maintenant les yeux dans les yeux. Ceux de Murphy avaient la couleur de ce verre dont sa mère avait fait collection et que Shannon avait emballé précieusement et emporté à New York. Bleu cobalt.

Ce matin, elle ne retrouvait plus en lui ni la timidité ni la maladresse de la veille. Ses yeux étaient ceux d'un homme sûr de lui, plein d'assurance, un homme, elle s'en rendit compte non sans éprouver elle-même un léger trouble, qui avait de dangereuses idées derrière la tête.

Une seconde, il fut tenté de l'embrasser. De se pencher et de déposer un baiser sur ses lèvres. Rien qu'une fois. Très doucement. S'il avait été avec une autre femme, il l'aurait fait. En même temps, s'il avait été avec une autre femme, il n'en aurait pas eu envie aussi fort.

— Vous avez un visage qui se grave dans l'esprit d'un homme et y reste planté en attendant de fleurir.

C'était sa voix, songea-t-elle. Cet accent irlandais qui transformait la déclaration la plus banale en poème. Aussitôt sur la défensive, elle reporta son regard sur les vaches en train de brouter.

— Vous pensez par métaphores paysannes.

— Oui, c'est vrai. Il y a une chose que j'aimerais vous montrer. Vous voulez bien venir avec moi ?

— Il faut que je rentre.

Mais il s'était déjà levé, et il lui prit la main comme si c'était déjà pour lui une vieille habitude.

— Ce n'est pas loin.

Il se pencha, ramassa une fleur bleue en forme d'étoile qui avait poussé entre les fentes du mur de pierres. Au lieu de la lui donner, comme elle s'y attendait, il la lui glissa derrière l'oreille.

C'était ridiculement charmant. Sans même s'en rendre compte, elle lui emboîta le pas.

— Vous n'avez rien à faire ? Je croyais que les paysans travaillaient tout le temps.

— Oh, j'ai quelques moments de détente. Voilà

Conco, dit Murphy en levant la main. En train de chasser les lapins.

La vue du chien gris courant à travers champs à la poursuite d'une boule toute floue la fit rire. Mais soudain, ses doigts se crispèrent sur ceux de Murphy.

— Mais il va le tuer, fit-elle d'une voix remplie de désarroi.

— Oui, s'il arrivait à l'attraper, c'est ce qu'il ferait. Mais il y a peu de chances que ça se produise.

Chasseur et chassé filèrent à flanc de colline et disparurent derrière un bosquet le long d'un mince filet d'eau qui scintillait au soleil.

— Il va se faire semer, comme d'habitude. Il ne peut pas s'empêcher de chasser, pas plus que les lapins ne peuvent s'empêcher de détaler à toute vitesse.

— Si vous l'appelez, il reviendra sûrement, se hâta de dire Shannon. Il reviendra et le laissera tranquille.

Pour lui faire plaisir, Murphy siffla entre ses dents. Quelques instants plus tard, Conco débaula dans le champ comme une flèche, la langue pendante.

— Merci.

Murphy se remit en marche. Inutile de lui dire que Conco se précipiterait certainement sur le prochain lapin qu'il flairerait...

— Vous avez toujours vécu en ville?

— Oui, ou du moins à proximité. Nous avons beaucoup bougé, mais nous avons toujours habité près de grandes agglomérations.

Shannon releva la tête. Il lui paraissait plus grand que la veille. A moins que ce ne fût la façon qu'il avait de se déplacer sur sa terre.

— Et vous, vous avez toujours vécu ici?

— Toujours. Une partie de ces terres appartenaient aux Concannon, et la nôtre était au bout. Tom ne s'est jamais senti l'âme d'un paysan, si bien que, les années passant, il a vendu des parcelles à mon père, et ensuite à moi. Maintenant, ce qui est à moi se trouve au milieu de ce qui reste aux Concannon, qui n'ont plus qu'un pré de chaque côté.

Shannon fronça le nez en regardant vers les collines. Elle avait du mal à estimer la superficie que cela représentait.

— Ça fait pas mal de terres, non ?

— Oui, assez.

Murphy arriva devant un mur, qu'il sauta allégrement, puis il saisit Shannon par la taille et, à sa grande stupéfaction, la fit passer de l'autre côté comme si elle ne pesait rien du tout.

— Voilà ce que je voulais vous montrer.

Encore sous le choc de sa force, elle tourna la tête et son regard se posa sur la ronde de pierres. Mais sa première réaction ne fut pas l'étonnement, la stupéfaction ou l'admiration. Non, ce fut comme si la présence de ces pierres était tout à fait normale.

Elle comprendrait plus tard qu'elle n'avait pas été surprise parce qu'elle savait que cette ronde de pierres se trouvait là. Elle l'avait vue dans ses rêves.

— C'est magnifique.

Le ravissement la submergea. La main au-dessus des yeux afin de se protéger des rayons du soleil, elle observa le cercle des fées en artiste, examinant la forme, la texture et la couleur.

Il n'était pas très grand, et plusieurs pierres qui avaient servi de linteaux étaient tombées par terre. Mais le cercle se dressait, majestueux, quelque peu magique, au milieu de ce grand champ vert dans lequel des chevaux gambadaient plus loin.

— Je n'en avais jamais vu, excepté sur des photos.

Sans vraiment se rendre compte qu'elle avait enlacé ses doigts à ceux de Murphy et qu'elle le tirait, elle s'approcha.

— Il existe toutes sortes de légendes et de théories sur ces pierres, n'est-ce pas ? On parle de vaisseaux venus de l'espace, de druides, de géants pétrifiés ou de fées faisant la ronde. Vous savez de quelle époque il date ?

— Sûrement d'avant les fées.

Sa réponse la fit rire.

— Je me demande si c'était des lieux de culte ou de sacrifice.

A cette idée, Shannon frémit et avança la main pour toucher la pierre.

Au moment où ses doigts l'effleurèrent, elle les retira brusquement, le regard soudain figé. Elle avait senti de la chaleur, une chaleur trop intense pour un matin aussi frais.

Murphy ne l'avait pas quittée un seul instant des yeux.

— Ça fait une impression étrange, n'est-ce pas, quand on la touche ?

— Je... L'espace d'une seconde, j'ai eu l'impression de toucher quelque chose qui respirait.

Se sentant ridicule, Shannon appliqua la main plus fermement contre la pierre. Cette fois, elle sentit comme une décharge, elle ne pouvait le nier, mais se dit que c'était à cause de ses nerfs gravement éprouvés.

— Il y a ici une force étrange. Peut-être vient-elle des pierres elles-mêmes. Ou bien de l'endroit où on a choisi de les dresser.

— Je ne crois pas à ce genre de choses.

— Vous avez trop de sang irlandais pour ça.

Très délicatement, il la fit passer sous une arche de pierre et l'entraîna au centre du cercle.

Déterminée à rester pragmatique, Shannon croisa les bras et s'écarta de lui.

— J'aimerais bien le peindre, si vous me le permettez.

— Ça ne m'appartient pas. La terre qui se trouve autour est à moi, mais cet endroit n'appartient à personne. Vous pouvez le peindre, si cela vous fait plaisir.

— J'aimerais beaucoup.

Se détendant à nouveau, elle explora le premier cercle.

— Je connais des gens en Amérique qui paieraient volontiers pour avoir l'occasion d'être là. Les mêmes que ceux qui partent en Inde à la recherche de vérité et s'inquiètent pour leurs chakras.

Murphy sourit en se grattant le menton.

— J'ai lu des choses à ce sujet. C'est intéressant.

Vous ne pensez pas qu'il y a des endroits qui gardent en eux une mémoire? Desquels il émane une force?

Shannon l'eût cru sans trop de peine à cet instant. Si toutefois elle s'était laissée aller...

Subitement, elle se figea et retint son souffle en tendant l'oreille.

— Vous avez entendu?

Murphy n'était qu'à un pas de distance. Il attendit et l'observa attentivement.

— Qu'avez-vous entendu, Shannon?

Elle avait la bouche sèche.

— Ce devait être un oiseau. Pendant une seconde, on aurait dit quelqu'un qui pleurait.

Murphy posa la main sur ses cheveux et la laissa glisser comme il l'avait fait tout à l'heure.

— Je l'ai entendue. Comme bien d'autres. Vos sœurs, par exemple. Ne vous raidissez pas comme ça, murmura-t-il en la faisant pivoter vers lui. Le sang parle, inutile de prétendre le contraire. Elle pleure parce qu'elle a perdu son amant. C'est ce que raconte la légende.

— C'était un oiseau, insista Shannon.

— Ils étaient maudits, voyez-vous, poursuivit-il comme si elle n'avait rien dit. Lui n'était qu'un pauvre fermier, et elle la fille d'un seigneur. Mais ils se sont rencontrés ici, et c'est ici qu'ils se sont aimés et ont fait un enfant. C'est en tout cas ce qu'on dit.

A nouveau, elle était glacée. Elle réprima un frisson avant de prendre la parole d'une voix douce.

— Une légende? J'imagine qu'il en existe des centaines sur des endroits comme celui-ci.

— En effet. Celle-ci est triste, comme la plupart. Il l'a abandonnée ici en lui demandant de l'attendre, pour qu'ils puissent s'enfuir tous les deux. Mais on l'a rattrapé, et on l'a tué. Quand le père a trouvé sa fille le lendemain, elle était morte, comme son amant, et il y avait encore des larmes sur ses joues.

— Et depuis, bien entendu, elle hante cet endroit.

Murphy lui sourit, nullement blessé par son cynisme.

— Elle l'aimait. Elle ne peut que l'attendre.

Murphy lui prit les mains pour les réchauffer dans les siennes.

— Gray avait pensé écrire une scène de meurtre qui se serait déroulée ici, mais il a finalement changé d'avis. Il m'a dit que ce n'était pas un endroit où faire couler le sang. Si bien qu'au lieu d'être dans son livre, il sera sur votre toile. C'est plus approprié.

— Si j'arrive à le peindre.

Elle aurait dû retirer ses mains, mais c'était si bon de les sentir dans les siennes...

— Je vais avoir besoin de fournitures plus élaborées si je me décide à peindre sérieusement pendant mon séjour... Mais je devrais rentrer. Je vous empêche de travailler et Brianna doit m'attendre pour le petit déjeuner.

Il la regardait, heureux de sentir ses mains dans les siennes et de voir l'air rosir ses joues. Heureux également de sentir ce pouls irrégulier battre sous ses poignets, et du trouble qui passa fugitivement dans le vert de ses yeux.

— Je suis content de vous avoir trouvée assise sur mon mur, Shannon Bodine. Je vais pouvoir y repenser tout le reste de la journée.

Agacée de sentir ses jambes se ramollir, elle les raidit brusquement et redressa fièrement la tête.

— Vous essayez de me draguer, Murphy?

— Il semble que oui.

— C'est très flatteur, mais je n'ai pas vraiment de temps pour ça. Et je vous signale que vous tenez toujours mes mains.

— En effet.

Les yeux plongés dans les siens, il porta le dos de ses mains jusqu'à ses lèvres. Quand il les relâcha, il lui décocha un bref sourire. Désarmant.

— Revenez vous promener avec moi, Shannon.

Elle resta un instant immobile tandis qu'il se retournait et sortait du cercle des fées. Incapable de résister plus longtemps, elle courut sous l'arche de pierre et le regarda s'éloigner à travers champs en sifflant pour appeler le chien.

Il ne fallait pas sous-estimer cet homme, se dit-elle en plaisantant. Et elle le suivit du regard jusqu'à ce qu'il eût disparu derrière la colline, tout en frottant inconsciemment le dos de sa main contre sa joue.

## 7

Shannon se faisait une joie à l'idée de sa première soirée dans un pub irlandais. Elle avait toujours aimé découvrir de nouvelles choses, des endroits et des gens différents. De plus, le plaisir qu'avait manifesté Brianna à la perspective d'une sortie au pub l'avait poussée à accepter de venir.

— Oh, vous êtes déjà prête...

Brianna releva la tête en voyant Shannon descendre l'escalier.

— Excusez-moi, j'ai pris un peu de retard. Kayla avait faim et avait besoin d'être changée.

Tout en parlant, elle s'agitait, le bébé dans un bras, un plateau de tasses de thé dans l'autre main.

— Et puis les sœurs se sont plaintes d'avoir mal à la gorge et m'ont demandé quelque chose de chaud.

— Les sœurs ?

— Les Freemont, dans la chambre bleue. Oh, vous ne les avez sans doute pas vues. Apparemment, elles se sont laissé surprendre par la pluie et ont attrapé un rhume.

Brianna leva les yeux au ciel.

— Ce sont des habituées. Alors j'essaie de ne pas me formaliser de leurs caprices. Chaque année, elles passent trois jours ici à ne rien faire. Gray prétend que c'est parce qu'elles ont vécu ensemble toute leur vie et n'ont jamais connu d'homme.

Elle se tut, rougit, puis esquissa un petit sourire en voyant Shannon éclater de rire.

— Je ne devrais pas parler ainsi de mes clients. Quoi qu'il en soit, je suis en retard... Ça ne vous ennuie pas de m'attendre un peu?

— Bien sûr que non. Puis-je...

— Oh, et voilà en plus le téléphone qui sonne. Tant pis, je le laisse sonner.

— Où est Gray?

— Oh, il est plongé dans une scène de meurtre, en train d'assassiner je ne sais qui. Quand je suis entrée dans son bureau, il a vaguement grogné. Inutile par conséquent de compter sur lui pour l'instant.

— Je vois. Puis-je faire quelque chose pour vous aider?

— Pourriez-vous prendre la petite quelques minutes, le temps que je monte ce plateau et que je réconforte un peu les sœurs?

Le regard de Brianna s'illumina.

— Cela ne devrait pas être long. Je leur ai mis une bonne dose de whisky.

— Bien sûr. Donnez-moi le bébé.

Shannon prit Kayla dans ses bras avec précaution. Elle lui paraissait si petite — et si fragile!

— Je manque d'expérience. La plupart des femmes que je connais se concentrent sur leur carrière et remettent à plus tard le moment d'avoir des enfants.

— C'est plus facile pour les hommes de faire les deux à la fois. Vous n'avez qu'à la promener un peu; elle ne tient plus en place... et est aussi impatiente que moi de sortir pour aller écouter de la musique et voir du monde.

D'un geste gracieux, Brianna s'élança dans l'escalier avec son plateau et ses grogs.

— Alors, Kayla, tu es énervée? fit Shannon en s'éloignant vers le salon. Je connais ça.

Sous le charme, elle caressa doucement la joue du bébé et éprouva un authentique plaisir quand une petite main agrippa son doigt.

— Mais tu es costaud, dis-moi! Il ne doit pas falloir te pousser à bout. Comme ta mère.

Ne pouvant résister, elle lui donna un baiser, puis un autre, ravie de voir Kayla se mettre à faire des bulles.

— Elle est adorable, non ?

Les yeux écarquillés, Shannon redressa la tête et sourit à Gray qui entrait dans la pièce.

— Elle est tout simplement magnifique. On n'imagine pas qu'un bébé puisse être si petit tant qu'on n'en a pas tenu un dans ses bras.

— Elle a déjà beaucoup grandi.

Il se pencha et sourit à sa fille.

— Quand elle est née, on aurait dit une fée indignée. Je ne l'oublierai jamais.

— Maintenant elle ressemble à sa mère. A propos, Brianna est en haut, en train de droguer les sœurs Freemont.

— Tant mieux.

Semblant trouver cela parfaitement naturel, Gray hocha la tête.

— J'espère qu'elle leur a donné la dose forte, sinon elles ne vont pas cesser de l'embêter pendant trois jours.

— Ça n'a pas l'air de la déranger.

— Brie est comme ça. Vous voulez boire un verre avant de partir ou préférez-vous attendre qu'on soit au pub pour commander une pinte ?

— Je vais attendre, merci. Vous venez avec nous ? Je croyais que vous étiez en train d'assassiner quelqu'un ?

— Pas ce soir. Ils sont déjà morts.

Gray pensa se servir un whisky, puis se ravisa, se sentant davantage d'humeur à boire une Guinness.

— Brie m'a dit que vous aviez envie de peindre pendant votre séjour ici.

— J'y pense, oui. J'ai apporté un peu de matériel avec moi ; assez pour commencer, en tout cas.

Inconsciemment, elle imitait les gestes de Brianna pour bercer le bébé.

— Brianna m'a proposé sa voiture pour acheter des fournitures à Ennis.

— Vous feriez mieux d'aller à Galway... Bah, peut-être trouverez-vous ce qu'il vous faut là-bas...

— En fait, je n'ai pas très envie d'utiliser sa voiture, avoua soudain Shannon.

— Conduire à gauche vous fait peur ?

— Il y a ça... mais c'est surtout que je n'aime pas emprunter.

Tout en réfléchissant, Gray s'assit sur l'accoudoir du canapé.

— Vous voulez entendre l'avis d'un Américain ?

— Pourquoi pas ?

— Les gens d'ici sont un univers à eux tout seuls. Proposer de donner, de prêter, de tout partager, y compris eux-mêmes, est chez eux une seconde nature. Si Brie vous tend les clés de sa voiture, elle ne se dit pas « est-elle assurée ? » ou « a-t-elle son permis de conduire ? », elle se dit simplement que vous avez besoin d'une voiture. Un point c'est tout.

— Ce n'est pas aussi simple pour moi. Je ne suis pas venue ici dans le but de me fondre dans une grande et généreuse famille

— Pourquoi êtes-vous venue ?

— Parce que j'ignore qui je suis.

Furieuse que cette réponse lui ait échappé, Shannon tendit le bébé à Gray.

— Je suis en pleine crise d'identité et cela n'a rien d'agréable.

— Je vous comprends, fit Gray avec simplicité. Je suis passé par là, moi aussi.

La voix douce et apaisante de sa femme lui parvint depuis le hall.

— Pourquoi ne vous accordez-vous pas un peu de temps ? Profitez du paysage et prenez quelques kilos en mangeant la cuisine de Brianna. Si j'en crois mon expérience, les réponses surgissent souvent d'elles-mêmes au moment où on s'y attend le moins.

— Expérience professionnelle ou personnelle ?

Il se leva et lui tapota amicalement la joue.

— Les deux. Hé ! Brie, on y va, oui ou non ?

— Je dois juste aller chercher mon sac, dit-elle en entrant en hâte et en lissant son chignon. Oh, Gray, tu viens, finalement ?

— Tu ne penses quand même pas que je vais me priver d'une soirée au pub avec toi ?

De sa main libre, il l'enlaça par la taille et l'entraîna dans une valse.

Brianna irradiait de joie.

— Je croyais que tu travaillais ?

— Je peux travailler quand je veux.

Tendrement, il pressa ses lèvres contre les siennes.

Shannon attendit une ou deux secondes avant de toussoter discrètement.

— Je ferais peut-être mieux d'aller attendre dehors, dans la voiture, dit-elle en fermant les yeux.

— Allons, Grayson, arrête, tu embarrasses Shannon.

— Mais pas du tout. Elle est seulement jalouse...

Et il fit un clin d'œil à la jeune femme qu'il considérait déjà comme sa belle-sœur.

— Venez, on va vous trouver un chevalier servant.

— Non merci ! Je viens justement de me débarrasser du mien.

— Vraiment ?

Toujours très intéressé, Gray passa le bébé à sa femme pour prendre Shannon par les épaules.

— Racontez-nous ça. Ici, on ne vit que pour les potins.

— Laisse-la tranquille ! fit Brianna en riant d'un air faussement exaspéré. Ne lui racontez surtout rien que vous ne voudriez pas retrouver dans un livre.

— Ça ne ferait pas un livre très intéressant, dit laconiquement Shannon avant de sortir dans l'air humide.

Il avait plu, et il pleuvait encore, exactement comme prévu.

— Je suis capable de rendre n'importe quoi intéressant.

Gray ouvrit la portière à sa femme avec force galanteries, puis sourit.

— Alors, pourquoi l'avez-vous plaqué ?

— Je ne l'ai pas plaqué.

Cette conversation paraissait à Shannon si absurde qu'elle se sentit tout à coup de bonne humeur. Elle se glissa sur la banquette et renvoya ses cheveux en arrière.

— Nous nous sommes quittés d'un commun accord.

— Oui, bon, elle l'a plaqué. Les femmes prennent toujours un ton très collet monté pour s'exprimer quand elles viennent de briser le cœur d'un homme.

— Bon, bon, je vais tout vous raconter...

Shannon décocha un grand sourire à Gray dans le rétroviseur.

— Il a rampé, s'est traîné à mes pieds et m'a suppliée. Je crois même qu'il a pleuré. Mais comme ça ne m'a pas émue du tout, je lui ai écrasé le cœur, qui saignait encore, du bout de mon talon. Et ensuite, il s'est rasé la tête, a fait don de tout ce qu'il possédait et est parti vivre dans une petite communauté religieuse au Mozambique.

— Pas mal.

— C'est en tout cas plus amusant que la vérité. Qui se résumait finalement au goût commun que nous avions pour la cuisine thaïlandaise et au fait que nous travaillions dans le même bâtiment. Mais vous pouvez utiliser indifféremment l'une ou l'autre version.

— En fait, vous êtes plus heureuse sans lui, dit complaisamment Brianna. Et c'est ça qui compte.

Un peu surprise de voir que tout pouvait être si simple, Shannon leva les sourcils.

— Oui, vous avez raison.

Tout comme il était beaucoup plus simple qu'elle ne l'avait supposé de se caler au fond du siège et de profiter pleinement de cette soirée.

Le pub O'Malley... En entrant, Shannon eut l'impression de se retrouver dans un film en noir et blanc avec Pat O'Brien. L'atmosphère enfumée, les couleurs défraîchies, l'odeur du bois dans la cheminée, les hommes accoudés au bar devant de grands verres de bière noire, le rire des femmes, les murmures... le tout avec un air de flûte en arrière-fond.

La télévision suspendue au-dessus du bar retransmettait une rencontre sportive, sans le son. Un homme portant un tablier blanc sur sa grosse bedaine leva la tête et fit un grand sourire tout en continuant à tirer une bière.

— Alors, vous nous avez enfin amené la petite...

Il posa la pinte, le temps de la laisser reposer.

— Viens par ici, Brie, qu'on la voie un peu.

Brianna déposa Kayla dans son couffin sur le bar.

— Elle porte le bonnet que ta femme lui a tricoté, Tim.

— Qu'elle est mignonne ! fit-il en chatouillant le bébé sous le menton. C'est ton portrait tout craché, Brianna.

— J'y suis quand même aussi pour quelque chose, s'empressa de souligner Gray tandis qu'un cercle se refermait autour du bébé pour l'admirer.

— Et tu as fait du bon travail, acquiesça Tim. Mais, dans Sa grande sagesse, le Seigneur a donné à la petite le visage d'ange de sa mère. Tu veux une pinte, Gray ?

— Oui, une Guinness. Que prenez-vous, Shannon ?

Elle jeta un coup d'œil sur la bière que Tim O'Malley venait de servir.

— Quelque chose de plus petit que ça.

— Une pinte et une demi-pinte, commanda Gray. Et un jus de fruits pour la jeune maman.

— Shannon, l'homme qui est en train de vous tirer une bière s'appelle Tim O'Malley, expliqua Brianna en posant la main sur l'épaule de Shannon. Tim, voici ma... mon invitée, Shannon Bodine, de New York.

— New York...

Tout en continuant à servir avec des gestes automatiques, Tim regarda Shannon dans les yeux d'un air rayonnant.

— J'ai des cousins là-bas. Vous ne connaissez pas par hasard Francis O'Malley, le boucher ?

— Non, je regrette.

— Bodine, répéta un homme juché sur un tabouret près de Shannon en tirant sur sa cigarette d'un air pensif. J'ai connu une Katherine Bodine à Kikelly, il y a quelques années de ça. Jolie comme du lait frais, qu'elle était. Une parente à vous, peut-être ?

Shannon lui sourit, vaguement gênée.

— Non, pas que je sache.

— C'est la première fois que Shannon vient en Irlande, précisa Brianna.

Autour d'eux, les gens hochèrent la tête d'un air compréhensif.

— J'ai connu des Bodine à Dublin, renchérit alors un homme plus âgé assis à l'extrémité du bar. Quatre frères qui étaient plus rapides à se bagarrer qu'à cracher par terre. On les appelait les Bodine dingues. Tous leurs fils sont partis pour aller s'engager dans l'IRA. C'était en... 37.

— En 35, rectifia la vieille femme au visage ridé assise auprès de lui en faisant un clin d'œil à Shannon. Je suis allée me promener une ou deux fois avec Paddy Bodine, et Johnny lui a fendu la lèvre.

— Un homme se doit de protéger ce qui lui appartient.

Le vieux Johnny Conroy prit la main de sa femme qu'il serra entre ses doigts osseux.

— Il n'y avait pas de plus belle fille à Dublin que Nell O'Brian. Et maintenant, elle est à moi.

Shannon sourit avant de prendre la bière que Gray lui tendait. Le couple avait quatre-vingt-dix ans passés, elle en était persuadée, mais ils se tenaient la main et flirtaient comme deux jeunes mariés.

— Laisse-moi m'occuper un peu de ce bébé...

Une femme sortit de la salle derrière le bar en s'essuyant les mains sur son tablier.

— Et allez vous chercher une table, fit-elle en poussant Brianna. Je l'emmène avec moi pour la gâter un petit moment.

Sachant que toute protestation serait inutile, Brianna présenta Shannon à l'épouse de Tim et la regarda emporter Kayla.

— Nous ferions aussi bien d'aller nous asseoir. Elle ne me rendra pas ma fille avant qu'on s'en aille.

Shannon se retourna pour la suivre des yeux et aperçut Murphy.

Assis près du feu, il l'observait attentivement en jouant un air mélodieux sur un concertina. Une fois de plus il avait l'esprit brouillé et perdu sa langue. Il eut à peine le temps de se reprendre avant que Gray ne la conduise jusqu'à sa table.

— C'est pour nous que tu joues, ce soir ? lui lança Brianna en s'asseyant.

— Plutôt pour moi.

Heureusement, ses doigts n'étaient pas aussi engourdis que son esprit. Pendant quelques secondes, il ne vit rien d'autre que le regard pâle de Shannon, brillant et rempli de méfiance.

— Bonsoir, Shannon.

— Murphy...

N'ayant trouvé aucune formule polie pour refuser la chaise que Gray lui avait indiquée, elle se retrouva pratiquement coude à coude avec Murphy. Elle se sentit complètement stupide d'accorder de l'importance à une chose aussi ridicule.

— Où avez-vous appris à jouer ?

— Oh, par-ci par-là.

— Murphy a un don pour jouer de n'importe quel instrument, dit Brianna avec fierté. Il peut interpréter tout ce qu'on lui demande.

— Vraiment ?

Ses longs doigts agiles couraient sur les touches compliquées de la petite boîte. Cependant, il devait connaître cet air par cœur car il ne regardait pas ses mains, et dévisageait la jeune femme.

— Un fermier musicien, murmura-t-elle.

— Vous aimez la musique ? lui demanda-t-il.

— Évidemment. Qui n'aime pas ça ?

Il s'arrêta un moment pour prendre sa pinte de bière. Il avait la bouche desséchée chaque fois qu'elle était près de lui.

— Y a-t-il un air que vous aimeriez entendre ?

Shannon leva une épaule qu'elle laissa retomber doucement, regrettant sincèrement qu'il ait arrêté de jouer.

— Je ne connais pas grand-chose à la musique irlandaise.

Gray se pencha en avant.

— Surtout, évitez de lui demander « Danny Boy »,
lui chuchota-t-il à l'oreille.

Murphy le considéra en souriant.

— Ah, ces Américains ! fit-il d'un ton léger. Vous
vous appelez Shannon Bodine et vous ne connaissez
pas la musique irlandaise ?

— J'écoute plutôt Percy Sledge ou Aretha Franklin.

Sans la quitter des yeux, un petit sourire au coin des
lèvres, il attaqua un nouveau morceau. Et son sourire
s'élargit quand elle éclata de rire.

— C'est la première fois que j'entends « When a man
loves a woman » sur un mini-accordéon.

— Ça s'appelle un concertina.

Il détourna les yeux en entendant un cri.

— Ah, voilà mon copain.

Le petit Liam Sweeney se fraya un chemin dans la
salle et grimpa sur les genoux de Murphy en lui adressant un regard charmeur.

— Un bonbon.

— Tu veux que ta mère me passe encore un savon ?

Néanmoins, il jeta un coup d'œil au fond de la salle
et vit que Maggie s'était arrêtée au bar. Il mit la main
dans sa poche d'où il sortit un bonbon au citron enveloppé dans un papier.

— Mets-le vite dans ta bouche avant qu'elle nous
aperçoive.

C'était manifestement une vieille habitude entre eux.
Shannon regarda Liam se blottir contre Murphy et se
concentrer en tirant la langue entre ses dents minuscules pour défaire le papier du bonbon.

— Alors, on est sortis en famille ?

Maggie s'approcha et posa les mains sur le dossier
de la chaise de Brianna.

— Où est la petite ?

— Deirdre l'a kidnappée.

Automatiquement, Brianna se poussa pour que Maggie puisse approcher une chaise.

— Bonsoir, Shannon.

Elle la salua poliment, d'un ton formel et distant,
avant de poser le regard sur son fils.

— Qu'est-ce que tu as là, Liam ?

— Rien.

— Rien, en effet. Murphy, je te préviens que c'est toi qui paieras quand il aura sa première carie.

Puis elle se détourna à nouveau. Shannon vit alors un homme grand et brun s'approcher de leur table, deux tasses dans une main et une pinte de bière dans l'autre.

— Shannon Bodine... mon mari, Rogan Sweeney.

— Heureux de vous rencontrer.

Après avoir posé les boissons, il lui serra la main et lui adressa un sourire plein de charme. S'il éprouvait une quelconque curiosité, en tout cas, il le cachait bien.

— Vous profitez agréablement de votre séjour ?

— Oui, je vous remercie, fit-elle en inclinant la tête. Je suppose que c'est vous que je dois remercier.

— Oh, très indirectement.

Rogan glissa une nouvelle chaise dans le petit cercle, obligeant Shannon à se rapprocher encore d'un ou deux centimètres de Murphy.

— Hobbs m'a dit que vous travailliez pour Ry-Tilgh-manton. Nous avons toujours eu recours aux services de l'agence Pryce, aux États-Unis.

Shannon haussa un sourcil.

— Nous sommes pourtant les meilleurs.

Rogan sourit.

— Je vais peut-être y réfléchir...

— Ce n'est pas une réunion de travail, se plaignit sa femme. Murphy, si tu nous jouais quelque chose d'entraînant ?

Il entama une gigue, pompant des notes à toute vitesse du petit instrument. Autour d'eux, les conversations baissèrent d'un ton, ponctuées de quelques éclats de rire, tandis que des clients tapaient dans leurs mains et qu'un homme portant un chapeau melon se lançait dans une danse endiablée pour rejoindre le bar.

— Vous dansez ?

La bouche de Murphy était si proche de son oreille que Shannon sentit son souffle.

— Pas comme ça...

Elle se renfonça sur son siège en tenant son verre devant elle pour se protéger.

— Mais je suppose que vous, vous savez. Ça va avec le reste, non ?

Il pencha la tête, amusé mais également curieux.

— Avec le fait d'être Irlandais, vous voulez dire ?

— Mais oui. Vous dansez...

Elle mima le geste avec son verre.

— ... vous buvez, vous vous bagarrez, vous écrivez de la prose mélancolique et de la poésie. Et vous êtes très fiers de votre image de rebelles martyrs et combattants.

Murphy réfléchit quelques secondes, sans cesser de battre la mesure en tapant du pied.

— Rebelles, ma foi, nous le sommes, et martyrs, nous l'avons été. Il semble que vous ayez coupé tout lien avec ce pays.

— Je n'en ai jamais eu. Mon père était un Irlandais de la troisième ou de la quatrième génération et ma mère n'avait à ma connaissance aucune famille.

Cette remarque la rendit soudain plus grave. Bien que désolé pour elle, Murphy n'était cependant pas prêt à en rester là.

— Mais vous pensez connaître l'Irlande et les Irlandais.

D'autres personnes s'étaient levées pour danser, aussi joua-t-il un nouvel air pour leur faire plaisir.

— Vous avez dû regarder des films avec Jimmy Cagney à la télé ou voir Pat O'Brien dans un rôle de prêtre.

Voyant qu'elle se renfrognait plus encore, il lui fit un petit sourire moqueur.

— Oh, et puis vous avez la parade de la Saint-Patrick sur la Cinquième Avenue.

— Et alors ?

— Alors, ça ne vous apprend rien. Si vous voulez connaître les Irlandais, écoutez plutôt leur musique. Les airs et les paroles, quand il y en a. Si vous l'écoutez vraiment, sincèrement, vous commencerez peut-être à

117

comprendre ce que nous sommes. La musique est le fondement de tous les peuples, de toutes les cultures, parce qu'elle vient du cœur.

Intriguée malgré elle, Shannon baissa les yeux sur ses doigts qui volaient sur les touches.

— Dans ce cas, je devrais en conclure que les Irlandais sont d'insouciants danseurs de gigue.

— Un air ne raconte pas tout.

L'enfant s'était endormi sur ses genoux, mais Murphy continua à jouer, enchaînant subitement sur un air si doux et si triste que Shannon cligna des yeux.

Quelque chose au fond de son cœur se fendit quand Brianna commença à chanter doucement les paroles. D'autres se joignirent à elle pour raconter l'histoire d'un soldat courageux et maudit, mort en martyr pour son pays, du nom de James Conolly.

Quand la chanson fut terminée, Rogan prit le petit garçon endormi sur ses genoux pour que Murphy puisse boire sa bière.

— Vous voyez, ce n'est pas toujours gai.

Shannon était émue, profondément.

— Il faut une culture étrange pour pouvoir écrire d'aussi belles paroles sur une exécution.

— Nous n'oublions jamais nos héros, dit Maggie d'une voix sèche. Est-il vrai que dans votre pays il y a des attractions pour les touristes sur les champs de bataille ? A Gettysburg ou je ne sais où ?

Shannon regarda froidement Maggie en hochant la tête.

— Touché.

— Et la plupart d'entre nous auraient combattu pour défendre le Sud, ajouta Gray.

— Pour l'esclavage, tu veux dire, rectifia Maggie. Nous en savons plus sur l'esclavage que vous ne pouvez l'imaginer.

— Non, pas pour l'esclavage...

Ravi de voir qu'un débat s'amorçait, Gray se tourna vers elle.

— Pour un style de vie.

— Et voilà, ils sont contents, murmura Rogan en

voyant sa femme et son beau-frère se lancer dans une grande discussion. Y a-t-il quelque chose que vous aimeriez voir ou faire pendant votre séjour, Shannon ? Nous nous ferions un plaisir de vous y aider.

Son accent était différent. D'une différence subtile, plus doux, avec une légère trace de ce qu'elle aurait qualifié d'accent des grandes écoles.

— J'imagine que je ne peux pas repartir sans avoir vu au moins une ruine. Et puis les endroits touristiques du coin.

— Gray a mis une ruine dans son prochain roman, dit alors Murphy. Elle se trouve tout près d'ici.

— Oui, c'est exact.

Brianna jeta un bref coup d'œil derrière son épaule. Deirdre n'avait toujours pas ramené le bébé.

— Il s'y déroule une scène de meurtre épouvantable. Je vais aller voir comment va Kayla. Une autre pinte, Murphy ?

— Volontiers. Merci.

— Shannon ?

Non sans surprise, elle vit que son verre était vide.

— Oui, je veux bien.

— Je vais au bar.

Après avoir passé Liam à sa femme, Rogan se leva et tapota la joue de Brianna.

— Va vite t'occuper de ta fille.

— Vous connaissez ça ? demanda Murphy à Shannon en recommençant à jouer.

Il ne lui fallut que quelques secondes pour reconnaître « Scarborough Fair », une vieille chanson de Simon et Garfunkel qui passait fréquemment à la radio.

— Vous chantez, Shannon ?

— Comme toute personne possédant une douche et une radio...

Fascinée, elle se pencha néanmoins vers lui.

— Comment savez-vous quelle touche enfoncer ?

— Il faut d'abord savoir quel genre de chanson vous êtes d'humeur à jouer. Tenez...

— Non, je...

Mais il avait déjà passé son bras derrière elle pour lui mettre les mains sur le concertina.

— Il faut commencer par sentir l'instrument.

Il guida ses doigts sur les touches, appuyant doucement tout en écartant les soufflets du mini-accordéon. L'accord long et pur qui s'en échappa la fit rire.

— C'est seulement un accord.

— Si vous pouvez en faire un, vous pouvez sûrement en faire d'autres.

Et, pour le lui prouver, il rapprocha les soufflets, d'où s'échappa une note très différente.

— Il suffit d'avoir envie de jouer, et de s'entraîner.

Timidement, Shannon déplaça ses doigts au hasard et fit la grimace en entendant les sons discordants qu'elle produisait.

— Je pense qu'il faut aussi un peu de talent, fit-elle en riant.

Et elle rit de plus belle lorsque Murphy posa ses doigts par-dessus les siens, arrachant un son mélodieux à l'instrument.

— Et des mains agiles. Comment faites-vous pour voir ce que vous jouez?

Une lueur amusée dans le regard, Shannon renvoya ses cheveux en arrière et se tourna vers lui. La décharge électrique qu'elle ressentit alors au cœur fut tout aussi vive que l'air qu'il jouait.

— C'est une question de sensation.

Les doigts de Shannon étaient à nouveau immobiles, mais il fit virevolter les siens tout autour en changeant encore une fois de style, interprétant cette fois un air romantique.

— Qu'est-ce que vous ressentez?

— Que vous jouez de moi aussi habilement que de cet instrument.

Elle plissa les yeux tout en continuant à l'observer. La position dans laquelle ils se trouvaient tous les deux ressemblait à s'y méprendre à une étreinte. Ses mains souples tenaient les siennes d'une manière possessive évidente.

— Vous êtes vraiment très doué, Murphy.

— J'ai l'impression que vous ne dites pas cela comme un compliment.

— En effet. C'est juste une observation.

Shannon éprouva un nouveau choc en sentant la veine de son cou battre follement. Les yeux de Murphy glissèrent sur sa bouche, s'y attardèrent au point qu'elle ressentit l'intention qui était la sienne comme quelque chose de presque tangible.

— Non, dit-elle soudain d'un ton ferme et parfaitement calme.

— Comme vous voudrez...

Son regard remonta sur les yeux de Shannon, et elle y décela une lueur de franc défi.

— De toute façon, pour la première fois, je préférerais vous embrasser dans un endroit plus tranquille où je pourrais prendre tout mon temps.

Ce serait effectivement ce qu'il ferait, pensa-t-elle. Peut-être n'était-il pas aussi balourd qu'elle l'avait cru au départ. En tout cas, il était clair qu'il allait droit au but.

— Eh bien, la leçon va s'arrêter là, dit-elle, décidée à prendre un peu de distance, en enlevant ses mains de sous les siennes.

— Je vous en donnerai une autre quand vous voudrez.

Sur ces mots, il retira le bras qui l'enlaçait et posa son concertina pour prendre sa bière.

— Vous avez la musique en vous, Shannon. Dommage que vous ne la laissiez pas s'exprimer.

— Je pense que j'en resterai à la radio, merci, fit-elle en se levant, plus nerveuse qu'elle ne voulait se l'avouer. Excusez-moi.

Et elle s'éloigna vers les toilettes dans l'intention de se ressaisir.

Murphy sourit en regardant son verre qu'il reposa sur la table. Voyant alors que Maggie l'observait d'un air préoccupé, il haussa les sourcils.

— A quoi penses-tu, Murphy ? lui demanda-t-elle.

— Je pense que je vais reprendre une bière — dès que Rogan sera revenu.

— Inutile de jouer au plus fin avec moi, mon vieux...

Elle hésitait entre l'agacement et l'inquiétude, ne trouvant ni l'un ni l'autre satisfaisant.

— Je sais que tu as un faible pour les dames, mais je ne t'ai jamais vu un regard pareil.

— Ah bon?

— Arrête de l'embêter, Maggie, dit Gray en se calant sur son siège. Murphy a bien le droit de tenter sa chance. C'est une sacrée belle fille, non?

— Tais-toi, Grayson. Eh non, tu n'as pas le droit de tenter ta chance avec elle, Murphy Muldoon.

Il la regarda en murmurant un remerciement quand Rogan posa de nouvelles boissons sur la table.

— Tu vois une objection quelconque à ce que je fasse connaissance avec ta sœur, Maggie Mae?

Le regard dur et brillant, elle se pencha en avant.

— Je vois en effet une objection à te laisser marcher tout droit vers une falaise d'où tu ne pourras que te casser la figure. Elle n'est pas de notre monde, Murphy, et elle ne s'intéressera jamais à un fermier irlandais, aussi séduisant soit-il.

Murphy se tut un instant et prit une cigarette qu'il contempla une seconde avant de l'allumer et d'en tirer une longue bouffée.

— C'est gentil à toi de te faire du souci pour moi. Mais cette falaise est la mienne, et c'est de ma figure qu'il s'agit.

— Si tu crois que je vais rester les bras croisés pendant que tu te ridiculises et que tu te brises le cœur par la même occasion, tu te trompes!

— Ça ne te regarde pas, Margaret Mary, intervint Rogan, ce qui lui valut un regard furieux de sa femme.

— Ça ne me regarde pas? Mais bien sûr que si! Je connais cette espèce de doux imbécile depuis toujours et, Dieu seul sait pourquoi, j'ai de l'affection pour lui. De plus, sans Brianna et moi, cette Américaine ne serait pas là.

— L'Américaine en question est ta sœur, lui fit remarquer Gray. Ce qui veut dire qu'elle est sans doute aussi irritable et têtue que toi.

122

Avant que Maggie puisse réagir, Murphy leva la main.

— Elle a raison. Dans la mesure où je suis ton ami et où elle est ta sœur, il est vrai que ça te regarde, Maggie. Mais ça me regarde encore plus.

Le ton calme et déterminé avec lequel il venait de parler la sidéra.

— Elle repartira bientôt d'où elle est venue, Murphy.

— Pas si j'arrive à la persuader du contraire.

Maggie lui prit alors les mains, comme si le fait de le toucher pouvait l'aider à lui faire entendre raison.

— Mais tu ne la connais même pas.

— Il y a des choses qu'on sait tout de suite.

Il entrelaça ses doigts aux siens, car le lien qui les unissait tous les deux était fort et profond.

— Je l'ai attendue longtemps, Maggie, et maintenant elle est là. Ça me suffit amplement.

Lorsqu'elle vit la certitude inébranlable qui illuminait son regard, elle battit en retraite.

— Tu as perdu la tête. Et je ne peux rien faire pour t'aider à la retrouver.

— Personne ne le peut, non. Même pas toi.

Maggie poussa un long soupir.

— Parfait, quand tu te seras cassé la figure et que tu seras en mille morceaux, je viendrai panser tes plaies. Rogan, j'aimerais aller coucher Liam.

Elle se leva en serrant le petit garçon endormi dans ses bras.

— Inutile que je te demande de lui faire retrouver son bon sens, Gray. Les hommes sont incapables de voir au-delà d'un beau visage.

Lorsqu'elle se retourna, elle vit que Shannon était revenue et s'était fait harponner par les Conroy. Elle lui jeta un regard foudroyant, auquel Shannon répondit de même, puis sortit en vitesse du pub avec son fils.

— Elles ont plus en commun qu'elles ne le pensent, commenta Gray, voyant Shannon fixer la porte du pub avant de reporter son attention vers les Conroy.

— Ce qu'elles ont en commun, c'est autant ce qui les lie que la terre qu'elles ont sous les pieds.

Gray hocha la tête avant de regarder à nouveau Murphy.

— Tu as vraiment jeté ton dévolu sur ce beau visage ?

Par habitude plus que par malice, Murphy reprit son instrument et recommença à jouer.

— Ça fait partie d'un tout...

Ses lèvres souriaient, mais son regard restait grave et lointain.

— Et c'est le visage que j'attendais de voir.


Elle n'allait pas se laisser intimider par Maggie, décida Shannon en se préparant ce soir-là à se mettre au lit. Cette femme avait envoyé des détectives à sa recherche, l'avait traquée de l'autre côté de l'océan, et maintenant qu'elle avait fait l'effort, par ouverture d'esprit, de rencontrer les Concannon face à face, Maggie la traitait comme une intruse.

En tout cas, elle resterait le temps qu'il lui plairait. Deux semaines. Trois au maximum. Personne ne la chasserait d'ici à coups de regards cinglants et de remarques désagréables. Margaret Mary Concannon serait bien forcée de comprendre que les Américains ne se laissaient pas impressionner comme ça.

Et ce fermier ne lui faisait pas peur. Le charme et la séduction étaient des armes qui ne l'effrayaient nullement. Elle avait déjà eu l'occasion de rencontrer quantité d'hommes charmants et séduisants.

Certes, elle n'en avait jamais connu aucun du même genre que Murphy, capable de dégager cette sérénité étrange, mais ça ne l'inquiétait pas. Pas vraiment.

Shannon se mit au lit et tira les couvertures sous son menton. La pluie avait rafraîchi l'atmosphère d'une façon un peu désagréable. Pourtant elle se sentait bien, trouvait même très agréable d'être pelotonnée dans ce refuge douillet. Le bruit de l'averse résonnait sur le toit et elle savourait la tasse de thé que Brianna lui avait préparée.

Demain, elle irait explorer la région. Elle ravalerait

sa fierté et emprunterait la voiture. Elle s'achèterait des fournitures, visiterait peut-être une ou deux ruines ainsi que quelques boutiques. Partir à l'aventure dans un pays étranger ne l'inquiétait nullement après les nombreux voyages qu'elle avait effectués avec ses parents.

Et toute seule, elle avait très envie de l'être une journée. Sans personne pour guetter le moindre de ses gestes et essayer de les interpréter.

S'enfonçant un peu plus au fond du lit, elle repensa à tous ces gens qu'elle venait de rencontrer.

Brianna, la casanière. Jeune mère et jeune épouse. Et néanmoins femme d'affaires. Une femme efficace, possédant de multiples dons. Et généreuse, sans aucun doute, mais avec quelque chose d'inquiet et de triste dans le regard.

Gray — son compatriote. Un homme visiblement facile à vivre. Sympathique, très intelligent, ébloui par sa femme et par sa fille. Et qui semblait satisfait d'échapper à la vie trépidante qu'il aurait pu avoir dans une grande ville en raison de sa notoriété.

Maggie. Instantanément, Shannon se renfrogna. De nature méfiante, emportée, et franche au point de pouvoir être grossière. Le pire était qu'elle possédait aussi ces traits de caractère. Mère et épouse attentive, sans aucun doute, et bourrée de talent, indiscutablement. Hyperprotectrice et d'une fidélité à toute épreuve.

Rogan était cultivé, calme, et les bonnes manières étaient pour lui aussi naturelles que le fait de respirer. Vraisemblablement organisé et très astucieux. Un homme sophistiqué et suffisamment malin pour diriger une entreprise respectée dans le monde entier. Sans compter qu'il devait avoir un certain sens de l'humour, et une patience d'ange, pour vivre avec Maggie.

Et puis il y avait Murphy, le cher ami et voisin. Un fermier aussi doué pour jouer de la musique que pour draguer. Incroyablement séduisant et sans aucune prétention — quoique pas aussi simple qu'on pouvait le supposer au premier abord. Elle ne pensait pas avoir déjà rencontré un homme aussi parfaitement en accord avec lui-même.

Et il voulait l'embrasser dans un endroit tranquille, songea-t-elle en sentant ses paupières s'alourdir. Où il pourrait prendre tout son temps.

Cela risquait d'être intéressant.

L'homme maîtrisait le cheval fougueux sans le moindre effort apparent. La pluie, glaciale, continuait à tomber en rebondissant en grêlons sur le sol. L'étalon blanc renâcla en soufflant un nuage de vapeur tandis que l'homme et la femme se regardaient.

— Tu m'attendais.

Elle sentait son cœur cogner dans sa poitrine. Ainsi que le désir qui montait en elle, un désir intense, dévorant, aussi fort que l'était sa fierté.

— Que je me promène sur tes terres ne signifie pas que je t'attende, répliqua la femme.

L'homme éclata de rire, d'un rire profond et sonore dont l'écho se répercuta jusqu'aux collines. Au sommet de l'une d'elles se dressait le cercle des fées, montant la garde.

— Mais si, tu m'attendais.

Et d'un geste gracieux il se pencha pour la soulever d'une main et la hisser en selle devant lui.

— Embrasse-moi, ordonna-t-il en plongeant ses doigts gantés dans sa chevelure. Et applique-toi.

Elle l'attira contre elle en pressant ses seins contre son torse revêtu d'une armure. Sa bouche se fit avide, et son baiser fervent. En jurant, il rabattit sa cape dont il l'enveloppa complètement.

— Bon sang, le goût de tes lèvres vaut certainement la peine de parcourir des kilomètres dans ce froid glacial !

— Alors, reste, que diable ! s'exclama-t-elle en l'attirant à nouveau, pressant ses lèvres assoiffées contre les siennes. Reste...

Shannon murmura dans son sommeil, oscillant tour à tour entre le plaisir et le désespoir. Car, bien qu'endormie, elle savait qu'il n'en ferait rien.

## 8

Shannon passa la journée toute seule, ce qui lui fit le plus grand bien. La matinée était brumeuse et humide. Le temps se leva progressivement et, à mesure qu'elle roulait, le paysage semblait s'illuminer magnifiquement peu à peu. Les ajoncs formaient des taches d'un jaune éclatant le long de la route. Les haies de fuchsias retombaient en petites gouttes d'un rouge écarlate. Dans les jardins resplendissants de couleurs, les fleurs prenaient le soleil dans la lumière encore brouillée. Et le vert vif des collines étincelait de tous côtés.

Elle prit des photos, dans l'intention d'utiliser les meilleures pour dessiner ou peindre.

Conduire sur les routes particulièrement étroites, à gauche de surcroît, lui posa comme prévu quelques difficultés.

Dans les petites rues d'Ennis, elle acheta des cartes postales et quelques souvenirs pour des amis de New York. Des amis qui la croyaient ici pour passer de longues vacances bien méritées. Elle se sentit soudain démoralisée. Il n'y avait personne là-bas avec qui elle fût suffisamment intime pour raconter ce qui l'avait amenée ici, son besoin de découvrir ce pays.

Poussée par l'ambition, elle avait toujours fait passer son travail en premier. Tel était le résumé consternant qu'on pouvait faire de sa vie. Le travail avait toujours représenté une part considérable de ce qu'elle était, ou de ce qu'elle croyait être. Et maintenant qu'elle s'était coupée de tout cela, volontairement, elle avait le sentiment d'être une naufragée solitaire dérivant sur un océan de doutes.

Si elle n'était pas Shannon Bodine par sa naissance, si elle n'était plus une jeune dessinatrice publicitaire par sa volonté, qui était-elle, la fille illégitime d'un Irlandais sans visage qui avait séduit une femme seule à la recherche, elle aussi, de son identité ?

Cette question lui faisait mal et ne cessait de la hanter. Était-elle à ce point immature et faible pour que la vérité sur les circonstances de sa naissance ait déstabilisé la femme adulte qu'elle était ?

Car c'était bel et bien le cas. En cet instant, elle se promenait sur une bande de plage déserte, cheveux au vent, et elle le savait. Si seulement on lui avait tout expliqué lorsqu'elle était enfant, si elle avait pu avancer dans la vie en sachant que Colin Bodine était le père qui l'avait choisie, à défaut d'être celui qui l'avait conçue, peut-être la vérité ne lui eût-elle pas fait autant de mal.

Mais elle ne pouvait rien changer aux faits, ni à la façon dont elle les avait appris. La seule solution qui lui restait était de regarder la vérité en face. Et, ce faisant, de se regarder elle-même en face.

— La mer est déchaînée aujourd'hui.

Shannon se retourna brusquement, surprise par la voix de la vieille femme qui se tenait juste derrière elle. Plongée dans ses pensées, et assourdie par le bruit incessant des vagues, elle ne l'avait pas entendue approcher.

— Oui, c'est vrai, dit Shannon en esquissant le sourire poli qu'elle réservait aux inconnus. Mais c'est un endroit magnifique.

— Certains préfèrent le tumulte.

La vieille femme resserra sa grande cape à capuche en tournant son regard vers la mer. Ses yeux brillaient d'un éclat surprenant au milieu de son visage tout ridé.

— D'autres préfèrent la paix. Il y a de quoi satisfaire tout le monde sur cette terre...

Elle se tourna alors vers Shannon, d'un air vif, mais sans sourire.

— Et assez de temps pour que chacun puisse changer d'avis.

Perplexe, Shannon enfonça les mains dans les poches de sa veste. Ce n'était guère dans ses habitudes de tenir des conversations philosophiques avec des personnes rencontrées par hasard.

— Je suppose que la plupart des gens aiment avoir un peu des deux, selon leur humeur. Comment s'appelle cet endroit ? A-t-il un nom ?

— On l'appelle la crique de Moria, du nom d'une femme venue se noyer ici après avoir perdu son mari et ses trois fils dans un incendie. Cette femme ne s'est pas donné le temps de changer d'avis. Ni de se souvenir que rien ici-bas, que ce soit le bien ou le mal, ne dure éternellement.

— C'est un nom bien triste pour un si bel endroit.

— Oui, en effet. Mais c'est salutaire pour l'âme de s'y arrêter de temps en temps pour réfléchir à ce qui dure vraiment.

La vieille femme se tourna à nouveau vers Shannon et lui sourit avec beaucoup de gentillesse.

— Plus on vieillit, plus on voit loin.

— J'ai beaucoup réfléchi ces temps-ci, dit Shannon en lui rendant son sourire. Mais il faut que je m'en aille.

— Oui, vous avez encore du chemin à parcourir. Mais vous arriverez à destination, mademoiselle, et vous n'oublierez pas d'où vous êtes venue.

Drôle de femme, pensa Shannon en escaladant les rochers pour rejoindre la route. Sans doute était-ce une caractéristique typiquement irlandaise que de transformer en conversation ésotérique le simple fait de contempler la mer. En atteignant la route, elle réalisa que la femme était très vieille, et seule, et qu'elle apprécierait peut-être d'être déposée là où elle allait.

Aussitôt, elle se retourna, dans l'intention de le lui proposer. Mais elle ne vit rien d'autre que la bande de plage déserte.

Elle fut secouée d'un frisson, puis haussa les épaules. La femme était certainement repartie vaquer à ses occupations, voilà tout. D'ailleurs, il était grand temps de faire demi-tour et de rapporter la voiture à sa propriétaire.

Shannon trouva Brianna dans la cuisine, assise, pour une fois, toute seule devant une tasse de thé.

— Ah, tu es de retour...

La veille, en rentrant du pub, elles avaient décidé de se tutoyer. Brianna se força à sourire, puis se leva pour aller chercher une autre tasse.

— Tu as passé une bonne journée ?

— Oui, merci.

Shannon alla remettre soigneusement les clés de la voiture là où elle les avait prises.

— J'ai réussi à trouver une partie des fournitures dont j'avais besoin. Je vais pouvoir dessiner dès demain. J'ai vu qu'il y avait une autre voiture dehors.

— Des clients arrivés d'Allemagne cet après-midi.

— Ton auberge est une véritable annexe des Nations unies.

La réponse absente que marmonna Brianna lui fit lever les sourcils. Shannon avait beau ne pas encore très bien la connaître, elle savait reconnaître quelqu'un qui avait des soucis.

— Quelque chose ne va pas ?

Brianna se tordit les mains, se surprit à le faire et les reposa sur ses genoux.

— Shannon, tu veux bien t'asseoir une minute ? J'espérais pouvoir t'accorder quelques jours avant de te parler de ça, mais... je suis coincée.

— D'accord, dit Shannon en s'asseyant. Je t'écoute.

— Tu veux manger quelque chose ? Il y a des biscuits ou...

— Tu recules devant l'obstacle.

Brianna soupira, puis revint s'asseoir.

— Je suis d'une lâcheté innée. Il faut que je te parle de ma mère.

Shannon ne bougea pas d'un millimètre, mais remonta légèrement sa garde. Se protéger en passant de la défensive à l'offensive était chez elle instinctif. Et ce changement ne manqua pas de se traduire clairement dans sa voix.

— Très bien. Nous savons toutes les deux que je ne suis pas venue ici faire du tourisme. Qu'est-ce que tu as à me dire?

— Tu es en colère, et je ne peux pas te le reprocher. Tu risques de l'être plus encore avant que j'aie fini...

Brianna considéra sa tasse de thé un instant.

— Le ressentiment est la chose qui me fait le plus peur. Mais je ne peux pas y échapper. Elle va venir ici. Je n'arrive plus à trouver d'excuses pour l'en empêcher. Je ne peux pas lui mentir, Shannon, et faire comme si tu n'étais qu'une cliente ordinaire.

— Pourquoi le ferais-tu?

— Elle ne sait rien de toute cette histoire, rien du tout.

Le regard brouillé, Brianna leva les yeux.

— Ni sur mon père et ta mère. Ni sur toi.

Le sourire que Shannon lui adressa fut glacial.

— Tu crois ça? D'après ce que je sais, les épouses devinent généralement d'instinct que leurs maris les trompent.

— La tromper n'est pas ce que mon père a fait avec ta mère. Et, oui, je suis convaincue qu'elle ne sait rien. Si ma mère avait été au courant, elle s'en serait servie comme d'une arme contre lui.

C'était douloureux à admettre, et elle avait honte d'en parler, mais elle n'avait plus le choix.

— A aucun moment de ma vie je n'ai vu le moindre amour entre eux. Seulement le sens du devoir, avec la froideur que cela implique. Et la violence du ressentiment.

Shannon n'avait pas envie d'entendre ça, et elle ne voulait pas y penser.

— Dans ce cas, pourquoi sont-ils restés ensemble? demanda-t-elle en prenant sa tasse.

— C'est une histoire compliquée... L'Église, les enfants... Et puis aussi l'habitude. Le ressentiment que ma mère nourrissait à l'égard de mon père était terrible — et, pour être honnête, elle avait quelques raisons. Il n'a jamais su garder son argent, pas plus qu'il n'était doué pour en gagner. L'argent et ce qu'il permet d'acheter était — et est encore — très important pour elle. Quand elle l'a rencontré, elle avait commencé une carrière de chanteuse et était pleine d'ambition. Elle n'avait jamais rêvé d'un foyer et d'un lopin de terre. Mais il y a eu entre eux ce qu'on pourrait appeler une sorte d'étincelle. Et cette étincelle est devenue Maggie.

— Je vois...

Apparemment, sa demi-sœur et elle avaient plus en commun que Shannon ne l'avait cru.

— Si je comprends bien, c'était une habitude...

Brianna se figea et ses yeux se mirent soudain à lancer des flammes, phénomène que Shannon observa non sans une certaine fascination.

— Tu n'as pas le droit de dire cela ! Non, même toi, tu n'en as pas le droit. Tu ne le connaissais pas. C'était un homme d'une grande gentillesse et d'une immense générosité. Pendant plus de vingt ans, il a fait une croix sur ses rêves pour élever ses filles. Il adorait Maggie. Ce que ma mère lui reprochait, tout comme elle reprochait à Maggie le simple fait d'être en vie. Et c'est par devoir qu'elle acceptait de coucher avec lui. Par devoir envers l'Église. C'est comme ça que je suis arrivée. Je ne connais pas de lit moins accueillant pour un homme.

— Tu ne sais pas ce qui s'est passé entre eux avant que tu sois née, laissa tomber Shannon.

— Je le sais parfaitement. Parce qu'elle me l'a dit. Elle m'a dit que j'étais sa pénitence pour se faire pardonner d'avoir péché. Une sorte de réparation. Et dès qu'elle a su qu'elle était enceinte de moi, elle lui a interdit de franchir le seuil de sa chambre.

Shannon secoua la tête. Ce devait être aussi humiliant pour Brianna de parler de ces choses que pour elle de les entendre. Pourtant, elle n'avait pas du tout l'air humiliée, mais seulement animée d'une rage froide et désespérée.

— Je suis désolée. C'est quasiment impossible pour

moi de comprendre pourquoi deux personnes restent ensemble dans de telles conditions.

— Nous ne sommes pas en Amérique, mais en Irlande. Et tout ça s'est passé il y a plus de vingt ans. Je te dis ça pour que tu comprennes qu'il y a eu de la souffrance dans cette maison. Et papa en était en partie responsable, je ne le nie pas. Mais il y a chez ma mère une profonde amertume, à laquelle elle s'accroche contre vents et marées. Si elle avait su, si elle avait ne serait-ce que soupçonné qu'il ait pu trouver le bonheur et l'amour auprès d'une autre femme, elle ne l'aurait pas laissé en paix une seule seconde, elle aurait tout fait pour le pousser dans la tombe. Elle n'aurait pas pu s'en empêcher.

— Et maintenant elle va devoir l'apprendre.

— Elle va maintenant devoir l'apprendre, oui, répéta Brianna. Te voir va lui faire un choc terrible. Et elle va essayer de te faire du mal.

— Elle n'y arrivera pas. Désolée si ça te semble un peu dur, mais ses sentiments et sa façon de les montrer me sont complètement indifférents.

— Je veux bien le croire...

Brianna prit une longue inspiration.

— Ces temps-ci, elle va un peu mieux, elle a l'air moins insatisfaite qu'elle ne l'a été. Nous l'avons installée dans une maison à elle, près d'Ennis. C'est surtout ça qui la rend heureuse. Nous avons trouvé une femme extraordinaire qui vit avec elle, Lottie, une infirmière à la retraite — ce qui est pratique étant donné que ma mère s'imagine toujours souffrir des pires maladies. L'arrivée de ses petits-enfants l'a également adoucie un peu, bien qu'elle n'aime pas le montrer.

— Tu crains que tout se passe mal à nouveau.

— Je ne le crains pas. C'est ce qui va arriver. Si je savais comment t'épargner sa colère et son désarroi, je le ferais, Shannon, crois-moi.

— Je suis capable de me débrouiller toute seule.

Brianna se détendit légèrement et sourit.

— Bon, alors je vais te demander une faveur. Ne te laisse surtout pas impressionner par ce qu'elle pourra dire ou faire. Nous avons passé très peu de temps ensemble, et j'en veux davantage.

— J'ai prévu de rester deux ou trois semaines, dit Shannon d'un ton neutre. Je ne vois aucune raison de changer quoi que ce soit.

— Je t'en suis reconnaissante. Mais si jamais...

Elle s'interrompit, l'air désemparé, en entendant la porte d'entrée s'ouvrir et des voix résonner dans le couloir.

— Oh, elles sont là !

— Et je suppose que tu voudrais lui parler d'abord, seule à seule.

— Oui. Si ça ne t'ennuie pas.

— J'aime autant ne pas assister au premier acte...

Feignant une sérénité qu'elle était loin d'éprouver, Shannon se leva.

— Je vais aller dehors.

Elle se trouva ridicule d'avoir l'impression d'abandonner un navire en train de couler. Après tout, il s'agissait de la mère de Brianna, se dit Shannon en prenant un sentier au bout du jardin. Du problème de Brianna.

Une scène se préparait. Une scène typiquement irlandaise, débordante d'émotion, de fougue et de désespoir. Elle ne tenait pas à y assister. Elle avait été élevée aux États-Unis par deux personnes paisibles et raisonnables ayant peu de goût pour les brusques sautes d'humeur...

Elle sortit du jardin et vit Murphy traverser un champ en direction de l'auberge.

Il avait une façon de marcher extraordinaire. Sans aucune arrogance ni fanfaronnade, mais avec une sorte de tranquille assurance. Le regarder était un plaisir, il lui fallait bien le reconnaître. Le spectacle de la masculinité même en mouvement.

Un vrai tableau à lui tout seul, songea-t-elle, amusée. L'Irlandais type. Oui, c'était exactement cela — avec ses manches de chemise roulées sur ses longs bras musclés, son jean passé des dizaines de fois à la machine et ses grandes bottes qui avaient parcouru des kilomètres à travers champs. La vieille casquette qu'il portait enfoncée au ras des yeux n'assombrissait en rien le bleu profond et étonnant de son regard. Ni son visage d'une beauté presque mythique...

Un homme avec un H majuscule, se dit-elle. Aucun jeune loup de la finance ou de la publicité descendant Madison Avenue dans un costume à mille dollars et tenant une douzaine de roses dans ses mains manucurées n'aurait pu donner cette impression de réussite qui émanait de Murphy Muldoon foulant sa terre dans ses bottes usées, une brassée de fleurs des champs dans les bras.

— C'est une chose très agréable que de marcher vers une femme qui vous sourit.

— J'étais en train de penser que tu avais l'air de sortir tout droit d'un documentaire. Paysan irlandais arpentant ses terres.

Sa remarque le déconcerta.

— Ma terre s'arrête au mur qui est là-bas.

— Ça ne change rien.

Amusée par sa réaction, elle posa les yeux sur le bouquet qu'il tenait à la main.

— Je les ai cueillies dans mes champs. Comme je pensais à toi, je les ai ramassées le long du chemin.

— Elles sont très belles. Merci.

Shannon fit alors ce qu'aurait fait n'importe quelle femme et enfouit son visage au milieu des fleurs.

— C'est ta maison que j'aperçois de ma fenêtre ? La grande maison en pierres, avec plein de cheminées ?

— Oui.

— C'est une grande maison pour un homme seul. Et toutes les dépendances sont à toi aussi ?

— Dans une ferme, on a toujours besoin d'une ou de plusieurs granges, de cabanes ou de hangars. Si tu viens jusque-là un jour, je te ferai visiter.

— Je passerai peut-être.

Shannon jeta un coup d'œil vers l'auberge en entendant un premier cri. Et douta fort que ce fût le dernier.

— Maeve est là, apparemment, murmura Murphy. Mrs. Concannon.

— Elle est là, oui.

Une idée lui traversa soudain l'esprit, et elle se tourna vers Murphy.

— Toi aussi, tu es là. C'est un pur hasard ?

— Pas vraiment. Maggie m'a appelé pour me dire qu'il risquait d'y avoir de l'orage.

Shannon eut une réaction de ressentiment instantanée, de même qu'un instinct protecteur s'éveilla en elle de façon très inattendue.

— Elle aurait mieux fait de venir elle-même plutôt que de laisser Brie se débrouiller toute seule.

— Elle est venue aussi. C'est elle que tu entends crier.

D'un geste naturel, et plus protecteur qu'il ne le paraissait, il prit la main de Shannon et l'entraîna à l'écart de la maison.

— Maggie et sa mère se bouffent le nez comme des fox-terriers. Maggie veille à ce qu'il en soit ainsi, de manière à empêcher Maeve de faire trop de mal à Brianna.

— Pourquoi cette femme se bat-elle avec ses filles ? Elles n'y sont pour rien.

Murphy garda le silence un moment et s'éloigna de quelques pas pour examiner un prunellier en fleur.

— Tes parents t'aimaient-ils, Shannon ?

— Bien sûr que oui.

— Et ils ne t'ont jamais donné aucune raison d'en douter, ou de considérer cet amour comme nocif ?

Avec une certaine impatience, car la maison était retombée dans un silence inquiétant, elle secoua la tête.

— Non. Nous nous aimions beaucoup.

— J'ai connu la même chose.

Comme s'ils avaient tout leur temps devant eux, il la fit asseoir dans l'herbe, puis s'allongea en s'appuyant sur ses coudes.

— Tu n'as jamais réalisé que tu avais de la chance parce que cela t'a toujours semblé normal. Les câlins ou les caresses que me faisaient ma mère étaient pleins d'amour. Toujours.

136

D'un geste nonchalant, il reprit la main de Shannon et joua avec ses doigts.

— Je ne sais pas si je m'en serais vraiment rendu compte s'il n'y avait pas eu Maggie et Brie à côté. Mais je voyais bien qu'elles n'avaient pas la même chose que moi. Sauf avec Tom.

A l'évocation de ce souvenir, le regard de Murphy s'éclaira.

— Ses filles étaient sa plus grande joie. Maeve n'avait pas en elle ce genre de générosité. Et je pense que plus il les aimait, plus elle était déterminée à ne pas les aimer. Pour tous les punir, y compris elle-même.

— Elle m'a tout l'air d'une horrible femme.

— Elle est surtout malheureuse.

Il porta sa main à ses lèvres et en effleura le dos d'un air absent, comme si c'était déjà pour lui une très vieille habitude.

— Toi aussi, tu as été malheureuse, Shannon. Mais tu es assez forte et intelligente pour ne pas laisser ta tristesse abîmer tes souvenirs.

— Je n'en sais rien.

— Moi, je le sais.

Sur ces mots, il se releva et lui tendit la main.

— Je vais venir avec toi. Il y a plusieurs minutes que tout est calme ; c'est le moment.

Shannon le laissa l'aider à se relever, mais pas davantage.

— Cette histoire ne me regarde pas, Murphy. Il me semble que tout le monde se sentirait mieux si je ne m'en mêlais pas.

Son regard resta sur elle, sombre, posé et inflexible.

— Soutiens tes sœurs, Shannon. Tu ne voudrais pas me décevoir, ni te décevoir toi-même.

— Bon, bon, d'accord...

Ses yeux qui ne cillaient pas la firent soudain se sentir faible, et honteuse de sa faiblesse.

— J'y vais. Mais ce n'est pas la peine que tu viennes avec moi.

— Je viens quand même.

Gardant sa main dans la sienne, il l'entraîna vers la maison.

C'était stupide de redouter quoi que ce soit, se dit Shannon. Cette femme pouvait bien dire tout ce qu'elle voulait, ça n'aurait aucun effet sur elle. Cependant, ses muscles se contractèrent et ses épaules se raidirent quand elle entra dans la cuisine, Murphy derrière elle.

Sa première pensée fut que la femme assise à la table n'avait en rien l'air d'une victime. Son regard était brûlant, et son visage avait la dureté inébranlable d'un juge qui a déjà rendu sa sentence. Ses mains, sans bague ni alliance, étaient croisées sur la table dans ce qui aurait pu être une attitude de prière si les articulations n'en avaient pas été aussi blanches.

L'autre femme assise à ses côtés était plus ronde, avec des yeux plus doux malgré un regard inquiet. Shannon vit que les sœurs Concannon étaient debout, épaule contre épaule, avec leur mari de chaque côté, formant un front uni, une muraille infranchissable.

Maeve la transperça d'un regard furieux, et les coins de sa bouche se relevèrent en une moue dédaigneuse.

— Tu la fais venir ici, dans cette maison, alors que je suis là ?

— Cette maison est la mienne, dit Brianna avec un calme glacé, et Shannon y est la bienvenue. Tout comme toi, maman.

— Tout comme moi ? Alors que tu me jettes cette fille à la figure ? Une fille qui est née de l'adultère de ton père ? C'est comme ça que vous me témoignez respect et fidélité, à moi qui vous ai donné la vie ?

— Toi qui le regrettes chaque fois que nous respirons, lança sèchement Maggie.

— Je n'en attendais pas moins de toi, railla Maeve en reportant sa fureur sur sa fille aînée. Tu n'es pas différente d'elle. Toi aussi, tu es née dans le péché.

— Oh, garde tes sermons pour toi ! répliqua Maggie. Tu n'aimais pas papa, par conséquent, inutile de t'attendre à une quelconque sympathie de ma part.

— Nous nous sommes mariés, et je n'ai jamais rompu les liens sacrés du mariage.

138

— Peut-être pas avec des mots, mais au fond de ton cœur, si, murmura Brianna. Ce qui est fait est fait, maman.

— Maeve, fit alors Lottie en lui touchant la main, cette jeune femme n'a rien à se reprocher.

— Comme s'il s'agissait de reproche ! Quel genre de femme faut-il donc être pour ouvrir son lit au mari d'une autre femme ?

— Une femme amoureuse, j'imagine, dit Shannon en avançant d'un pas, se rapprochant inconsciemment du front que formaient ses sœurs.

— Parce que vous croyez que l'amour autorise le péché ? Et à défier l'Église ?

Maeve se serait vontontiers levée, mais ses jambes tremblaient, et quelque chose au fond de son cœur la brûlait.

— De toute façon, que peut-on attendre d'autre de la part de quelqu'un de votre espèce ? Une Yankee, élevée par une femme adultère !

— Je vous interdis de parler de ma mère, rétorqua Shannon d'une voix basse et menaçante. Jamais. Elle avait plus de courage, de compassion et de véritable bonté que vous ne pouvez l'imaginer dans votre petit univers étriqué. Maudissez mon existence tant que vous voudrez, mais ne parlez pas de ma mère.

— Vous avez fait ce long voyage d'Amérique pour venir me donner des ordres dans ma maison ?

— Je suis venue parce que j'y ai été invitée...

Shannon était trop aveuglée par la colère pour se rendre compte que la main de Murphy était posée sur son épaule, et celle de Gray sur son bras.

— Et aussi parce que c'est une des dernières choses que ma mère m'a demandé de faire avant de mourir. Si cela ne vous plaît pas, je n'y peux rien.

Maeve se leva lentement. Cette fille ressemblait à Tom, c'était tout ce qu'elle parvenait à se dire. Quel était le sens de cette nouvelle pénitence qui l'obligeait à regarder cette jeune femme en face et à y voir les yeux de Tom Concannon ?

— Le péché est inscrit en vous, mademoiselle. C'est la seule chose que Tom Concannon vous ait léguée.

Avec la rapidité d'un coup de fouet, son regard se posa sur Murphy.

— Quant à toi, Murphy Muldoon... Que tu te mettes de son côté jette la honte sur ta famille. Tu prouves ainsi que tu es aussi faible que n'importe quel homme, et tu te dis sans doute que c'est une fille facile, puisqu'elle est née dans le péché.

Murphy retint Shannon par le bras avant qu'elle ne puisse contre-attaquer.

— Faites attention, Mrs. Concannon...

Sa voix était calme, mais Shannon sentait l'intensité de sa colère dans ses doigts crispés.

— Vous dites des choses que vous regretterez. En parlant ainsi de ma famille ou de Shannon, c'est à vous-même que vous faites honte.

Maeve plissa les yeux pour dissimuler les larmes qui brouillaient son regard.

— Je vois que vous êtes tous contre moi. Tous, sans exception.

— Nous avons tous le même avis là-dessus, Maeve, glissa subtilement Rogan en retenant fermement sa femme. Nous en rediscuterons quand vous serez plus calme.

— Il n'y a rien à discuter, fit-elle en attrapant son sac sur la table. Vous avez choisi.

— Vous avez le choix, vous aussi, dit calmement Gray. Celui de vous cramponner au passé ou d'accepter le présent. Personne ici ne veut vous faire de mal.

— J'espérais voir mes filles faire preuve d'un minimum de sens du devoir, elles qui sont ma chair et mon sang. Mais même ça, elles refusent de me l'offrir. Je ne remettrai plus les pieds dans cette maison tant que cette demoiselle y sera.

Puis elle fit volte-face et sortit de la cuisine d'un air guindé.

— Je suis navrée, dit Lottie en prenant à son tour son sac. Elle a besoin de temps pour réfléchir.

Après un regard d'excuse à Shannon, elle s'empressa de rattraper Maeve.

Au bout d'une longue minute de silence, Gray poussa un soupir.

— Eh bien, c'était très réussi !

Malgré son ton enjoué, il enlaçait sa femme et lui caressait le bras.

— Qu'en dis-tu, Shannon ? Veux-tu que j'aille te chercher un bâton bien pointu pour que tu te le mettes dans l'œil et que tu réalises que tu n'as pas rêvé ?

— J'aimerais autant boire un verre, s'entendit-elle répondre avant de se tourner vers Brianna.

Tout à coup, sa voix se fit plus rauque.

— Et, non, ne t'excuse pas, surtout ne t'excuse pas.

— Elle ne s'excusera pas.

S'appliquant à ravaler la boule de rage qui lui serrait la gorge, Maggie poussa sa sœur vers la table.

— Allez tous vous asseoir. Nous allons boire un verre de whisky. Murphy, va brancher la bouilloire.

Sans ôter sa main de l'épaule de Shannon, il se retourna.

— Je croyais que nous prenions du whisky ?

— Vous, oui. Moi, je prends du thé.

C'était le moment, décida-t-elle. Le moment idéal pour annoncer la nouvelle. Elle regarda Rogan bien en face, avec une petite lueur amusée dans les yeux.

— Il n'est pas conseillé de boire de l'alcool dans certaines circonstances...

Il cligna des yeux, puis un grand sourire apparut sur son visage et y demeura.

— Tu es enceinte ?

— C'est ce que m'a dit le médecin ce matin, répondit-elle en mettant les mains sur ses hanches et en penchant la tête. Dis donc, tu vas rester longtemps comme ça, à me regarder fixement comme un idiot ?

— Non.

Tout le monde éclata de rire lorsqu'il la souleva dans ses bras en la faisant tourbillonner tout autour de la cuisine.

— Bon sang, Margaret Mary, je t'aime... Sers-nous un whisky, Gray. Nous allons fêter ça.

— Tout de suite.

Il prit toutefois le temps d'embrasser Maggie.

— Elle a fait ça pour toi, murmura Murphy à

l'intention de Shannon qui observait ce soudain changement d'ambiance avec beaucoup d'intérêt.

— Quoi donc?

— Elle a fait exprès de lui dire ici, d'annoncer la
nouvelle à Rogan devant tout le monde, expliqua-t-il
en versant une mesure de thé. Pour ses sœurs, pour
leur mettre un peu de baume au cœur.

— Enfin, pour Brianna, peut-être... commença à
dire Shannon.

Mais il lui intima le silence d'un simple regard.

— Ne refuse pas un cadeau que l'on t'offre. Ce
qu'elle a dit t'a fait sourire, et c'est exactement ce
qu'elle voulait.

Shannon fourra ses mains dans ses poches.

— Tu as le don de me faire sentir minuscule...

Doucement, il lui redressa le menton.

— Peut-être ai-je le don de t'aider à regarder les
choses par l'autre bout de la lorgnette.

— Je crois que les regarder par le petit bout me
convenait très bien.

Aussitôt, elle se détourna néanmoins pour aller vers
Maggie.

— Félicitations...

Puis elle prit le verre que Gray lui tendait, l'air
vaguement embarrassé.

— Je ne sais pas comment on porte un toast en
irlandais.

— Tu n'as qu'à essayer *Slainte o Dhia duit*, suggéra
Maggie.

Shannon ouvrit la bouche, puis la referma en pouffant de rire.

— Euh, je ne préfère pas.

— *Slainte* suffira, dit Murphy en posant la théière
sur la table. Elle disait cela pour te taquiner.

— Alors, *slainte* !

Shannon leva son verre, puis se rappela tout à coup
ce qu'on disait en pareille circonstance lorsqu'elle était
enfant.

— Oh, et puisses-tu avoir une dizaine d'enfants qui
te ressemblent, Maggie !

— Un toast et une malédiction, plaisanta Gray. Bien joué, Shannon !

— Oui, fit Maggie en souriant. Je trouve qu'elle se débrouille plutôt bien.

## 9

Les heures que Murphy passait en compagnie de ses chevaux étaient pour lui un immense plaisir. Travailler la terre était une chose qu'il avait toujours faite, et qu'il ferait toujours. Il y trouvait de la joie, quelques frustrations et quelques déceptions, mais aussi une grande fierté. Toucher la terre de ses mains lui plaisait, de même que la sentir sous ses pieds ou observer les plantes pousser. Le temps était à la fois pour lui un allié et un ennemi. Et il pouvait prévoir les humeurs du ciel souvent bien mieux que les siennes.

Le printemps clément dont jouissait l'ouest du pays était synonyme d'un travail long et difficile, tout en lui épargnant l'amertume de voir ses récoltes pourrir dans un sol détrempé ou ses semences souffrir du gel ou d'autres fléaux.

Il cultivait sa terre avec beaucoup d'habileté, combinant ce qu'il avait appris de son père et de son grand-père avec les méthodes plus récentes, et souvent expérimentales, qu'il découvrait dans les livres. Qu'il prît son tracteur pour planter des pommes de terre dans les champs ou qu'il allât dans l'étable pour traire ses vaches à l'aube, il avait conscience de la valeur de son travail.

Mais ses chevaux étaient pour lui une détente.

Il claqua de la langue pour attirer l'attention d'un yearling, et le cheval bai au large poitrail agita nonchalamment la queue. Ils se connaissaient bien tous les deux, et savaient comment s'y prendre l'un avec l'autre.

Murphy attendit patiemment, enthousiasmé par leur petit jeu. Un peu plus loin dans le pré, une jument à la robe brillante broutait l'herbe tranquillement pendant que son poulain la tétait. D'autres chevaux, parmi lesquels une jument alezane, qui était la mère du yearling et faisait la gloire de Murphy, dressèrent les oreilles en se tournant vers lui.

Murphy mit la main dans sa poche et, avec une fierté toute chevaline, le yearling s'approcha en inclinant la tête.

— Oui, tu es beau. Tu es un bon garçon.

Il rit en flattant le flanc de l'animal qui fourra son museau pratiquement dans sa poche, et les autres chevaux vinrent le rejoindre.

— Oui, voilà, mais n'exagérez pas...

Il sortit des morceaux de pommes coupées en quartiers et laissa le yearling manger dans sa main.

— Tu vas partir vivre une belle aventure aujourd'hui. Mais tu vas me manquer.

Il le caressa tout en examinant ses genoux fragiles.

— Ça, c'est certain... Mais tu n'es pas fait pour passer ta vie dans un pâturage. Et nous devons tous faire ce à quoi nous sommes destinés.

Il flatta les autres chevaux à qui il donna quelques morceaux de pomme, puis, le bras passé autour de l'encolure du poulain, laissa son regard errer sur ses terres. Le pré était parsemé de campanules et de jacinthes sauvages, et le chèvrefeuille commençait à fleurir le long du mur. Il apercevait le silo, la grange, les hangars et la maison qui se dressait derrière, le tout se détachant comme dans un tableau sur le ciel nuageux.

Il devait être midi passé, estima-t-il, et il pensa un instant passer chez lui boire une tasse de thé avant son rendez-vous d'affaires. Puis il se tourna vers l'ouest, en direction du cercle de pierres, par-delà le mur qui séparait les pâturages des cultures.

Elle était là.

Son cœur se mit à cogner plus fort dans sa poitrine. Il se demanda s'il en serait ainsi chaque fois qu'il l'apercevrait. Pour un homme qui avait vécu plus de trente ans sans ressentir autre chose qu'un intérêt passager pour quelques femmes, le fait d'en voir une et de savoir, pour une fois avec certitude, qu'elle lui était destinée était pour le moins troublant.

Il se sentait animé d'un ardent désir, un désir profond qui lui donnait envie de la toucher, de goûter à sa peau, de la prendre. Avec un peu d'attention et de patience, il se dit qu'il y parviendrait. Car il ne lui était pas indifférent. Il avait senti battre son pouls, et vu la lueur du désir passer dans ses yeux.

Mais il éprouvait également pour elle de l'amour, un amour plus fort encore que son désir. Le plus étrange était qu'il avait l'impression de l'attendre depuis toujours. Aussi ne se contenterait-il pas de la toucher, de la goûter et de la prendre. Ce ne serait qu'un début.

— Mais il va falloir que tu t'habitues, pas vrai ?

Murphy fit une dernière caresse au yearling, puis s'éloigna vers le bout du pré.

Shannon le vit arriver. Elle s'était en effet laissé distraire de son travail quand il était venu rejoindre ses chevaux. On eût dit une image de film : l'homme et le poulain — deux spécimens exceptionnels — passant quelques instants ensemble dans un pré bien vert.

De même, elle avait su à quel moment exact il l'avait aperçue. Malgré la distance, elle avait senti la force de son regard. Que me veut-il ? se demanda-t-elle en reprenant la toile à laquelle elle travaillait.

Et moi, qu'est-ce que je veux de lui ?

— Bonjour, Murphy...

Tandis qu'il s'approchait du muret qui les séparait, elle continua à peindre.

— Brianna m'a dit que ça ne te dérangerait pas si je m'installais ici un moment.

— Tu peux rester autant de temps que tu voudras. C'est la ronde de pierres que tu es en train de peindre ?

— Oui... Tu peux regarder.

Elle changea de pinceau et coinça l'autre entre ses dents. Murphy sauta par-dessus le mur.

Elle était en train d'en capturer toute la beauté et

tout le mystère, songea-t-il en examinant la toile posée sur le chevalet. Le cercle des fées y était dessiné avec une habileté qu'il admira et envia. Bien que le premier plan et l'arrière-plan fussent encore vides, elle avait commencé à ajouter de la couleur et de la texture aux pierres.

— C'est superbe, Shannon.

Quoique ravie du compliment, elle secoua la tête.

— Il faudra encore pas mal de travail avant que ça le devienne. J'ai failli ne pas réussir à rendre la bonne lumière...

En même temps, elle avait la conviction de pouvoir peindre ces pierres sous n'importe quelle lumière et sous n'importe quel angle.

— Il me semble t'avoir aperçu, tout à l'heure, sur ton tracteur.

— C'est possible, fit-il distraitement.

Il aimait son odeur quand elle peignait — un mélange de parfum et de peinture.

— Tu es là depuis longtemps ?

— Pas assez, répondit-elle en plongeant son pinceau dans la peinture étalée sur sa palette. J'aurais dû venir à l'aube pour profiter des meilleures ombres.

— Il y en aura une autre demain.

Il s'assit sur le muret en tapotant du bout du doigt son carnet d'esquisses.

— Que signifie CM sur le sweat-shirt que tu portes ?

Shannon posa son pinceau, recula pour regarder sa toile et étala un peu plus de la peinture qu'elle avait sur les doigts sur son sweat-shirt.

— Carnegie Mellon. C'est l'université où j'ai fait mes études.

— Tu y as étudié la peinture ?

— Mmm...

Sur la toile, les pierres n'avaient pas encore pris vie, estima-t-elle.

— Je me suis surtout concentrée sur l'art publicitaire.

— Ça consiste à fabriquer des images pour la publicité ?

— Plus ou moins.

Murphy se tut un instant tout en feuilletant son carnet de croquis.

— Pourquoi vouloir dessiner des chaussures ou des bouteilles de bière quand on peut faire ça?

Shannon attrapa un chiffon qu'elle imbiba de térébenthine.

— Pour gagner sa vie. Je m'en tire plutôt bien.

Pour une raison inexplicable, elle s'appliqua à retirer une tache de peinture grise sur le bord de sa main.

— On m'a confié un budget très important juste avant que je prenne un congé. Je vais sûrement bénéficier d'une promotion.

— C'est bien, non?

Il passa à une autre page et sourit en voyant un dessin représentant Brianna à l'œuvre dans son jardin.

— De quel genre de produit s'agit-il?

— De l'eau en bouteilles, bredouilla-t-elle, tant cela lui paraissait incongru de parler d'une chose pareille en plein air, au beau milieu des champs.

— De l'eau?

Il fit alors exactement ce à quoi elle s'attendait. Il sourit d'un air moqueur.

— Avec des bulles? Pourquoi les gens boivent-ils de l'eau qui pétille ou de l'eau en bouteilles?

— Parce qu'elle est pure. Tout le monde n'a pas la chance d'avoir un puits ou une source au fond de son jardin. L'industrie d'embouteillage représente un marché énorme, et avec la pollution et le développement urbain, il ne fera que s'accroître.

Murphy continua à sourire.

— Je ne te demandais pas ça pour t'énerver. Je me posais la question, c'est tout.

Il tourna le carnet dans sa direction.

— J'aime bien celui-ci.

Shannon reposa son chiffon et haussa les épaules. C'était un dessin de Murphy, au pub, en train de jouer du concertina, une pinte de bière entamée posée devant lui sur la table.

— Ça ne m'étonne pas... je t'ai plutôt flatté.

— C'est gentil à toi, dit-il en reposant le carnet. J'ai quelqu'un qui doit passer tout à l'heure pour voir le yearling, aussi je ne te propose pas de venir prendre le thé. Mais tu veux passer dîner ce soir ?

— Dîner ?

Lorsqu'il se leva, elle recula instinctivement d'un pas.

— Tu n'auras qu'à arriver de bonne heure. Vers six heures et demie, comme ça je te ferai visiter la ferme.

Une nouvelle lueur, mi-amusée, mi-menaçante, illumina son regard quand il lui prit la main.

— Pourquoi recules-tu ?

— Je ne recule pas.

Du moins ne le faisait-elle plus, maintenant qu'il la tenait par la main.

— Brianna a peut-être prévu quelque chose.

— Brie est quelqu'un de très souple.

D'une légère pression de la main, Murphy attira Shannon plus près de lui.

— Viens passer la soirée à la ferme. Tu n'as quand même pas peur de te retrouver seule avec moi ?

— Bien sûr que non...

C'eût été ridicule.

— ... Mais j'ignore si tu sais faire la cuisine.

— Viens, et tu verras.

Dîner, songea-t-elle. Il ne s'agissait après tout que d'un dîner. Et d'ailleurs, elle était curieuse de voir comment il vivait.

— D'accord, je viendrai.

— Parfait.

Sans lui lâcher la main, il passa l'autre derrière sa tête et l'attira doucement vers lui. Tous ses nerfs étaient déjà à fleur de peau lorsqu'elle pensa à mettre la main sur sa poitrine en guise de protestation.

— Murphy...

— Je veux seulement t'embrasser, murmura-t-il.

Un « seulement » que démentait néanmoins claire-ment son regard. Ses yeux restèrent grands ouverts lorsqu'il fondit sur sa bouche. Ce fut la dernière chose que Shannon aperçut, ce bleu vif et étonnant, avant de devenir sourde, muette et aveugle à tout ce qui l'entourait.

Cela commença par une simple caresse, une bouche effleurant légèrement une autre bouche. Il la tenait contre lui comme s'ils allaient se mettre à danser d'une seconde à l'autre. Et le contact de ses lèvres était si doux, si merveilleux qu'elle crut qu'elle allait défaillir.

Soudain, ses lèvres s'éloignèrent, lui arrachant un soupir, et il entreprit de couvrir son visage de baisers, lentement, langoureusement — ses joues, ses tempes, ses paupières —, si lentement qu'elle sentit ses jambes se dérober sous elle. Le tremblement partit de là, puis remonta dans tout son corps. Elle avait le souffle coupé lorsque sa bouche se posa sur la sienne pour la seconde fois.

Il l'embrassa, toujours aussi lentement, mais avec infiniment plus d'ardeur. Shannon entrouvrit les lèvres en ronronnant, sa main se posa sur son épaule, s'y agrippa, puis devint finalement toute molle. Il sentait bon l'herbe et les chevaux, et ce fut soudain comme un éclair déchirant le ciel.

Il était revenu. Cette phrase résonnait dans sa tête, et elle avait l'impression de replonger dans ses rêves.

Quant à lui, elle était tout ce qu'il espérait. La tenir ainsi dans ses bras, la sentir trembler du même désir que celui qui l'animait était plus merveilleux que tout. Sa bouche, qui semblait avoir été faite pour se fondre à la sienne, avait un goût mystérieux, un goût de fruit mûr.

Cela lui suffisait, d'une certaine façon, cela lui suffisait de l'enlacer en sentant un désir ardent le dévorer. Il savait déjà ce que serait de s'allonger avec elle dans l'herbe tiède, de la clouer sous lui. Corps à corps... Elle bougerait avec lui, avide, souple et brûlante de désir. Alors, enfin, enfin il se fondrait en elle.

Mais pour l'instant, sa bouche lui suffisait. Il s'y attarda, savoura pleinement son baiser avant de s'écarter doucement, fort de la promesse de recevoir bientôt davantage.

Ses mains faillirent trembler. Pour se calmer, il les

enfouit dans sa chevelure, les laissa glisser le long de son visage. Ses joues étaient toutes roses, la rendant à ses yeux plus belle encore. Comment oublier la sensation de son corps mince et souple comme un jeune saule contre le sien, comment oublier que tant de sincérité et de beauté pouvaient briller dans son regard...

Sa main s'arrêta un instant dans ses cheveux, et il plissa le front tandis qu'une image se superposait à son visage.

— Tes cheveux étaient alors plus longs, et tes joues mouillées de pluie.

La tête lui tournait, elle avait le vertige, réaction que Shannon avait toujours considérée comme un cliché romantique et ridicule. Néanmoins, elle dut poser la main sur sa tempe pour ne pas perdre l'équilibre.

— Comment?

— Nous nous sommes déjà rencontrés ici.

Il lui sourit à nouveau. Pour lui, accepter des choses telles que les visions et la magie était facile, de même qu'il acceptait que son cœur eût erré longtemps avant de connaître le goût de son baiser.

— Il y a très longtemps que je voulais t'embrasser.

— Nous ne nous connaissons pas depuis très longtemps...

— Mais si. Tu veux qu'on recommence, pour que tu t'en souviennes?

— Non, je crois qu'il ne vaut mieux pas...

Bien que se trouvant stupide d'agir ainsi, elle leva la main pour l'arrêter.

— Ç'a été plus fort que ce à quoi je m'attendais, et je pense qu'il vaudrait mieux que... que nous nous calmions un peu.

— Du moment que nous allons vers le même but.

Shannon laissa retomber sa main. Elle n'était sûre que d'une chose, il ne la forcerait à rien, n'aurait aucun geste déplacé ou inconsidéré à son égard.

— Je ne pense pas que ce soit le cas.

— Il suffit que l'un de nous en soit convaincu. J'ai un rendez-vous...

Doucement, il effleura sa joue afin de sentir encore une fois la douceur de sa peau.

— Je t'attends ce soir.

Il enregistra l'expression de son visage avant de sauter par-dessus le muret de pierres.

— Tu ne vas quand même pas être lâche et trouver une excuse pour ne pas venir, pour te punir d'avoir aimé mes baisers.

Shannon se détourna et commença à ranger son matériel.

— Je ne suis pas lâche. Et il m'est déjà arrivé d'aimer embrasser des hommes.

— J'en suis persuadé, Shannon Bodine. Mais tu n'en as jamais embrassé des comme moi.

Sur ces mots, il s'éloigna en sifflotant. Elle attendit qu'il fût suffisamment loin pour éclater de rire.

Le simple fait d'avoir un rendez-vous n'aurait pas dû la mettre dans un état aussi bizarre. Elle avait vingt-huit ans et une certaine expérience des aventures sans lendemain que vit tout célibataire.

Peut-être était-ce dû à la manière dont Brianna s'était comportée, s'agitant dans tous les sens comme une mère inquiète de voir sa fille se rendre à son premier bal. Cette image arracha un sourire à Shannon. Brianna avait proposé de lui repasser une robe, de lui en prêter une, était montée dans la chambre du grenier à deux reprises pour la conseiller sur les accessoires ou les chaussures qui conviendraient le mieux.

Shannon se dit qu'elle avait dû être fort déçue en la voyant descendre vêtue d'un simple pantalon et d'un chemisier en soie.

Ce qui n'avait pas empêché Brianna de lui dire qu'elle était ravissante, de lui souhaiter une bonne soirée et de lui répéter de ne pas s'inquiéter de l'heure à laquelle elle rentrerait. Si Gray n'était pas venu chercher sa femme pour l'extirper de l'entrée, elle s'y serait probablement encore trouvée.

C'était sans doute une attitude courante vis-à-vis d'une sœur, constat qui ne mit pas Shannon aussi mal à l'aise qu'elle l'aurait pensé.

En outre, elle était contente que Gray et Brianna aient insisté pour qu'elle prenne la voiture. Murphy n'habitait pas loin mais, dès le coucher du soleil, la route serait très sombre, et la pluie menaçait.

Quelques minutes à peine après avoir démarré, Shannon se gara dans l'allée menant à la ferme, entre des haies de fuchsias en fleur qui retombaient en cascade de cœurs écarlates.

Elle avait déjà observé la ferme de Murphy depuis la fenêtre de sa chambre, mais elle lui parut nettement plus grande de près, en tout cas beaucoup plus impressionnante. La maison en pierres et en bois à deux étages semblait aussi ancestrale que la terre sur laquelle elle se dressait, et aussi bien entretenue, avec ses rosiers de part et d'autre des haies et ses massifs de fleurs extrêmement soignés.

Les petites fenêtres carrées du rez-de-chaussée étaient surmontées d'une arche de pierres plates. Apercevant une sorte de terrasse, elle se dit qu'il devait y avoir des portes pour y accéder de l'intérieur.

Deux des cheminées fumaient, crachant paresseusement des nuages blancs dans le ciel encore très bleu. Un camion couvert de boue était garé un peu plus loin dans la cour. A côté stationnait une vieille guimbarde abandonnée sur des cales. Shannon avait beau ne pas s'y connaître en matière de voitures, celle-ci avait manifestement connu des jours meilleurs.

Les volets et la porte d'entrée avaient été fraîchement repeints d'un ton bleu pâle qui s'harmonisait délicatement avec le gris de la pierre. Aucun fatras n'encombrait la terrasse sur laquelle se trouvaient deux fauteuils à bascule, invitant à s'installer pour bavarder tranquillement. Invitation renforcée par la porte laissée grande ouverte.

Shannon frappa toutefois sur le panneau de bois usé avant d'entrer.

— Murphy ? appela-t-elle.

— Entre et sois la bienvenue.

Sa voix semblait venir du haut de l'escalier qui débouchait sur l'entrée.

— Je descends dans une seconde. Je finis de me laver.

Elle entra et referma la porte derrière elle. Cédant à la curiosité, elle avança dans l'entrée et jeta un coup d'œil dans une première pièce où, là encore, la vieille porte ouverte invitait à entrer.

C'était un salon. Il y régnait le même ordre impeccable que dans celui de Brianna, la touche féminine en moins.

De vieux meubles robustes étaient posés sur un plancher brillant à larges lattes. L'odeur du feu de tourbe qui brûlait dans la cheminée embaumait agréablement la pièce. Il y avait deux candélabres de part et d'autre de l'épais manteau en bois de la cheminée ; des candélabres aux courbes sinueuses d'un beau vert émeraude. Certaine qu'il s'agissait d'une œuvre de Maggie, elle s'approcha pour les regarder de plus près.

Ils semblaient encore en fusion, et presque trop fluides pour être vraiment solides. Pourtant, le verre était froid sous les doigts. A la base, une pointe de rubis, fascinante et subtile, donnant l'illusion d'une flamme prisonnière s'apprêtant à jaillir.

— On a l'impression qu'on pourrait passer la main au travers, commenta Murphy depuis le seuil du salon.

Shannon hocha la tête en caressant une dernière fois les courbes avant de se retourner.

— Elle est vraiment très douée. Mais je préférerais que tu ne le lui répètes pas...

En le voyant, elle haussa les sourcils. Il n'était pas très différent de l'homme qui arpentait ses champs ou jouait de la musique au pub. Mais il n'avait pas sa casquette. Ses cheveux épais et bouclés étaient restés mouillés au sortir de la douche. Il portait un pull gris clair et un pantalon d'un ton légèrement plus foncé.

Elle l'imaginait aussi bien sur la couverture d'un luxueux magazine de mode que sur celle d'une revue pour jeunes agriculteurs.

— Tu t'es drôlement bien lavé.

Il sourit, l'air satisfait.

— Je suis désolé de t'avoir fait attendre.

— Pas de problème. Je suis contente de voir l'endroit où tu vis.

Elle se détourna et se concentra sur un mur entièrement couvert de livres.

— Dis-moi, tu as une sacrée bibliothèque!

— Oh, tout n'est pas ici.

Quand Shannon s'approcha des rayonnages, Murphy ne bougea pas. Joyce, Yeats, Shaw. Il fallait s'y attendre. O'Neill, Swift et Grayson Thane, bien entendu. Mais il y avait d'autres trésors. Poe, Steinbeck, Dickens, Byron. Toute la poésie de Keats, de Dickinson et de Browning. De vieux volumes de Shakespeare ainsi que des recueils de contes aux tranches usées de King, de MacAffrey et de McMurtrey.

— Tu as là une collection très éclectique, plaisanta-t-elle. Il y en a d'autres?

— J'en garde un peu partout dans la maison, comme ça, si je suis d'humeur à lire, je n'ai pas à aller très loin. C'est agréable d'avoir des livres près de soi.

— Mon père n'était pas un grand lecteur, sauf pour ce qui concernait son travail. Mais ma mère et moi adorons... adorions lire. A la fin, elle était tellement malade que je lui faisais la lecture.

— Tu as dû être pour elle un grand réconfort. Et une joie.

— Je n'en sais rien.

Shannon se secoua et se força à afficher un grand sourire.

— Alors, tu me fais visiter?

— Un enfant sait toujours quand il est aimé, dit paisiblement Murphy en la prenant par la main. Et, oui, je vais tout te faire visiter. Nous allons commencer par l'extérieur, avant qu'il pleuve.

Mais Shannon le fit s'arrêter plusieurs fois avant d'atteindre l'arrière de la maison. Il lui parla des poutres du plafond, et de la petite pièce sur la droite où sa mère aimait coudre quand elle venait le voir.

La cuisine était aussi vaste qu'une grange, et d'une propreté scrupuleuse comme elle n'en avait jamais vu. Elle s'étonna devant le nombre de pots d'herbes et

d'épices alignés sur le comptoir et la batterie de casse-
roles en cuivre accrochées au-dessus.

— Je ne sais pas ce qu'il y a dans le four, mais ça
sent diablement bon.

— C'est du poulet, mais il doit cuire encore un peu.
Tiens, essaie ça.

Murphy sortit une paire de bottes en caoutchouc
d'un placard et Shannon fronça les sourcils.

— Mais nous n'allons pas patauger dans la...

— Il se peut bien que si, coupa-t-il en se penchant
pour lui enfiler une botte. Là où il y a des animaux, il y
a du fumier. Tu seras mieux avec ça.

— Je croyais que les vaches restaient dans les
champs ?

Enchanté, il lui fit un grand sourire.

— Traire les vaches ne se fait pas dans les champs,
chérie, mais dans l'étable. Et c'est fini pour ce soir...

Il l'entraîna à l'arrière de la maison où il enfila des
bottes à son tour.

— C'est justement parce qu'une de mes vaches était
malade que je t'ai fait attendre.

— Oh, rien de grave ?

— Non, je ne pense pas. Elle avait juste besoin d'un
médicament.

— Tu sais faire ça toi-même ? Tu n'appelles pas le
vétérinaire ?

— Pas pour des choses aussi banales.

Shannon regarda autour d'elle et sourit. Une fois de
plus, on se serait cru en face d'un tableau. Les bâti-
ments en pierres étaient harmonieusement répartis
entre les enclos. Des moutons à la laine épaisse se pressaient autour d'un abreuvoir. Sous un appentis, il y
avait une énorme moissonneuse-batteuse. Les bêle-
ments et les gloussements des animaux résonnaient
dans la cour.

Et puis il y avait Conco, assis patiemment près du
plus proche enclos, remuant la queue.

— Je parie que Brie l'a envoyé ici pour veiller à ce
que je me conduise bien avec toi.

— Je ne sais pas, mais il a l'air d'être ton chien tout
autant que le sien.

156

Elle regarda Murphy se courber légèrement pour accueillir l'animal.

— Je pensais qu'un fermier avait toujours au moins un ou deux chiens à lui ?

— J'en ai eu un, mais il est mort, ça fera sept ans cet hiver, dit Murphy en caressant Conco derrière les oreilles. Je me dis souvent que je vais en reprendre un, mais je ne le fais pas.

— Tu as tout ce qu'il faut. Je ne savais pas que tu élevais des moutons.

— Seulement quelques-uns. Mon père, lui, adorait ça.

Il se redressa, puis reprit la main de Shannon et se remit en marche.

— Moi, j'aime mieux les vaches laitières.

— Brianna dit que tu préfères les chevaux.

— Les chevaux sont avant tout un plaisir. D'ici un an ou deux, ils me rapporteront peut-être quelque chose. Aujourd'hui, j'ai vendu un yearling, un superbe poulain. La distraction que représente le commerce des chevaux compense un peu la tristesse de les voir partir.

Shannon jeta un coup d'œil à Murphy quand il ouvrit la porte de l'étable.

— J'ignorais que les paysans étaient attachés à leurs animaux.

— Un cheval n'est pas comme un mouton qu'on envoie à l'abattoir pour le repas du dimanche.

Vaguement rebutée par cette image, Shannon s'appliqua à changer de sujet.

— C'est ici que se passe la traite ?

Murphy la fit entrer dans une salle très propre, remplie de machines rutilantes, et où flottait une légère odeur de vache et de lait.

— Ce n'est pas aussi romantique que de traire à la main — ce que j'ai fait, étant gosse — mais c'est plus rapide, plus propre et beaucoup plus efficace.

— Et tu fais ça tous les jours, murmura Shannon.

— Deux fois par jour.

— C'est beaucoup de travail pour un seul homme.

— Le garçon de la ferme voisine vient me donner un coup de main. Nous avons passé un accord.

Pendant qu'il lui montrait le reste de l'étable, le silo à grain et les autres hangars, Shannon se dit que ce n'était pas une personne de plus qui devait changer grand-chose à l'étendue de la tâche.

Mais elle oublia sans peine la somme d'efforts et de sueur que cela représentait chaque jour quand Murphy l'emmena dans l'écurie pour lui montrer ses chevaux.

— Oh, ils sont encore plus beaux de près !

Trop enthousiaste pour être inquiète, elle avança la main et caressa la joue de l'alezan.

— Ça, c'est ma Jenny. Je ne l'ai que depuis deux ans, mais elle, je ne la vendrai jamais.

Au seul son de la voix de Murphy, la jument reporta son attention vers lui. Si Shannon avait cru cela possible, elle aurait volontiers affirmé que la jument flirtait avec lui.

Et pourquoi pas ? se dit-elle en souriant. Quelle femelle résisterait à ces larges mains expertes, et à la façon dont elles vous caressaient, ou à cette voix mélodieuse qui murmurait des mots doux ?

— Tu es déjà montée à cheval ?

— Hum... Non, jamais. En fait, c'est la première fois que je vois un cheval d'aussi près.

— En tout cas, tu n'en as pas peur ; ce sera plus facile si tu décides d'apprendre.

Il l'entraîna plus loin, la laissa caresser les poulains nés au printemps et la regarda rire devant un tout petit qui aurait volontiers posé sa tête sur son épaule si Murphy ne l'avait repoussé du plat de la main.

— Ce doit être une façon merveilleuse de grandir, commenta Shannon lorsqu'ils repartirent vers la maison. Tout cet espace, tous ces animaux...

Lorsqu'elle s'arrêta devant la porte pour retirer ses bottes, elle se mit à rire.

— Sans parler de tout ce travail, bien entendu ! Mais ça devait te plaire, puisque tu es resté.

— J'ai toujours vécu ici. Entre et assieds-toi. Il y a du vin, si tu veux.

Ils se lavèrent les mains ensemble dans l'évier.

— Personne de ta famille n'a voulu rester s'occuper de la ferme?

— Je suis l'aîné des garçons et, à la mort de mon père, c'est à moi qu'est revenu tout le travail. Mes sœurs aînées se sont mariées et sont parties fonder leur propre famille.

Il sortit une bouteille du réfrigérateur et un tire-bouchon d'un tiroir.

— Et puis ma mère s'est remariée, et ma jeune sœur Kate aussi. J'ai un frère cadet, mais il voulait faire des études d'électronique.

Tandis qu'il servait le vin, elle écarquilla les yeux.

— Mais combien êtes-vous?

— Cinq. Nous étions six, mais ma mère a perdu un garçon en bas âge. Mon père est mort quand j'avais douze ans, et elle ne s'est pas remariée avant que j'aie vingt ans passés, par conséquent nous sommes seulement cinq.

— Seulement?

Shannon pouffa de rire en secouant la tête et voulut prendre son verre, mais Murphy lui retint la main.

— Je te souhaite des mots doux pour les longues soirées d'hiver, un clair de lune chaque fois que la nuit est trop noire et une route qui descende en pente douce jusqu'à ta porte.

— *Slainte!* fit-elle en souriant avant de boire. Ta ferme me plaît beaucoup, Murphy.

— J'en suis heureux.

Elle le vit alors avec surprise se pencher pour l'embrasser sur le front.

La pluie commença à tomber doucement, et il se redressa pour aller ouvrir la porte du four. Le fumet délicieux qui s'en échappa la fit saliver.

— Pourquoi croit-on toujours que la cuisine irlandaise est épouvantable?

Murphy saisit le plat qu'il déposa sur le dessus du four.

— Ma foi, c'est vrai qu'elle est souvent un peu fade. Quand j'étais jeune, je n'y faisais pas attention. Mais quand Brie a commencé à se lancer et qu'elle m'a fait goûter ses plats, je me suis rendu compte que ma chère mère n'avait pas de si grands talents de cuisinière...

Il lui jeta un coup d'œil par-dessus son épaule.

— Ce que je nierais farouchement avoir dit si tu le lui répétais.

— Je ne le lui répéterai jamais.

Shannon se leva, trop intriguée pour ne pas venir voir de plus près. Le poulet, doré et juteux à souhait, était parsemé d'épices et entouré d'une couronne brune de pommes de terre et de carottes.

— C'est vraiment magnifique.

— C'est une recette de Brie. Elle m'a planté un jardin d'herbes il y a quelques années. Elle m'a ensuite harcelé pour que je prenne le temps de m'en occuper.

Shannon s'accouda au comptoir en le dévisageant attentivement.

— Tu n'as pas été un peu vexé quand Gray te l'a soufflée sous le nez?

Murphy resta un instant perplexe, puis sourit et transféra le poulet dans un plat.

— Elle n'a jamais été faite pour moi, ni moi pour elle. Nous sommes comme une même famille depuis déjà longtemps. Tom a été un père pour moi quand le mien est mort. J'ai toujours considéré Brie et Maggie comme mes sœurs.

Il découpa une fine tranche de blanc de poulet.

— Ce qui ne veut pas dire que je nourrisse un sentiment fraternel envers toi, Shannon. Je t'ai attendue assez longtemps.

Soudain en alerte, elle voulut s'éloigner, mais il s'arrangea pour lui bloquer le passage. Cependant, il se contenta de lui faire goûter un morceau de poulet.

Et son pouce essuya légèrement, langoureusement, le dessous de sa lèvre quand elle l'accepta.

— C'est bon. Vraiment bon...

Cependant, elle avait du mal à respirer et s'alarma plus encore lorsqu'il lui passa la main dans les cheveux. S'obligeant à reprendre le contrôle d'elle-même, et à réprimer le frisson qui lui descendait le long de la colonne vertébrale, elle le regarda droit dans les yeux.

— Qu'est-ce que tu es en train de faire, Murphy?

— Mais voyons, Shannon...

Du bout des lèvres, il effleura très doucement les siennes.

— ... je te fais la cour.

## 10

— *La cour ?*

Ébahie, Shannon le regarda bouche bée. C'était ridicule, ce mot stupide était sans aucun rapport avec elle ou avec son style de vie.

Et pourtant, il était sorti de la bouche de Murphy avec une facilité déconcertante. Il fallait réagir, et vite.

— C'est de la folie ! C'est absurde !

Ses mains douces encadrèrent son visage, puis il effleura la ligne de son maxillaire du bout des doigts.

— Pourquoi ?

— Eh bien... parce que.

Aussitôt sur la défensive, Shannon recula et continua à parler en faisant des gestes avec son verre.

— Pour commencer, tu ne me connais pas.

— Mais si, je te connais.

Plus amusé que blessé par sa réaction, il se retourna pour découper le poulet.

— Je t'ai reconnue à la seconde même où je t'ai vue.

— Ne commence pas à me baratiner avec ces histoires de mysticisme celtique, Murphy.

Elle retourna vers la table et vida son verre de vin d'un trait.

— Je suis américaine, bon sang, et à New York, les gens ne se font pas la cour.

— C'est peut-être là une partie du problème.

Il apporta le plat sur la table.

— Assieds-toi, Shannon. Mange pendant que c'est chaud.

— Manger... fit-elle en levant les yeux au ciel avant de les fermer d'un air frustré. Voilà maintenant qu'il faut que je mange!

— Tu es venue dîner, non?

Se comportant en hôte parfait, il la servit, remplit sa propre assiette, puis alluma des bougies.

— Tu n'as pas faim?

— Si, j'ai faim.

Shannon se laissa tomber sur la chaise, étala la serviette sur ses genoux et saisit ses couverts.

Et pendant les quelques minutes qui suivirent elle mangea, tournant et retournant dans sa tête les diverses solutions qui s'offraient à elle.

— Je vais essayer de me montrer raisonnable avec toi, Murphy.

— Très bien...

Il goûta un morceau de poulet et fut satisfait de constater qu'il s'en était bien tiré.

— Vas-y, sois raisonnable.

— Premièrement, il faut que tu comprennes que je ne vais rester ici qu'une semaine, deux au maximum.

— Tu resteras plus longtemps, dit-il placidement. Tu n'as même pas encore essayé de t'interroger sur les problèmes et les sentiments qui t'ont amenée. Tu n'as pas posé une seule question sur Tom Concannon.

Shannon se figea.

— Tu ignores tout de mes sentiments.

— Je ne crois pas, mais laissons cela de côté pour l'instant, puisque ça te rend malheureuse. Toutefois, tu resteras, car il y a des choses auxquelles tu dois faire face. Et que tu dois pardonner. Or tu n'es pas lâche. Tu as de la force, et du cœur.

L'entendre exposer ainsi des choses qu'elle refusait de s'avouer à elle-même l'agaçait au plus haut point. Elle cassa une des galettes de maïs qu'il avait posées sur la table et regarda la vapeur s'en échapper.

— Que je reste une semaine ou un an ne changera rien.

— Mais si, ça changera tout, dit-il calmement. Ce poulet te plaît?

— Il est fantastique.

— Tu as continué à peindre, ce matin, après que je suis parti?

— Oui, j'ai...

Shannon avala une autre bouchée, puis pointa sa fourchette vers lui d'un air accusateur.

— Tu changes de sujet.

— De quoi parlions-nous?

— Tu le sais parfaitement, et nous allons régler ça tout de suite. Je ne veux pas qu'on me fasse la cour — ni toi ni personne. Je ne sais pas comment ça se passe ici, mais là d'où je viens, les femmes sont indépendantes, à égalité avec les hommes.

— J'ai quelques idées là-dessus...

D'un geste nonchalant, il prit son verre et but en réfléchissant à ce qu'il allait dire.

— Il faut reconnaître que l'homme irlandais a généralement du mal à considérer les femmes comme des égales. Il y a eu quelques changements dans la génération précédente, c'est vrai, mais c'est un processus qui évolue lentement.

Murphy reposa son verre et se concentra à nouveau sur son poulet.

— Beaucoup parmi ce que j'appellerais mes congénères ne seraient pas d'accord avec moi sur tout, mais c'est sans doute parce que j'ai pas mal lu au cours de toutes ces années et que j'ai réfléchi à ce que j'ai lu. Je pense qu'une femme a les mêmes droits qu'un homme.

— C'est très généreux de ta part, marmonna Shannon.

Il se contenta d'un sourire.

— C'est un pas en avant considérable pour quelqu'un qui a été élevé comme je l'ai été. Maintenant, pour dire la vérité, je ne sais pas comment je réagirais si tu voulais me faire la cour.

— Mais je ne le veux pas.

— Justement, fit-il en levant la main, comme si elle venait d'abonder dans son sens. Et le fait que je te fasse la cour n'a aucun rapport avec les droits ou l'égalité, cela ne te diminue en rien. J'ai pris l'initiative, c'est tout. Tu es la plus belle chose que j'aie jamais vue de ma vie. Et il se trouve que j'ai eu la chance de voir beaucoup de belles choses.

Sidérée de se sentir touchée malgré elle, Shannon baissa les yeux sur son assiette. Il y avait certainement un moyen de régler ce problème. A elle de le trouver.

— Je suis très flattée, Murphy. N'importe qui le serait.

— Tu es bien plus quand je t'embrasse, Shannon. Nous savons toi et moi ce qui arrive alors.

Elle piqua un morceau de poulet.

— Bon, d'accord, tu m'attires. Tu es un homme très attirant, Murphy, tu as beaucoup de charme. Mais si j'ai pu envisager d'aller plus loin, ce n'est plus le cas maintenant.

— Et pourquoi ?

Seigneur, discuter avec elle était un véritable plaisir !...

— Pourquoi ? Tu as envie de moi autant que j'ai envie de toi, poursuivit-il.

Elle dut essuyer ses mains moites sur sa serviette.

— Parce qu'il est évident que ce serait une erreur. Nous voyons les choses de deux points de vue différents, et ils ne se rejoindront jamais. Je t'aime bien. Tu es un homme intéressant, mais je ne tiens pas du tout à avoir une liaison. Bon sang, j'ai mis un terme à celle que j'avais il y a quelques semaines à peine. Alors que j'étais pratiquement fiancée.

Prise d'une soudaine inspiration, elle se pencha vers lui avec un sourire suffisant.

— Et je couchais avec lui.

Murphy haussa les sourcils.

— Tu devais tenir à lui.

— Évidemment que je tenais à lui ! Je n'ai pas l'habitude de bondir dans le lit du premier homme qui passe !

En réalisant ce qu'elle venait de dire, elle poussa un soupir. Comment avait-il réussi à retourner ça contre elle ?

— Mais si je comprends bien, c'est du passé. J'ai

moi-même eu des aventures avec une ou deux femmes que j'aimais bien. Mais je n'en ai aimé aucune avant toi.

A ces mots, Shannon blêmit, prise de panique.

— Mais tu n'es pas amoureux de moi !

— Je l'ai été à la seconde où j'ai posé les yeux sur toi.

Et il dit cela si calmement, si simplement qu'elle le crut. Pendant un instant, elle le crut sincèrement.

— Avant cela, disons que je t'attendais. Et tu es là.

— Ce n'est pas possible ! soupira-t-elle d'une voix tremblante en s'écartant de la table. Maintenant, écoute-moi. Et tâche de faire sortir cette histoire idiote de ta tête. Ça ne marchera pas. Tu romances tout. Tu hallucines. Tout ceci est embarrassant pour nous deux.

Murphy plissa les yeux, mais Shannon était trop furieuse pour le remarquer.

— Parce que mon amour t'embarrasse ?

— Ne déforme pas mes propos, rétorqua-t-elle avec colère. Et n'essaie pas de me faire sentir minable et superficielle uniquement parce que je n'ai pas envie qu'on me fasse la cour. La cour... Seigneur ! Rien que le mot est ridicule.

— Il y en a un autre que tu préfères ?

— Non, il n'y en a pas. Ce que je préférerais, et ce que je veux, c'est que tu laisses tomber.

Murphy resta silencieux un instant, s'efforçant de maîtriser la rage qui montait en lui.

— Tu n'as aucun sentiment pour moi ?

— C'est exact.

Et comme c'était un mensonge, sa voix se fit plus dure.

— Il ne t'est jamais venu à l'esprit que je pouvais ne pas avoir envie de me soumettre docilement à tes projets absurdes ? Ne pas vouloir me marier avec toi ou vivre ici ? Femme de paysan ! Bon sang, est-ce que j'ai l'air d'une femme de paysan ? J'ai une carrière, une vie à moi...

Il réagit si vite qu'elle eut à peine le temps d'ouvrir la bouche pour respirer. Il l'empoigna à pleines mains, et ses doigts s'enfoncèrent dans la chair de ses bras, son visage déformé par la colère.

— Et ma vie n'est pas digne de toi, c'est ça ? hurla-t-il. Ce que j'ai, ce pour quoi je travaille ou même ce que je suis n'est pas assez bien pour toi ? Tu me méprises ?

Le cœur battant à se rompre, Shannon secoua négativement la tête. Qui aurait pu s'attendre à le voir réagir avec une telle violence ?

— Je peux accepter que tu ne m'aimes pas, ou que tu refuses de voir que nous sommes faits l'un pour l'autre. Mais je ne te laisserai pas dénigrer ce que je suis, ni tourner en dérision ce pour quoi ma famille et moi nous battons depuis des générations.

— Ce n'est pas ce que je voulais dire...

— Tu crois sans doute que la terre est là, belle comme dans un tableau, et qu'il suffit de se baisser pour récolter ce qui pousse ?

La bougie projetait des ombres sur son visage, lui donnant un air aussi fascinant que menaçant.

— Eh bien, non, cela exige du sang et de la sueur. Travailler la terre est dur, et s'en occuper ne suffit pas. Il faut l'aimer de toute sa force.

Elle était à bout de souffle.

— Tu me fais mal, Murphy.

Il la lâcha comme si sa peau l'avait soudain brûlé. Puis il recula avec une maladresse qu'elle ne lui avait jamais vue.

— Je te demande pardon.

Il fut tout à coup envahi par la honte. Ses mains étaient larges, puissantes, et il eut soudain conscience de sa force. Il avait failli s'en servir, aveuglé par la colère...

Le dégoût qu'il ressentait pour lui-même, lisible dans son regard, la poussa à réprimer l'envie de frotter ses bras douloureux. Elle savait au fond d'elle-même qu'il était un gentleman et devait considérer le fait de faire mal à une femme comme la forme la plus basse de péché.

— Je ne voulais pas t'offenser, dit-elle doucement. J'étais en colère, et je voulais seulement te montrer combien nous étions différents. Sur ce que nous sommes et sur ce que nous voulons.

Murphy fourra ses mains dans ses poches.

— Qu'est-ce que tu veux ?

Elle ouvrit la bouche, puis la referma en découvrant avec étonnement qu'elle n'avait pas la réponse.

— Il y a eu beaucoup de changements importants dans ma vie depuis quelques mois. J'ai encore besoin de réfléchir. Je ne veux pas d'une liaison.

— Tu as peur de moi ? demanda-t-il en s'appliquant à parler d'une voix neutre. Je ne voulais pas te faire mal.

— Non, je n'ai pas peur de toi...

Et elle ne put résister. Elle s'avança et lui caressa la joue.

— Je suis la première à comprendre qu'on puisse se mettre en colère, tu sais.

Presque certaine que la crise était maintenant passée, elle lui sourit.

— Allez, oublions tout ceci et soyons amis.

Comme si elle n'avait rien dit, il lui prit la main et l'embrassa au creux de la paume.

— « Ma générosité est aussi grande que la mer, et mon amour aussi profond ; plus je te donne, et plus je reçois, car tous deux sont infinis. »

Shakespeare, songea-t-elle en se détendant un peu. Voilà qu'il citait Shakespeare de sa voix superbe...

— Ne me dis pas des choses comme ça, Murphy.

— Nous ne sommes pas en train de jouer, Shannon. Ni toi ni moi ne sommes des enfants ou des imbéciles. Allons, je ne te ferai pas de mal.

Sa voix s'était faite apaisante, comme lorsqu'il parlait à ses chevaux, et elle se laissa faire lorsqu'il la prit dans ses bras.

— Dis-moi ce que tu as ressenti quand je t'ai embrassée la première fois.

Ce n'était pas une question à laquelle il était difficile de répondre, bien qu'elle eût l'impression contraire.

— Tentée...

Il sourit et pressa ses lèvres sur sa tempe.

— Ce n'est pas tout. C'était plus que ça, non ? Comme une scène déjà vécue.

Elle avait beau s'ordonner de ne pas céder, de rester en alerte, son corps refusait d'obéir.

— Je ne crois pas à ces trucs-là.

— Je ne t'ai pas demandé si tu y croyais, répliqua-t-il en promenant doucement ses lèvres sur sa joue, mais ce que tu avais ressenti.

Sous son corsage en soie, sa peau était brûlante. Il allait devenir fou à force de se maîtriser pour ne pas la déshabiller et la découvrir tout entière.

— Et ça ne s'est pas produit une seule fois... mais chaque fois.

— C'est absurde...

Sa voix lui parut cependant extrêmement lointaine.

— C'est de la folie.

Tout en parlant, elle jouait avec ses cheveux pour le garder contre elle, le plus près possible.

— Non, nous ne pouvons pas faire ça, murmura-t-elle.

Le ronronnement délicieux de sa voix se déversa comme du miel dans la bouche de Murphy.

— Ce n'est qu'une simple histoire de chimie...

— Alors, Dieu bénisse la science.

Haletante, elle se dressa sur la pointe des pieds. Une série d'explosions se produisirent en elle dans un éblouissement de couleurs et de lumière. Prise d'un désir sauvage, elle s'accrocha désespérément à lui, avide de bien davantage.

Touche-moi, je t'en supplie... Cette phrase résonnait dans sa tête. Mais il la tenait simplement contre lui. Elle mourait d'envie qu'il prenne possession de son corps. Elle savait ce qu'elle ressentirait sous ses caresses. Et aurait pleuré tant il lui était insupportable de le savoir avec une telle force. Sa main la caresserait, doucement, laissant sur sa peau une marque aussi indélébile que celle d'un fer rouge.

Cédant à un instinct féroce, elle lui mordit la lèvre, la savoura d'une façon volontairement provocatrice. En l'entendant jurer, elle renversa la tête en arrière, le visage rayonnant de triomphe.

Puis elle pâlit peu à peu. Car ses yeux étaient ceux

d'un guerrier, sombres, menaçants. Terriblement familiers.

— Seigneur...

Le mot lui échappa tandis qu'elle luttait pour se reprendre. Cherchant à rétablir son équilibre, elle croisa les mains sur sa poitrine.

— Seigneur ! il faut que ça s'arrête.

Faisant d'immenses efforts pour se maîtriser, Murphy mit les poings sur les hanches.

— J'ai envie de toi. Ce désir me tue, Shannon.

— J'ai commis une erreur, fit-elle en agitant ses mains tremblantes. J'ai commis là une lourde erreur. Je suis désolée. Mais je refuse d'aller plus loin.

Pourtant, elle se sentait irrésistiblement attirée vers lui — comme par un aimant.

— Ne m'approche plus, Murphy.

— Je ne peux pas. Tu sais que je ne le peux pas.

— Nous avons là un vrai problème...

Décidée à se calmer, Shannon marcha d'un pas mal assuré jusqu'à la table pour y prendre son verre de vin.

— Mais nous allons trouver une solution, dit-elle à voix basse en buvant une gorgée. Car il y a toujours une solution. Ne me parle plus. Laisse-moi réfléchir.

Elle n'avait jamais été très attirée par le sexe. Certes, elle avait eu quelques expériences agréables avec des hommes qu'elle estimait et respectait. « Agréable » était toutefois un mot bien faible pour qualifier ce qu'elle venait de ressentir avec Murphy.

Cet homme l'attirait, c'était indéniable. Ce qui était permis et n'avait rien de répréhensible. Ils étaient tous les deux adultes et libres comme l'air. De plus, elle l'estimait, avait pour lui du respect, et même une certaine admiration. Quel mal y avait-il à ce qu'elle ait une petite aventure avant de décider quoi faire du reste de sa vie ?

Aucun !

— Nous avons envie de coucher ensemble, conclut-elle à la suite de ses réflexions.

— Personnellement, coucher avec toi me plairait beaucoup, mais je préférerais te faire d'abord l'amour une centaine de fois.

— Ne joue pas avec les mots, Murphy.

Toutefois, elle sourit, soulagée de voir une pointe d'ironie dans son regard.

— Je pense que nous pouvons résoudre ce problème d'une manière raisonnable qui soit satisfaisante pour nous deux.

— Tu as parfois une façon extraordinaire de formuler les choses, fit-il d'une voix ravie et remplie d'admiration. Même quand ce que tu dis n'a pas de sens. Tu exprimes cela avec tellement de dignité. Et d'élégance...

— Tais-toi, Murphy. Maintenant, il ne te reste plus qu'à admettre qu'un engagement à long terme n'est pas envisageable.

Voyant qu'il continuait à la regarder en souriant, elle poussa un soupir.

— Bon, d'accord, je vais donc formuler ça plus simplement. Cesse de me faire la cour.

— J'avais compris, chérie. Mais j'adore t'écouter parler. Vivre le reste de ma vie avec toi ne me posera aucun problème. D'ailleurs, je viens à peine de commencer à te faire la cour. Je n'ai même pas encore dansé avec toi.

A bout d'arguments, Shannon se passa les mains sur le visage.

— Tu as vraiment la tête dure.

— C'est ce que ma mère m'a toujours dit. « Murphy », disait-elle, « quand tu as une idée dans la tête, rien ni personne ne peut l'en faire sortir. »

Il lui sourit.

— Ma mère te plaira.

— Je ne rencontrerai jamais ta mère.

— Oh, mais si. J'y veillerai. Mais que disais-tu?

— Je disais... Comment veux-tu que je sache ce que je disais alors que tu fais tout pour m'embrouiller? Et tu le fais exprès, dans le seul but de compliquer les choses alors que tout pourrait être si simple.

— Je t'aime, Shannon. C'est simple, ça. Je veux t'épouser et fonder une famille avec toi. Mais c'est précipiter un peu les choses...

— En effet. Je vais donc être aussi claire et concise que possible. Je ne t'aime pas, Murphy, et je ne veux pas t'épouser.

Tout à coup, elle plissa les yeux.

— Et si tu continues à me sourire comme ça, je vais finir par te flanquer une gifle !

— Nous pouvons même nous battre et nous rouler par terre, si tu veux. Une façon de résoudre notre problème, ici, dans la cuisine.

Il s'approcha, ravi de la voir redresser le menton.

— Parce que, une fois que j'aurai les mains sur toi, ma chérie, je ne te promets pas de les enlever avant d'en avoir terminé avec toi.

— J'en ai assez d'essayer d'être raisonnable... Merci pour le dîner. C'était très intéressant.

— Prends une veste. Il pleut.

— Je n'ai pas...

— Ne sois pas bête...

Il avait déjà décroché une de ses vestes du portemanteau.

— Tu vas mouiller ton joli chemisier et attraper froid.

Elle lui arracha la veste des mains avant qu'il ait le temps de l'aider à l'enfiler.

— D'accord. Je te la rapporterai.

— Rapporte-la, si tu y penses, en venant peindre demain matin. Je passerai te voir.

— Je ne serai peut-être pas là.

Shannon enfila la veste au coton doux et usé, puis resta plantée là, les manches trop longues lui arrivant au bout des doigts.

— Je te raccompagne jusqu'à la voiture.

Quand elle voulut s'y opposer, Murphy la prit par le bras et la poussa vers l'entrée.

— Tu vas te faire tremper, protesta-t-elle en s'arrêtant près de la porte.

— La pluie ne me dérange pas.

Lorsqu'ils arrivèrent devant la voiture, Murphy réprima sagement un grand sourire.

— Ce n'est pas le bon côté, chérie, à moins que tu ne veuilles que je te reconduise à l'auberge.

Haussant vaguement les épaules, Shannon changea de direction pour aller vers le siège du conducteur.

Murphy lui ouvrit la portière, puis, voyant son humeur, décida de lui baiser la main plutôt que de l'embrasser sur la bouche.

— Un rêve dans un rêve, murmura-t-il. Edgar Poe a écrit de très belles pages là-dessus. Cette nuit, tu vas rêver de moi, Shannon, et moi de toi.

— Certainement pas!

Elle dit cela fermement en claquant la portière. Puis elle remonta les manches de la veste, fit une marche arrière et rejoignit la route battue par la pluie.

Cet homme devait avoir un boulon en moins quelque part. C'était la seule explication. A partir de maintenant, il ne faudrait plus lui donner le moindre encouragement. Elle n'avait pas le choix.

Plus de dîners intimes dans la cuisine, de musique et d'éclats de rire au pub, ni de conversations à bâtons rompus ou de baisers renversants dans les champs.

Mais ça lui manquerait. Ça lui manquerait vraiment. Elle se gara devant l'auberge et serra le frein à main. Murphy avait éveillé en elle des sentiments et des désirs inconnus, et elle n'avait plus qu'à s'en débrouiller.

Quel abruti! se dit-elle en claquant la portière avant de se précipiter vers la maison.

Shannon réprima un froncement de sourcils lorsqu'elle ouvrit la porte et aperçut Brianna toute souriante dans l'entrée.

— Oh, c'est bien, il t'a prêté une veste. J'ai pensé à te dire d'en prendre une mais tu étais déjà partie. Tu as passé une bonne soirée?

Shannon ouvrit la bouche, surprise de ne pas s'entendre répondre les platitudes d'usage.

— Ce type est dingue.

Brianna cligna des yeux.

— Murphy?

— Qui d'autre? Je t'assure, il a vraiment l'esprit tordu. Impossible de discuter raisonnablement avec lui.

D'un geste si naturel qu'aucune d'elles deux n'y fit attention, Brianna prit Shannon par la main et l'entraîna vers la cuisine.

— Vous vous êtes disputés?

— Disputés? Non, je ne dirais pas ça. On ne se dispute pas avec un fou.

— Alors, Shannon?

Gray, assis dans la cuisine, lui lança un regard, et l'énorme cuillerée de diplomate qu'il s'apprêtait à enfourner resta en suspens au-dessus du ramequin.

— Comment était ce dîner? Tu as encore de la place pour un peu de diplomate? Celui de Brie est le meilleur du monde.

— Elle a eu un petit différend avec Murphy, l'informa Brianna en poussant Shannon à s'asseoir avant d'aller chercher la théière.

— C'est vrai?

Intrigué, Gray reposa sa cuillère, puis attrapa un autre ramequin.

— A quel sujet?

— Oh, rien d'extraordinaire. Il veut juste que je l'épouse et que je lui fasse des enfants.

Brianna lâcha la tasse qu'elle rattrapa en catastrophe.

— Tu plaisantes, dit-elle avec un petit rire forcé.

— C'est une plaisanterie, en effet, mais ce n'est pas moi qui l'ai faite.

Sans s'en rendre compte, Shannon s'attaqua au ramequin de diplomate que Gray avait poussé devant elle.

— Il prétend me faire la cour...

Elle haussa les épaules et avala une cuillerée.

— Non, mais tu te rends compte? s'exclama-t-elle en se tournant vers Gray.

— Euh... non, fit-il en se passant la langue sur les dents.

Très lentement, Brianna s'assit en écarquillant de grands yeux.

— Il t'a dit qu'il voulait te faire la cour?

— Il m'a dit que c'était ce qu'il faisait, corrigea

Shannon en reprenant une cuillerée de diplomate. Il croit à l'amour au premier regard, et que nous sommes faits l'un pour l'autre, ou je ne sais quelles bêtises de ce genre. Et tout ça parce que, soi-disant, il se souvient de moi et m'a reconnue. Tu parles !

Elle se versa du thé.

— Murphy n'a jamais fait la cour à personne. Il n'a jamais voulu.

Shannon se tourna d'un air excédé vers Brianna.

— J'aimerais beaucoup que tout le monde cesse d'employer ce mot désuet. Ça m'horripile.

— Le mot ? demanda Gray. Ou bien le fait en soi ?

— Les deux, fit-elle en appuyant son menton sur son poing. Comme si les choses n'étaient pas déjà suffisamment compliquées !

— Murphy te laisse indifférente ? demanda Brianna.

— Indifférente ? Non, pas exactement.

— L'intrigue s'épaissit...

Gray se contenta de sourire devant le regard furieux que lui jeta Shannon.

— Tu ferais bien de te mettre dans la tête que les Irlandais sont têtus. Et je me demande si les Irlandais de l'Ouest ne le sont pas plus encore. Murphy a jeté son dévolu sur toi, rien ne le fera changer d'avis.

— Ne prends pas ça à la légère, Gray, dit Brianna en posant sa main sur celle de Shannon pour lui témoigner sa sympathie. Elle est fâchée, et puis il y a des cœurs en jeu.

— Ah, non, sûrement pas !

Là-dessus, au moins, Shannon pouvait être ferme.

— Coucher avec un homme ou passer toute sa vie avec lui sont deux choses totalement différentes. Lui voit les choses d'un point de vue romantique, c'est tout.

Les sourcils froncés, elle s'appliqua à gratter le reste de diplomate au fond du ramequin.

— C'est vraiment absurde, cette idée que de vieux rêves un peu bizarres puissent avoir un rapport quelconque avec le destin.

— Murphy a fait des rêves bizarres ?

Shannon regarda Brianna d'un air distrait.

— Je n'en sais rien. Je ne lui ai pas demandé.

— Bien sûr que si, tu lui as demandé...

Gray était aux anges. Il se pencha en avant.

— Allez, raconte-moi tout — et surtout les passages sexy.

— Arrête, Grayson.

Mais Shannon éclata de rire. C'était curieux, elle avait l'impression d'avoir trouvé ici le grand frère qu'elle avait toujours souhaité.

— Les passages sexy? Il n'y a que ça! lui dit-elle en se pourléchant le coin des lèvres.

Gray se pencha davantage.

— Ah oui? Alors, commence par le commencement, et n'oublie rien. Chaque détail compte.

— Ne fais pas attention à lui, Shannon.

— Ça ne me dérange pas.

Plus que rassasiée, elle repoussa le ramequin vide sur la table.

— Ça va vous intéresser tous les deux. Je n'avais encore jamais fait de rêve récurrent de ma vie. A vrai dire, ça ressemble plutôt à des petits tableaux, sans ordre précis. Enfin, je crois.

— Tu vas finir par me rendre fou, se lamenta Gray. Vas-y, raconte!

— D'accord. Ça commence dans un champ, là où se trouve la ronde de pierres. C'est drôle, c'est comme si j'avais rêvé de cet endroit avant de l'avoir vu. Mais c'est impossible. Enfin...

Elle éluda le problème d'un geste de la main.

— Il pleut, il fait froid et il y a du givre. J'ai l'impression de marcher sur du verre. Enfin, pas moi... La femme dans mon rêve. Et puis il y a un homme, cheveux noirs, cape noire, sur un cheval blanc. Il y a de la buée quand ils respirent, la boue éclabousse ses bottes et son armure. Il fonce vers moi... vers elle... au grand galop. Elle reste là, les cheveux au vent. Et alors...

Shannon s'interrompit. Elle avait surpris le regard étonné de Brianna qu'elle avait échangé avec Gray et leur silence complice.

— Qu'est-ce qu'il y a?

— On dirait l'histoire de la magicienne et du guerrier, répondit Gray.

Son regard s'était brusquement assombri et il fixait Shannon avec intensité.

— Et ensuite, que se passe-t-il?

Shannon croisa les mains sous la table.

— A vous de me le raconter.

— Très bien...

Il jeta un coup d'œil à Brianna qui lui fit signe de raconter l'histoire.

— Selon la légende, il était une fois une femme pleine de sagesse, une magicienne, qui vivait par ici. Elle avait un don de voyance, qui était pour elle un fardeau autant qu'une bénédiction, et vivait à l'écart des autres. Un matin, en allant danser pour communier avec ses dieux, elle trouva un guerrier au milieu du cercle de pierres, blessé, son cheval près de lui. Comme elle avait le pouvoir de guérir, elle le soigna jusqu'à ce qu'il ait retrouvé toutes ses forces. Ils tombèrent amoureux et devinrent amants.

Il s'arrêta un instant, remplit les tasses de thé, puis prit la sienne.

— Bien entendu, il repartit, car il avait des combats à mener et des batailles qu'il avait promis de gagner. Mais il jura de revenir, et elle lui donna une broche à accrocher à sa cape en souvenir d'elle.

— Et il est revenu? demanda Shannon, la voix cassée.

— C'est ce qu'on dit. Il est arrivé sur son cheval par une nuit de violent orage. Il voulait l'épouser, mais refusait d'abandonner son épée et son bouclier. Ils se sont disputés amèrement. Ils avaient beau s'aimer follement, ni l'un ni l'autre ne voulait faire de concessions. Il repartit et lui rendit la broche, pour qu'elle pense à lui en attendant son retour. Mais il ne revint jamais. On raconte qu'il trouva la mort sur un champ de bataille. Grâce à son don de voyance, elle le sut à l'instant précis où il rendit l'âme.

— Ce n'est qu'une légende...

Les mains soudain glacées, Shannon les referma autour de sa tasse.

— Je ne crois pas à ce genre de choses. Ne me dites pas que vous y croyez.

Gray haussa les épaules.

— Si. Je veux bien croire que ces deux personnes ont existé, et qu'il y avait quelque chose de très fort entre elles qui est resté. Ce qui m'intrigue, c'est la raison pour laquelle tu as rêvé d'elles.

— J'ai rêvé deux fois d'un homme sur un cheval, dit Shannon avec impatience, ce qui intéresserait sans doute un certain nombre de psychanalystes. Mais ils n'avaient strictement rien à voir l'un avec l'autre. Je suis fatiguée, ajouta-t-elle en se levant. Je vais me coucher.

— Emporte une tasse de thé, dit gentiment Brianna.

— Merci.

Lorsque Shannon fut partie, Brianna posa la main sur l'épaule de son mari.

— Ne l'embête pas trop, Grayson. Elle a vraiment l'air troublée.

— Elle le serait moins si elle arrêtait de garder ce qu'elle a sur le cœur...

Avec un sourire plein de tendresse, il tourna la tête pour embrasser la main de sa femme.

— Je suis bien placé pour le savoir.

— Elle a besoin de temps, comme tu en as eu besoin, dit-elle en poussant un long et lourd soupir. Murphy... Qui aurait pu imaginer ça ?

## 11

Elle avait eu l'intention d'aller au cercle des fées. Mais elle avait dormi très tard. Et ce qu'elle avait rêvé n'avait rien de surprenant. Devant sa tasse de café et ses muffins, alors qu'elle prenait un petit déjeuner tardif, elle repensait à sa conversation avec Gray et Brianna.

Se goinfrer de diplomate et s'entendre raconter une légende par un maître conteur avant d'aller se coucher ne pouvait qu'entraîner une nuit agitée.

Toutefois, la clarté de son rêve continuait à la perturber. Elle pouvait sentir la couverture rêche contre son dos, le picotement de l'herbe, ainsi que la chaleur et le poids du corps de l'homme sur elle. En elle.

Shannon poussa un long soupir et posa la main sur son ventre, encore animée d'un étrange désir en y repensant.

Elle avait rêvé qu'elle faisait l'amour avec l'homme qui avait le visage de Murphy — enfin, pas tout à fait. Ils étaient au milieu de la ronde de pierres, les étoiles et le clair de lune scintillaient au-dessus d'eux. Elle avait entendu le ululement d'une chouette, puis senti un souffle tiède frôler sa joue. Ses mains avaient reconnu ses muscles, puissants et tendus. Et elle avait su, au moment même où elle avait connu l'extase, que ce serait la dernière fois.

Y repenser lui faisait mal, si mal que, même tout à fait réveillée, elle avait encore les larmes aux yeux, des larmes brûlantes.

Shannon but une goutte de café. Il fallait réagir, faute de quoi elle ne tarderait pas à rejoindre ses innombrables compatriotes qui faisaient la queue chez les psychanalystes.

En entendant du bruit derrière la porte de la cuisine, elle se recomposa un visage plus avenant. Qui que ce fût, une diversion serait la bienvenue.

Elle changea toutefois d'avis en apercevant Maggie.

— Mais oui, je te laisse rentrer, tu vois bien, dit joyeusement Maggie en s'adressant à Conco, inutile de pousser comme ça.

Le chien entra en trombe, fila sous la table, puis s'étendit de tout son long en poussant un gros soupir.

Le sourire de Maggie perdit nettement de sa chaleur lorsqu'elle vit Shannon toute seule dans la cuisine.

— Bonjour. J'ai apporté des framboises pour Brie.

— Elle est occupée. Et Gray travaille là-haut.

— Je ne veux pas les déranger.

Faisant comme chez elle, Maggie alla mettre les fruits au réfrigérateur.

— Ton dîner avec Murphy s'est bien passé?

— Je vois que les nouvelles vont vite, répliqua Shannon, non sans manifester une certaine irritation. Ça m'étonne que tu ne saches pas ce qu'il y avait au menu.

Maggie se retourna avec un sourire peu engageant.

— Oh, certainement du poulet. Il se débrouille très bien avec les choses à rôtir, bien que ce ne soit pas dans ses habitudes de faire la cuisine pour des femmes.

Elle retira sa casquette qu'elle fourra dans sa poche.

— Mais il s'est entiché de toi, n'est-ce pas?

— Il me semble que ça ne regarde que lui... et moi.

— Tu as tort, et je te conseille d'être attentive à ce que tu fais avec lui.

— Je n'ai que faire de tes conseils, pas plus que de l'attitude désagréable que tu as à mon égard.

Maggie inclina la tête d'un air plus dédaigneux que vraiment curieux.

— Mais qu'est-ce qui t'intéresse exactement, Shannon Bodine? Tu trouves ça drôle de te dandiner devant

180

un homme ? Un homme avec lequel tu n'as l'intention que de jouer un peu ? C'est sans doute de famille.

Aveuglée par une violente colère, Shannon se leva d'un bond en serrant les poings.

— Bon sang ! Tu n'as aucun droit d'insulter ma mère !

— C'est vrai. Absolument aucun.

Et si elle l'avait pu, Maggie aurait volontiers retiré ce qu'elle venait de dire, car c'était carrément injuste.

— Je te prie de m'excuser.

— Pourquoi ? Tu viens de te comporter exactement comme ta mère.

Maggie fit la grimace.

— Là, tu ne pouvais viser mieux. J'ai agi comme elle, et j'ai tort de le faire, tout autant qu'elle. Par conséquent, je te prie de m'excuser encore une fois pour ça, mais pas pour le reste.

Histoire de se calmer, ou du moins pour essayer, elle alla mettre la bouilloire à chauffer.

— Mais je voudrais savoir — et tu peux être sincère car nous ne sommes que toutes les deux — si tu n'as jamais pensé de mon père ce que je viens de dire de ta mère.

La pertinence de la question troubla Shannon.

— Si je l'ai pensé, j'ai en tout cas eu la politesse de ne pas le dire à haute voix.

— La politesse et l'hypocrisie vont souvent main dans la main.

Ravie d'entendre Shannon siffler de rage, Maggie sortit la boîte de thé.

— Alors, pas de ça entre nous. Il se trouve que nous avons en partie le même sang, ce qui ne semble nous réjouir ni l'une ni l'autre. D'après ce que je vois, tu es loin d'être tendre. Et je ne le suis pas non plus. Mais Brie, si.

— Et tu estimes devoir la protéger elle aussi ?

— S'il le faut. Si jamais tu fais du mal à l'un des miens, je te le ferai regretter.

Elle se retourna, impassible.

— Comprends-moi bien, Shannon. Il est clair que

Brianna t'a déjà ouvert son cœur, et que si Murphy ne l'a pas fait, il le fera.

— Tandis que le tien est fermé, comme l'est ton esprit.

— Et toi? s'exclama Maggie en posant les mains à plat sur la table. N'es-tu pas venue ici avec le cœur et l'esprit fermés à double tour? Tu te fiches pas mal de ce que papa a dû endurer. Tu ne penses qu'à toi. Qu'il n'ait jamais eu la chance de connaître le bonheur t'est complètement égal. Tout comme le fait qu'il n'ait jamais...

La vue soudain brouillée, Maggie ne put terminer sa phrase. Elle jura, puis s'appuya contre la table en luttant de toutes ses forces pour ne pas perdre l'équilibre. Voyant qu'elle allait se trouver mal, Shannon la saisit par les épaules.

— Bon sang, assieds-toi.

— Ça va.

— Ben voyons...

Maggie était blanche comme un linge et ses yeux roulaient dans tous les sens.

— Nous pouvons passer au round suivant, si tu veux.

Mais Maggie se laissa glisser mollement sur la chaise, et elle ne protesta même pas quand Shannon lui fit mettre la tête sur les genoux avec autorité.

— Respire. Respire à fond! Bon sang, fais quelque chose!

Elle tapota l'épaule de Maggie d'un air embarrassé en se demandant quoi faire.

— Je vais chercher Gray, nous allons appeler le médecin.

— Pas la peine...

Luttant contre le vertige, Maggie tendit la main en cherchant celle de Shannon.

— Ne le dérange pas pour ça. Ce sont les petits inconvénients de la grossesse, c'est tout. Quand j'attendais Liam, ça s'est passé exactement pareil les premières semaines.

Tremblante et dégoûtée d'elle-même, Maggie

redressa la tête. Elle connaissait la technique, aussi ferma-t-elle les yeux en s'appliquant à respirer lentement et régulièrement. Puis elle cligna des paupières d'un air surpris en sentant un gant froid sur son front.

— Merci.

— Tiens, bois un peu d'eau.

Espérant bien faire, Shannon tendit à Maggie le verre qu'elle venait de remplir.

— Tu es encore affreusement pâle.

— Ça va passer. C'est la façon qu'a la nature de te rappeler que ce sera pire dans neuf mois.

— Voilà une pensée diablement réconfortante !

Shannon retourna s'asseoir, l'œil rivé sur Maggie.

— Pourquoi en as-tu fait un autre ?

— J'adore les défis. Et je veux d'autres enfants — ce qui est pour moi une surprise, dans la mesure où je n'en avais pas la moindre envie avant d'avoir le premier. C'est une véritable aventure, je t'assure : on a des nausées chaque matin, des vertiges, et on devient aussi énorme qu'une truie.

— Je te crois sur parole. Ça y est, tu as repris quelques couleurs.

— Alors arrête de me regarder comme si j'allais m'envoler...

Elle retira le linge sur son front et le posa au milieu de la table.

— Merci.

Soulagée, Shannon s'adossa contre sa chaise.

— Je t'en prie.

Maggie triturait le gant de toilette.

— Ne dis pas à Brie, ou à qui que ce soit, que j'ai eu ce petit malaise. Elle en ferait toute une histoire... et Rogan recommencerait à me couver.

— Et tu préfères protéger qu'être protégée.

— Si on veut.

Shannon pianota sur la table d'un air pensif. Sans s'en rendre compte ni l'une ni l'autre, elles venaient de faire un pas décisif dans le bon sens, songea-t-elle. Peut-être était-ce le moment d'en faire volontairement un autre.

— Tu ne veux pas que j'en parle ?

— Oui, c'est ça.

— Et en échange ?

Prise de court, Maggie cligna plusieurs fois des yeux.

— En échange ?

— Oui, une faveur en vaut bien une autre.

Les sourcils froncés, Maggie hocha la tête.

— Que voudrais-tu en échange ?

— Je veux voir où tu travailles.

— Où je travaille ? répéta Maggie d'un air suspicieux. Tu veux venir dans mon atelier ?

— J'ai entendu dire que tu détestais que les gens viennent poser des tas de questions et fouiner partout dans ton atelier. C'est ce que je veux faire.

Shannon se leva pour aller déposer sa tasse dans l'évier.

— Sinon, je pourrais laisser échapper que tu as failli t'évanouir dans la cuisine.

— Je ne me suis pas évanouie, bougonna Maggie. On ne peut donc même plus avoir un petit malaise en paix ? Les gens sont censés être tolérants avec les femmes enceintes... Bon, allons-y.

Manifestement mécontente, elle sortit sa casquette de sa poche et se l'enfonça sur la tête.

— Je vais conduire.

— C'est bien les Yankees ! fit Maggie avec une moue de dédain. On y va à pied.

— Très bien.

Shannon attrapa la veste de Murphy accrochée au portemanteau et la suivit.

— Où est Liam ? demanda-t-elle comme elles se dirigeaient vers la pelouse.

— Avec son papa. Rogan a décidé que j'avais besoin de me reposer ce matin et l'a emmené quelques heures à la galerie.

— J'aimerais voir la galerie. Je suis déjà allée à Worldwide à New York.

— Celle-ci n'est pas aussi huppée. Le but de Rogan était de faire un foyer pour les artistes plutôt que des expositions. Nous ne présentons que des artistes irlandais, ou de l'artisanat. Il y a un an que c'est ouvert, et il a fait exactement ce qu'il avait décidé. De toute façon, il fait toujours ce qu'il a décidé.

Elle sauta d'un mouvement agile par-dessus le petit mur.

— Il y longtemps que vous êtes mariés?

— Bientôt deux ans. Ça aussi, il l'avait décidé.

Aussitôt, Maggie sourit en se rappelant comment elle lui avait résisté de son mieux.

— Tu n'as pas l'intention de te marier, aucun homme n'attend ton retour?

— Non.

A cette seconde même, Shannon entendit le bruit d'un tracteur, puis aperçut Murphy un peu plus loin au milieu d'un champ.

— Je me concentre pour l'instant sur ma carrière.

— Je sais ce que c'est, dit Maggie en faisant un salut de la main. Il doit aller chercher de la tourbe. C'est une journée idéale pour ça, et il préfère la tourbe au bois ou au charbon.

Des feux de tourbe et des marais, songea Shannon. Et comme il avait l'air heureux de parcourir sa terre, avec le soleil qui l'éclaboussait.

— Il fait ça tout seul?

— Non, il se fait aider. Ramasser la tourbe tout seul n'est pas facile. Très peu de gens le font encore, ça demande trop de temps et d'efforts. Mais Murphy utilise toujours tout ce qu'il a.

Maggie s'arrêta une minute et tourna lentement sur elle-même.

— Il va avoir une bonne récolte cette année. Après la mort de son père, il s'est consacré entièrement à l'exploitation de son domaine. Et il en a fait ce que jamais son père ou le mien n'en auraient fait.

Tandis qu'elle se remettait en marche, elle jeta un coup d'œil à Shannon.

— Cette terre appartenait aux Concannon, autrefois.

— Murphy m'a expliqué qu'il l'avait achetée.

Elles enjambèrent un autre muret. La ferme n'était pas très loin, et Shannon aperçut les poules qui picoraient dans la cour.

— Cette maison était à vous, avant?

— Oui, mais je ne m'en souviens pas. Nous avons grandi à Blackthorn. Il y a de cela plusieurs générations, les Muldoon et les Concannon étaient une même famille. Deux frères héritèrent de toutes ces terres et se les partagèrent. Il suffisait à l'un de planter une graine pour qu'elle pousse toute seule. Et l'autre n'arrivait à récolter rien d'autre que des cailloux. Mais on dit qu'il buvait plus qu'il ne plantait. Ils étaient jaloux l'un de l'autre, ils se détestaient, et lorsqu'elles se rencontraient, leurs femmes ne s'adressaient pas la parole.

— Charmant! commenta Shannon, trop intéressée pour penser à déposer la veste sur la terrasse de la ferme.

— Un jour, le second frère, celui qui préférait la bière aux engrais, a disparu. Il s'est évanoui dans la nature. L'autre a donc hérité et s'est retrouvé propriétaire de toute la terre. Il a laissé la femme et les enfants de son frère vivre dans la ferme — qui devrait donc être ma maison. Certains prétendent qu'il a agi ainsi par culpabilité, car on l'a soupçonné de s'être débarrassé de son frère.

— De l'avoir tué? s'étonna Shannon en tournant la tête. Qu'est-ce que c'est que cette histoire? Abel et Caïn?

— Quelque chose de ce genre. Sauf que le frère assassin a hérité du jardin au lieu d'en être chassé. Ils s'appelaient Concannon et, un peu plus tard, une des filles du frère disparu a épousé un Muldoon. L'oncle leur a fait cadeau d'une parcelle de terre, et ils l'ont bien travaillée. Et, les années passant, les choses se sont inversées. La terre appartient maintenant aux Muldoon, les Concannon n'ont plus qu'un petit bout de chaque côté.

— Et ça ne te désole pas?

— Pourquoi? Ce n'est que justice. Et puis, même si ça ne l'était pas, même si ce frère lointain était tombé dans un marais ivre mort, c'est Murphy qui aime cette terre, ce qui n'a jamais été le cas de mon père. Voilà, nous y sommes. Ça, c'est à moi.

— C'est une maison ravissante.

Oui, vraiment ravissante, se dit-elle en la regardant plus attentivement. Le cottage, en pierres de la région, constituait le corps principal avec un étage et se prolongeait par un coude, ajouté visiblement depuis peu. On reconnaissait la patte de l'artiste dans la structure peinte en violet vif.

— Nous avons ajouté cette partie pour que Rogan ait un bureau et Liam une chambre.

Maggie secoua la tête en se retournant.

— Et, bien entendu, il a insisté pour qu'on fasse une chambre ou deux de plus pendant qu'on y était, prévoyant déjà une nombreuse progéniture, ce que je n'ai pas compris sur le coup.

— Apparemment, tu as cédé.

— Oh, l'idée d'avoir une famille rend Rogan fou de bonheur. Ça vient peut-être du fait qu'il est fils unique. J'ai découvert que je ressentais la même chose que lui. Je trouve extraordinaire d'être mère, j'en suis très fière. C'est drôle comme une personne peut tout changer.

— Je ne pensais pas que tu l'aimais autant, dit doucement Shannon. Tu as l'air si... indépendante.

— Quel est le rapport ?

Maggie poussa un soupir et se renfrogna en arrivant devant le hangar en pierres qui était pour elle synonyme de sanctuaire et de solitude. Son atelier.

— Bon, allons-y. Mais la visite n'implique pas que tu aies le droit de toucher à tout.

— Je reconnais là la fameuse hospitalité irlandaise...

— Tu parles ! fit Maggie avec un sourire en allant ouvrir la porte.

La chaleur stupéfia la visiteuse. Le ronronnement que Shannon avait commencé à percevoir du bout de l'allée s'expliquait : le four était allumé. Elle se sentit tout à coup coupable d'empêcher Maggie de travailler.

— Je suis désolée. Je ne me rendais pas compte que je te faisais perdre du temps.

— Il n'y a rien d'urgent.

Mais sa culpabilité laissa très vite place à la fascination. Partout sur les établis et les étagères s'entassaient des outils, des croquis et des œuvres en cours. Il y avait un grand fauteuil en bois, avec de larges accoudoirs dans lesquels des fentes étaient creusées de chaque côté pour ranger les outils, et des tas de seaux remplis d'eau ou de sable.

Dans un coin, de longues tiges de métal étaient posées contre un mur, dressées telles des lances.

— Ce sont des pipes à souffler?

— Oui. On fait fondre le verre au bout d'une perche et on se sert de la pipe pour souffler la bulle. On la coupe ensuite avec des pinces.

— Une bulle de verre...

Captivée, Shannon examina les torsades et les colonnes, les formes creuses ou effilées alignées en désordre sur les étagères.

— Et tu fais tout ce que tu veux à partir de cette bulle?

— On fait ce qu'on sent. Il faut effectuer une seconde prise, la rouler et la refroidir pour obtenir ce qu'on appelle une peau. Une bonne partie du travail se fait assis dans ce fauteuil, d'où on se lève d'innombrables fois pour retourner devant le four. Il faut que la pipe soit sans cesse en mouvement, jouer de la gravité tout en luttant contre...

Maggie pencha la tête.

— Tu veux essayer?

Trop emballée pour s'étonner de cette proposition, Shannon lui fit un grand sourire.

— Et comment!

— Quelque chose de simple, marmonna Maggie en préparant les outils nécessaires. Une boule, plate à la base, comme un presse-papiers.

En quelques secondes, Shannon se retrouva avec de gros gants, la pipe entre les mains. Suivant les instructions de Maggie à la lettre, elle trempa le bout dans le mélange en fusion en le faisant tourner.

— Ne va pas si vite, dit Maggie. Ça prend du temps.

Et des efforts, découvrit Shannon. Ce n'était pas un travail pour les mauviettes. De grosses gouttes de sueur lui coulaient dans le dos, ce qu'elle oublia instantanément en voyant une bulle se former à l'extrémité de la pipe.

— J'ai réussi !

— Non, pas encore.

Mais Maggie guida ses gestes, lui montra comment faire la seconde prise et la rouler sur le marbre. Elle lui expliqua patiemment, étape par étape, ni l'une ni l'autre n'ayant vraiment conscience qu'elles travaillaient en équipe et en étaient ravies.

— Oh, c'est magnifique...

Shannon fixait la boule de verre avec des yeux d'enfant émerveillée.

— Regarde ces tourbillons de couleur à l'intérieur.

— Autant éviter de faire quelque chose de laid. Maintenant, on utilise ceci pour aplatir la base. Attention... C'est bien. Tu as un bon coup de main.

Maggie alla déposer la boule de verre dans le four à recuire et régla la minuterie.

— C'était merveilleux...

— Tu ne t'es pas trop mal débrouillée, concéda Maggie en sortant deux boissons glacées d'un petit réfrigérateur. Tu n'es ni bête, ni empruntée.

— Merci, fit sèchement Shannon.

Elle but une longue goulée.

— Cette leçon particulière n'était pas prévue dans notre accord.

Maggie sourit.

— Tu me dois donc quelque chose.

— Apparemment.

Sans façon, Shannon jeta un coup d'œil sur les croquis empilés sur l'établi.

— Ils sont excellents. J'ai vu quelques-uns de tes dessins et peintures à New York.

— Je ne suis pas peintre. Rogan n'est pas du genre à louper quelque affaire que ce soit, alors il prend ce qu'il aime là-dedans et le fait encadrer.

— C'est vrai que tes œuvres en verre sont supérieures à tes dessins.

Maggie avala un peu de jus de fruits avant de s'étouffer.

— Ah bon?

— Mais Rogan a l'œil, et je suppose qu'il choisit les meilleurs.

— Oh, mais bien sûr... Le peintre, c'est toi, n'est-ce pas? Je suis persuadée qu'il faut un talent fou pour dessiner des publicités.

Se sentant défiée, Shannon reposa sa boisson.

— Tu ne crois quand même pas être meilleure que moi pour ça?

— Ma foi, je n'ai jamais rien vu de ton travail. A moins que je n'aie survolé par hasard une de tes pubs en feuilletant un magazine chez le dentiste.

Aussitôt, Shannon s'empara d'un morceau de fusain. Il lui fallut un peu plus de temps pour trouver un carnet de croquis et une page vierge. Maggie s'appuya nonchalamment contre l'établi tandis que Shannon se penchait sur sa feuille.

Elle commença à dessiner à grands traits rageurs. Puis elle finit par y prendre un certain plaisir et par avoir envie de faire quelque chose de beau.

— Mais... c'est Liam...

La voix de Maggie vibra d'émotion lorsqu'elle vit émerger le portrait de son fils. Shannon n'avait dessiné que son visage et ses épaules, se concentrant sur l'air espiègle qui dansait en permanence dans son regard et au coin de ses lèvres. Ses cheveux bruns étaient en désordre, sa bouche prête à éclater de rire.

— Il donne toujours l'impression qu'il vient d'avoir des ennuis, ou qu'il en cherche, murmura Shannon en ajoutant des ombres ici et là.

— Oui, c'est vrai. Quel amour, mon Liam! Tu as vraiment réussi à le rendre...

Alarmée par le son de sa voix, Shannon se tourna vers Maggie.

— Tu ne vas pas te mettre à pleurer, dis? Je t'en prie...

— Fichues hormones...

Maggie renifla en secouant la tête.

— Je dois admettre que tu as un meilleur coup de crayon que moi.

— Message reçu.

Shannon inscrivit ses initiales au bas de la feuille qu'elle arracha ensuite du carnet.

— Ça vaut bien un presse-papiers, dit-elle en tendant le dessin à Maggie.

— Ah non, sûrement pas ! C'est à nouveau moi qui te dois quelque chose. A toi l'avantage.

Shannon essuya ses doigts noircis de fusain sur un torchon puis elle regarda fixement ses mains.

— Parle-moi de Thomas Concannon.

— Allons à la maison...

La voix de Maggie se fit soudain très douce, tout comme la main qu'elle posa sur le bras de Shannon.

— Nous allons faire du thé et en parler.

Ce fut ainsi que Brianna les trouva quand elle arriva chez Maggie, avec Kayla dans son couffin et du pain dans un panier.

— Oh, Shannon, je ne savais pas que tu étais là...

Et jamais elle ne l'aurait imaginée ici, attablée dans la cuisine, pendant que sa sœur préparait du thé.

— Je... je t'ai apporté du pain frais, Maggie.

— Merci. Si on en coupait quelques tranches ? Je meurs de faim.

— Je ne comptais pas rester.

— Je pense que tu devrais...

Maggie jeta un coup d'œil à sa sœur par-dessus son épaule et croisa son regard.

— Kayla peut dormir dans son couffin, Brie. Si tu l'installais dans la chambre, le temps qu'elle fasse la sieste ?

— D'accord.

Consciente de la tension qui régnait dans la cuisine, Brianna sortit avec le bébé.

— Elle se fait du souci à l'idée qu'on en vienne à se cracher à la figure, expliqua Maggie. Brie a horreur des conflits.

— Elle est très douce.

— Oui. Sauf quand on la pousse là où il ne faut pas.

191

Elle peut alors se montrer inflexible. Et ça paraît encore plus violent du fait qu'on ne s'y attend pas. C'est elle qui a trouvé les lettres de ta mère. Il les avait gardées au grenier, dans une boîte où il conservait des choses importantes à ses yeux. Nous n'avons touché à rien pendant de longs mois après sa mort.

Elle apporta la théière et s'assit.

— Ç'a été une période difficile pour nous, d'autant plus que ma mère vivait à la maison avec Brie jusqu'à il y a encore deux ans. Pour avoir tant soit peu de paix, Brie évitait de parler de papa.

— Les choses allaient donc si mal entre vos parents?

— Pire que ça. Ils se sont connus relativement tard. Ç'a été le coup de foudre, la passion. Il m'a dit un jour qu'il y avait eu de l'amour entre eux, au tout début.

— Maggie? appela Brianna d'une voix hésitante depuis le seuil.

— Viens t'asseoir. Elle veut qu'on lui parle de papa.

Brianna s'approcha et effleura brièvement l'épaule de Shannon au passage en signe de sympathie, ou peut-être de gratitude, avant de se joindre à elles.

— Je sais que ce n'est pas facile pour toi, Shannon.

— Il faut en passer par là. Or, jusqu'à présent, j'ai tout fait pour l'éviter.

Elle releva la tête et regarda attentivement chacune de ses sœurs.

— Je voudrais que vous compreniez que j'avais un père.

— Je trouve que c'est plutôt une chance pour une femme de pouvoir dire qu'elle en a eu deux, remarqua Maggie. Et qui l'aient aimée.

Voyant que Shannon secouait négativement la tête, elle s'empressa de poursuivre.

— C'était un homme adorable. Très généreux. Parfois trop. Comme père, il était gentil, patient et très amusant. En revanche, il n'a jamais été très sage, et il n'a jamais réussi. Il avait la manie de ne jamais aller jusqu'au bout de ce qu'il entreprenait.

— Mais il était toujours là quand on avait besoin de

lui, murmura Brianna. Il avait des rêves grandioses, démesurés, et des tas de projets complètement fous. Il espérait toujours faire fortune, mais il est mort en ayant plus d'amis que d'argent. Maggie, tu te souviens du jour où il a décidé d'élever des lapins pour vendre les peaux ?

— Il a construit des cabanes et acheté un couple de lapins blancs à poils longs. Oh, maman était furieuse rien qu'à l'idée de ce que ça avait pu coûter.

Maggie imita une sorte de hennissement.

— Des lapins dans la cour, quelle horreur !

Brianna pouffa de rire et versa le thé.

— Ils ont eu vite fait de se reproduire. Mais il n'a pas eu le cœur de les vendre, ni de les faire dépecer. Et Maggie et moi ne supportions pas l'idée qu'on puisse tuer nos petits lapins.

— Alors, une nuit, nous sommes sortis de la maison, enchaîna Maggie. Nous nous sommes faufilés tous les trois comme des voleurs et nous les avons libérés, le père, la mère et tous les petits. Et nous avons ri comme des fous en les voyant faire de grands bonds à travers les champs.

Elle soupira et prit sa tasse de thé.

— Il n'a jamais eu le cœur, ni la tête, à faire des affaires. Il écrivait des poèmes... Des trucs épouvantables, des vers insipides. Ne pas trouver les mots justes a toujours été pour lui une immense déception.

Brianna pinça les lèvres.

— Il n'était pas heureux. Pourtant, il essayait de l'être, et il faisait tout son possible pour que Maggie et moi le soyons. Mais la maison était pleine de rancœur et d'amertume et, nous l'avons compris plus tard, son chagrin était plus profond que quiconque ne pouvait l'imaginer. Il avait énormément d'orgueil. Mais il était si fier de toi, Maggie.

— Il était fier de nous deux. Il a dû se battre comme un beau diable avec maman pour que j'aille faire mes études à Venise. Sur ce point, il n'a jamais voulu céder. Ce qu'il a réussi à obtenir pour moi lui a cependant coûté très cher, ainsi qu'à Brianna.

— Ça ne m'a pas...

— Mais si, coupa Maggie. Et nous le savions tous. Moi partie, il n'y avait plus d'autre solution que de s'appuyer sur toi, de compter sur toi pour t'occuper de la maison, d'elle et de tout le reste.

— C'était ce que je voulais aussi.

— S'il avait pu, il t'aurait donné la lune...

Maggie posa la main sur celle de sa sœur.

— Tu étais sa rose. C'est comme ça qu'il a parlé de toi le jour de sa mort.

— Comment est-il mort ? demanda Shannon.

Se faire une idée précise n'était pas facile, mais elle commençait à entrevoir un homme fait de chair et de sang, avec ses qualités et ses défauts.

— Il était malade ?

— Oui, mais personne ne le savait.

Parler de ce jour était difficile pour Maggie, et le serait toujours.

— J'étais allé le chercher chez O'Malley, au pub. Je venais juste de vendre ma toute première œuvre à Ennis. Nous avons fêté ça. C'était un jour très important pour nous deux. Il faisait froid, la pluie menaçait, mais il m'a demandé de venir faire un tour avec lui. Nous avons pris mon camion et nous sommes allés à Loop Head, où il se promenait souvent.

— Loop Head...

Shannon sentit son cœur s'accélérer.

— C'était son but de promenade favori, expliqua Maggie ; il adorait se tenir là, tout au bout de l'Irlande, et regarder l'océan, vers l'Amérique.

Non, pensa Shannon, pas vers un pays. Vers une personne.

— Ma mère m'a raconté que c'était là qu'ils s'étaient rencontrés. Ils se sont rencontrés à Loop Head.

— Oh! s'exclama Brianna en croisant les mains et en baissant les yeux. Oh, pauvre papa ! Il devait la voir à chaque fois qu'il allait là-bas.

— Juste avant de mourir, il a prononcé son nom...

De grosses larmes roulèrent sur les joues de Maggie, mais elle les laissa couler.

— Il faisait froid, horriblement froid, la pluie tombait. Je lui ai demandé pourquoi il était resté dans cette situation malheureuse pendant tant d'années. Il a essayé de me le dire, m'a expliqué que, pour qu'un mariage soit une réussite ou un échec, il fallait être deux. Mais je ne voulais pas l'entendre. Et je me demandais s'il avait eu quelqu'un d'autre dans sa vie. Il m'a alors dit qu'il avait aimé une femme, et que cet amour était resté planté comme une flèche dans son cœur. Qu'il n'avait pas eu le droit de vivre avec elle...

Après un soupir tremblant, elle continua.

— Il s'est mis à tituber, est devenu tout gris et il est soudain tombé à genoux, plié de douleur. J'étais affolée, je lui criais de se relever tout en essayant de le tirer... Il voulait un prêtre, mais nous étions tous les deux, seuls, sous la pluie battante. Il m'a dit d'être forte, de ne jamais renoncer à mes rêves. Je n'arrivais pas à le protéger de la pluie. Il a murmuré mon nom. Puis il a dit Amanda. Amanda... c'est tout. Et il est mort.

Brusquement, Maggie repoussa sa chaise et sortit en courant de la cuisine.

— Ça lui fait mal, murmura Brianna. Il n'y avait personne pour l'aider. Elle a dû transporter papa toute seule dans le camion pour le ramener jusqu'ici. Il faut que j'aille la voir.

— Non, je t'en prie, laisse-moi faire.

Sans attendre son accord, Shannon se leva et se dirigea vers le salon. Maggie était là, debout devant la fenêtre.

— Moi aussi j'étais seule quand ma mère est entrée dans le coma pour n'en jamais ressortir.

N'écoutant que son cœur, Shannon s'approcha de Maggie et lui posa la main sur l'épaule.

— Ce n'était pas au bord d'une falaise, et le soleil brillait. Cliniquement, elle était encore en vie. Mais je savais qu'elle était perdue. Et il n'y avait personne pour m'aider.

Sans rien dire, Maggie mit sa main sur celle de Shannon.

— C'est ce jour-là qu'elle m'a tout raconté... sur moi. Sur elle et Tom Concannon. J'étais folle de colère, de douleur, et je lui ai dit des choses que regrette sincèrement. Je sais qu'elle aimait mon père. Oui, elle aimait Colin Bodine. Mais je sais que c'est à son Tommy qu'elle pensait à l'instant où elle m'a quittée.

— Faut-il leur en vouloir? demanda doucement Maggie.

— Je ne sais pas... Je continue à éprouver de la colère, et à en souffrir. Et surtout, je ne sais pas qui je suis réellement. Je croyais ressembler à mon père. Je le croyais vraiment...

Sa voix se brisa.

— L'homme que vous me décrivez est pour moi un total étranger, et je ne suis pas sûre de pouvoir l'aimer.

— Je comprends. Moi aussi, je ressens de la colère. Et je sais ce que c'est de n'être pas sûre de qui on est, et de ce qu'on a au fond de soi.

— Tu sais, Shannon, il n'aurait pas exigé de toi plus que tu ne pouvais donner, dit Brianna en entrant dans la pièce. Il n'a jamais demandé cela à personne.

Elle glissa sa main dans celle de Shannon, si bien qu'elles se retrouvèrent toutes les trois côte à côte, le regard tourné vers la fenêtre.

— Nous sommes unies par le sang, ajouta doucement Brianna. A nous de décider si nous voulons l'être par le cœur.

## 12

Elle avait besoin de réfléchir, et voulait prendre le temps de le faire. Shannon avait conscience que quelque chose d'irréversible s'était passé dans la cuisine de Maggie.

Elle avait des sœurs.

Elle ne pouvait nier ce lien plus longtemps, ni faire semblant de ne pas en être profondément émue. Elle s'intéressait à elles, à leur famille, à leur vie. Quand elle serait rentrée à New York, elles resteraient en contact, s'écriraient, se téléphoneraient et se rendraient visite de temps à autre. Elle reviendrait même sûrement régulièrement passer une semaine ou deux à Blackthorn Cottage au cours des années à venir.

Et puis, elle aurait ses peintures en souvenir. Sa première étude de la ronde de pierres était maintenant finie. Quand elle s'était reculée devant la toile achevée, elle avait été frappée par la force, la tension et la passion qu'elle était parvenue à rendre.

Jusqu'à présent, elle n'avait jamais peint quelque chose d'aussi vrai, ni n'avait ressenti cet attachement quasi viscéral pour aucune de ses œuvres.

Elle avait eu envie de commencer une autre toile alors que la première n'était pas encore sèche. Le dessin qu'elle avait fait de Brianna dans le jardin s'était transformé en une aquarelle délicate, indéniablement romantique, qui était presque terminée.

D'ailleurs, elle avait des quantités d'idées et de sujets en tête. Comment résister à cette lumière magique, à ces nuances infinies de vert — ou à ce vieil homme armé d'un gros bâton en frêne qu'elle avait vu pousser ses vaches le long d'une route tortueuse ? Tout, absolument tout ce qu'elle contemplait, paysages et visages confondus, lui donnait envie de peindre.

Elle ne voyait aucune raison de ne pas prolonger son séjour d'une semaine ou deux. Elle allait s'octroyer de vraies vacances de fonctionnaire, et explorer une facette de ses talents qu'elle avait en grande partie laissée de côté pour se consacrer à sa carrière.

La liberté financière dont elle jouissait était une parfaite justification pour rester plus longtemps en Irlande. En outre, si sa situation à Ry-Tilghmanton n'était pas assez solide pour résister à un congé sabbatique, alors elle se trouverait un autre poste en rentrant à New York.

Pour l'instant elle se rendait chez Murphy, sa veste sur le bras. Elle avait eu l'intention de la lui rapporter plus tôt, mais, ayant planté ces derniers jours son chevalet à proximité de l'auberge, elle n'en avait pas eu l'occasion, et elle aurait trouvé lâche de demander à Brianna ou à Gray de s'en charger à sa place.

De toute manière, il était certainement dans les champs ou dans la grange. Laisser la veste sur la terrasse avec un petit mot de remerciement lui semblait une excellente solution.

Mais, bien entendu, elle ne le trouva ni dans les champs ni dans la grange. Elle aurait dû s'en douter, étant donné la chance qui la caractérisait dès qu'il s'agissait de Murphy...

En s'engageant dans l'allée, juste après le portail, Shannon vit ses bottes éculées qui dépassaient de sous la petite voiture en mauvais état.

— Merde !

Shannon écarquilla de grands yeux, puis une lueur amusée dansa dans son regard lorsqu'elle entendit le torrent d'injures qui sortit de sous la voiture, entrecoupé par quelques martèlements métalliques.

Tout à coup, Murphy s'extirpa de sous la carrosserie. Son visage, couvert de cambouis et rouge de fureur, passa par toute une série de transformations en apercevant Shannon.

— Je ne savais pas que tu étais là...

Il s'essuya le menton d'un revers de main, étalant au passage un peu plus de canbouis, ainsi qu'une légère trace de sang.

— J'aurais surveillé mon langage.

— Il m'arrive d'utiliser certains de ces mots, dit-elle d'un ton léger, mais pas avec ce délicieux accent. Tu as un problème ?

— Ça pourrait être pire...

Murphy resta assis un moment, puis se leva avec une grâce comparable à celle d'un danseur.

— J'ai promis à mon neveu Patrick de lui remettre cette voiture en état, mais ça va me prendre plus de temps que je ne pensais.

Shannon considéra une nouvelle fois la voiture.

— Si tu arrives à refaire rouler ça, ce sera un miracle.

— C'est juste un problème de transmission. Je devrais pouvoir le régler, fit-il en haussant les épaules. Pour ce qui est de la carrosserie, ce n'est pas mon boulot, Dieu merci.

— Je ne veux pas te retarder. Je passais seulement te... Mais tu saignes !

D'un bond, Shannon parcourut la distance qui les séparait et lui prit la main en examinant d'un œil inquiet son pouce qui saignait.

— J'ai dû m'écorcher en resserrant un boulon.

— Tu ferais bien de nettoyer ça.

Ce fut soudain son tour de se sentir gênée de la manière dont elle lui tenait la main. Aussitôt, elle la relâcha.

— Je vais le faire.

Sans la quitter des yeux, Murphy sortit un mouchoir de sa poche arrière pour éponger le sang.

— Je me demandais quand tu allais venir. Tu m'as soigneusement évité, ces jours-ci.

— Non, j'étais occupée. Mais j'ai pensé plusieurs fois à te rapporter ça.

Il prit la veste qu'elle lui tendait et la jeta sur le capot de la voiture.

— Ce n'est pas grave. J'en ai une autre.

Un sourire au coin des lèvres, il s'appuya contre la voiture et alluma une cigarette.

— Dis-moi, Shannon Bodine, tu es bien jolie aujourd'hui. Mais tu ne risques rien, vu que j'ai les mains trop sales pour t'embêter. Tu as rêvé de moi?

— Ne recommence pas, Murphy.

— Donc, tu as rêvé de moi, fit-il en tirant sur sa cigarette. Moi aussi, j'ai rêvé de toi. Dommage que tu n'aies pas été dans mon lit à ce moment-là.

— Eh bien, je suis désolée, mais ça n'arrivera pas.

Murphy se contenta de se tripoter l'oreille en lui souriant.

— Je t'ai aperçue, l'autre jour. Tu te promenais dans les champs avec Maggie. Tu avais l'air plus à l'aise avec elle.

— Nous allions à son atelier. Je voulais le voir.

Il haussa les sourcils.

— Elle te l'a montré?

— Oui. Nous avons fait un presse-papiers.

— *Nous !* répéta-t-il avant de la regarder, bouche bée. Tu as touché à ses outils et elle ne t'a pas brisé les doigts? Oh, je vois... Vous vous êtes battues, tu as eu le dessus et tu as réussi à l'attacher.

Vaguement mal à l'aise, Shannon épousseta sa manche.

— Je n'ai pas eu besoin de recourir à la violence.

— Ce doit être à cause de tes yeux de fée, dit-il en inclinant la tête. Il n'y a plus autant de chagrin dans tes yeux. Tu vas mieux.

— Je pense à elle tous les jours. A ma mère. Je n'ai pas beaucoup vu mon père et ma mère ces dernières années.

— C'est dans l'ordre des choses, Shannon. Les enfants grandissent et se font une vie à eux.

— J'aurais dû les appeler plus souvent, prendre plus de temps pour venir les voir. Surtout après la mort de mon père. Je savais pourtant alors combien la vie est courte. Mais je les ai négligés.

Elle se retourna pour regarder les fleurs qui s'épanouissaient avec exubérance dans la douceur du printemps.

— Ils sont morts tous les deux en moins d'un an, et j'ai bien cru que je n'arriverais jamais à surmonter mon chagrin. Mais c'est pourtant ce qui se passe. La souffrance s'estompe, malgré soi.

— Aucun d'eux n'aurait voulu te voir le pleurer trop longtemps. Ceux qui nous aiment veulent qu'on se souvienne d'eux, mais dans la joie.

Shannon lui jeta un coup d'œil par-dessus son épaule.

— Pourquoi est-ce si facile de te parler de tout ça ? Ça ne devrait pas.

Elle se retourna pour lui faire face et secoua la tête.

— J'étais venue déposer cette veste en pensant que tu serais je ne sais où. Je comptais bien t'éviter.

Murphy jeta sa cigarette qu'il écrasa du bout du pied.

— Je serais venu te chercher, après t'avoir laissé le temps de réfléchir.

— Ça n'aurait rien changé. Ce que je finis presque par regretter, car je commence à trouver que tu es vraiment quelqu'un de rare. Mais ça n'aurait rien changé.

— Pourquoi ne viens-tu pas m'embrasser, Shannon ?

Son ton était léger, amical et plein d'assurance.

— Ensuite, tu me répéteras cette absurdité.

— Non ! dit-elle fermement avant d'éclater de rire. Ce genre d'impudence devrait me mettre hors de moi...

Elle renvoya ses cheveux en arrière.

— Bon, je m'en vais.

— Viens prendre une tasse de thé. Je vais me laver, dit-il en avançant d'un pas et en prenant garde de ne pas la toucher, et ensuite je t'embrasserai.

Un cri de joie la fit se retourner. Apercevant Liam courir dans l'allée, Murphy dut faire un gros effort pour juguler son désir.

— Tiens, tiens, on dirait qu'on a de la visite...

Il s'accroupit et le petit garçon lui fit un baiser retentissant et mouillé.

— Comment ça va, Liam ? Je te prendrais volontiers sur les épaules, dit-il en voyant l'enfant lui tendre les bras, mais, dans l'état où je suis, ta mère ne manquerait pas de m'étriper.

— Tu veux venir avec moi ?

Liam se détourna de Murphy pour sauter affectueusement dans les bras de Shannon. Elle le mit à califourchon sur sa hanche quand Rogan arriva à son tour.

— Cet enfant se transforme en véritable boulet de canon dès qu'on approche de la ferme. Alors, ça avance ? fit Rogan en hochant la tête vers la voiture.

— Pas assez vite à mon goût. Shannon venait justement prendre le thé. Vous venez avec nous ?

— Qu'est-ce que tu en dis, Liam ?

— Du thé ! s'écria le petit garçon en se fendant d'un large sourire et en embrassant Shannon à pleine bouche.

— C'est l'idée des gâteaux qui vont avec qui le rend si démonstratif, dit Rogan. Justement, Shannon, c'est toi que je venais voir. Ça va m'épargner une partie du chemin.

— Oh...

Apparemment, elle était coincée. Prenant les choses avec philosophie, elle entra dans la maison avec Liam.

— Installez-vous dans la cuisine, dit Murphy. Il faut que je me lave.

Tandis que Liam bredouillait des paroles incompréhensibles, Shannon passa dans la cuisine avec Rogan. Le voir remplir la bouilloire, mesurer le thé et ébouillanter la théière la surprit. Ça n'avait en soi rien d'étonnant, mais il était si... si à l'aise. Ses vêtements avaient beau être simples, tout en lui respirait l'argent, les privilèges et le pouvoir.

— Je peux te poser une question ? se hâta-t-elle de lui demander avant de changer d'avis.

— Bien sûr.

— Que fait ici un homme comme toi ?

Il lui sourit, d'un sourire si fugace, si séduisant, qu'elle eut du mal à ne pas rester béate d'admiration.

Nul doute que ce sourire était pour lui une arme impitoyable.

— Pas un immeuble de bureaux, pas un théâtre et pas un seul restaurant français en vue, fit-il d'un ton railleur.

— Exactement. Certes, l'endroit est magnifique, mais j'ai toujours l'impression que quelqu'un va dire « coupez », que l'écran va s'éteindre et que je vais me rendre compte que je me trouvais dans un film.

Rogan ouvrit une boîte en fer et donna un biscuit à Liam pour le distraire.

— Ma première réaction en découvrant cette partie du monde n'a pas été aussi romantique. La première fois que je suis venu ici, je jurais tous les cent mètres. Diable, c'était comme s'il n'allait jamais s'arrêter de pleuvoir ! Et puis l'Ouest est très loin de Dublin, pas seulement en kilomètres. Attends, je vais le prendre. Il va te mettre des miettes partout.

— Ça ne me dérange pas...

Shannon serra Liam plus fort dans ses bras.

— Mais tu t'es finalement installé ici, insista-t-elle.

— Nous avons une maison ici et une autre à Dublin. Je voulais ouvrir une nouvelle galerie, et j'avais travaillé sur le concept bien avant de rencontrer Maggie. Et une fois que je l'ai prise sous contrat, que je suis tombé amoureux d'elle et que je l'ai convaincue de m'épouser, le concept est devenu la Worldwide Gallerie de Clare.

— Tu veux dire que c'était une décision professionnelle ?

— Ça, c'était secondaire. Maggie a ses racines ici. Si je l'en avais arrachée, elle aurait eu le cœur brisé. Alors nous avons Clare et Dublin, et ça nous convient parfaitement.

Rogan se leva pour aller chercher la bouilloire qui fumait et termina de préparer le thé.

— Maggie m'a montré le portrait que tu as fait de Liam ; il faut du talent pour rendre tant de choses avec simplement des ombres et quelques coups de crayon.

— Le fusain, c'est facile, et c'est un peu mon hobby.

203

— Ah, un hobby...

Prenant soin de ne pas abattre tout de suite son jeu, Rogan se tourna vers Murphy qui venait de les rejoindre.

— Est-ce que la musique est pour toi un hobby, Murphy?

— C'est toute mon âme.

Il s'arrêta devant la table et ébouriffa les cheveux de Liam.

— Alors, tu me piques mes biscuits? Tu vas me payer ça.

Il hissa le petit garçon à bout de bras et lui chatouilla le ventre, déclenchant chez l'enfant de joyeux éclats de rire.

— Camion! dit Liam d'une voix autoritaire.

— Tu sais où il est, non? Va vite le chercher.

Murphy reposa l'enfant et lui donna une petite tape sur les fesses.

— Assieds-toi par terre et amuse-toi tranquillement. Et si je t'entends, gare à toi.

Tandis que Liam s'éloignait en trottinant, Murphy sortit des tasses d'un placard.

— Il a une passion pour le camion en bois avec lequel je jouais quand j'étais petit, expliqua-t-il. Il lui arrive de rester sage dix ou quinze minutes d'affilée. Assieds-toi, Rogan. Je vais m'occuper du reste.

Rogan s'assit en face de Shannon et lui décocha son fameux sourire.

— J'ai jeté un coup d'œil sur la toile que tu viens de terminer, celle avec la ronde de pierres. J'espère que ça ne t'ennuie pas?

— Non, fit-elle en plissant toutefois le front.

— Je vois bien que si, et Brie n'était pas contente que j'insiste pour la voir quand elle m'en a parlé. Elle m'a fait promettre de te prévenir moi-même que j'avais violé ton intimité, et de m'en excuser.

— Ce n'est pas grave, je t'assure...

Shannon leva les yeux sur Murphy qui venait de remplir les tasses.

— Merci.

— Je t'en offre mille livres.

Shannon faillit s'étouffer.

— Tu n'es pas sérieux?

— En matière d'art, je suis toujours sérieux. Si tu as quoi que ce soit d'autre de terminé, ou en cours, ça m'intéresserait d'y jeter un coup d'œil.

Elle était plus que perplexe.

— Je ne vends pas mes peintures.

Rogan hocha calmement la tête, puis but une gorgée de thé.

— Très bien. Je les vendrai pour toi. Worldwide serait très honorée de te représenter.

La tête lui tournait, et elle resta sans voix. Elle savait qu'elle avait du talent. Elle ne serait jamais arrivée si loin à l'agence si elle avait été médiocre. Mais la peinture était pour elle une détente, quelque chose qu'elle faisait le dimanche matin ou pendant les vacances.

— Nous aimerions beaucoup présenter ton travail dans la galerie de Clare, poursuivit Rogan, sachant précisément quand et comment profiter de son avantage.

— Je ne suis pas irlandaise.

Trouvant que sa voix manquait d'assurance, Shannon fronça les sourcils et recommença.

— Maggie m'a expliqué que vous ne présentiez que des artistes irlandais, or je ne suis pas irlandaise.

Cette déclaration fut accueillie par un respectueux silence.

— Je suis américaine, insista-t-elle, un peu désespérée.

Sa femme l'avait prévenu que Shannon réagirait ainsi. Fidèle à son habitude, Rogan voyait cependant déjà beaucoup plus loin.

— Si tu acceptes, nous te présenterons en tant qu'artiste américaine d'origine irlandaise. Acheter tes œuvres au coup par coup ne me pose aucun problème, mais je crois qu'il serait de notre intérêt à tous les deux de conclure un accord plus formel, avec des clauses précises.

— C'est comme ça qu'il a eu Maggie, dit Murphy à

Shannon, enchanté de ce qui se passait. Mais j'aimerais bien que tu ne lui vendes pas cette peinture avant que je l'aie vue. Il se peut que je fasse monter les enchères.

— Je ne pense pas que je veuille la vendre. Enfin, je n'en sais rien. Je n'ai jamais réfléchi à ce genre de chose.

Confuse, Shannon entortilla une mèche de cheveux autour de son doigt.

— Rogan... je suis une artiste qui travaille dans la publicité.

— Tu es une artiste, rectifia-t-il. Et tu as tort de te fixer des limites. Si tu préfères réfléchir pour les pierres...

— *La Ronde*, murmura-t-elle, je l'ai intitulée simplement *La Ronde*.

Ce fut à cet instant, à cause du ton de sa voix et de la petite lueur qui brilla dans son regard, que Rogan sut qu'il avait gagné. Mais il n'était pas du genre à se glorifier trop vite de ses victoires.

— Si tu préfères y réfléchir encore, reprit-il du même ton posé et raisonnable, peut-être pourrais-tu me la prêter pour que je l'expose à la galerie.

— Je... Eh bien...

Refuser lui paraissait non seulement stupide mais franchement grossier.

— D'accord. Si c'est ce que tu veux, ça ne me dérange pas.

— Je t'en remercie.

Sa mission étant en partie accomplie, il se leva.

— Il faut que je ramène Liam pour qu'il fasse sa sieste. Maggie et moi faisons équipe aujourd'hui. Elle a travaillé ce matin, et je dois maintenant aller à la galerie. Je peux passer prendre ton tableau en partant ?

— Pourquoi pas ? Oui, bien sûr. Mais il n'est pas encadré.

— Nous nous en chargerons. Je vais te faire préparer un contrat pour que tu l'examines.

Shannon lui jeta un regard étonné.

— Un contrat ? Mais...

— Tu prendras tout le temps qu'il faudra pour le lire en détail, y réfléchir et, bien entendu, nous procéderons à tous les changements que tu souhaiteras. Merci pour le thé, Murphy. Il me tarde de t'entendre jouer au prochain *ceilidh*.

Murphy se contenta de lui sourire, puis se tourna vers Shannon dès que Rogan partit chercher son fils.

— Pas facile de lui échapper, hein ?

Elle regardait devant elle en repensant à la conversation qui venait d'avoir lieu.

— Qu'est-ce que j'ai accepté, en fait ?

— Tout dépend comment on considère les choses. Rien. Ou tout. Rogan est très astucieux. Je l'ai bien observé et, comme je m'y attendais, pas une seconde il n'a lâché prise avant d'avoir obtenu ce qu'il voulait.

— Je ne sais pas trop qu'en penser, grommela Shannon.

— Il me semble que si j'étais un artiste et qu'un homme qui a la réputation d'être un expert dans le monde entier et d'adorer ce qu'il fait trouvait une valeur quelconque à mon travail, j'en serais extrêmement fier.

— Mais je ne suis pas peintre.

Patiemment, Murphy croisa les bras sur la table.

— Pourquoi as-tu cette manie de toujours clamer ce que tu n'es pas ? Tu n'es pas irlandaise, tu n'es pas la sœur de Brie et de Maggie, tu n'es pas peintre... tu n'es pas amoureuse de moi.

— Parce qu'il est plus facile de savoir ce qu'on n'est pas que ce qu'on est.

Sa remarque le fit sourire.

— Voilà une réflexion sensée. Tu voudrais que tout soit toujours facile ?

— Je n'ai jamais pensé ça. Courir après les défis a toujours été pour moi une fierté...

Troublée, et légèrement effrayée, Shannon ferma les yeux.

— Trop de choses changent autour de moi. Je ne me sens pas en terrain solide. Chaque fois que je crois l'être, tout change à nouveau.

— Et ce n'est pas facile quand on a l'habitude de savoir où on va.

Il se leva et la prit dans ses bras.

— Non, ne t'inquiète pas...

Sa voix se fit plus douce en la sentant se raidir.

— Je veux juste te tenir contre moi. Pose ta tête là une seconde, ma belle. Laisse-toi aller.

— Ma mère aurait été tout excitée.

— C'est ce que tu ressens toi qui compte.

Tendrement, il lui caressa les cheveux, en espérant qu'elle ne le prendrait pas mal. Un simple geste amical.

— Tu sais, à une époque, ma mère a espéré que je partirais en ville et que je vivrais de ma musique.

— Vraiment ?

Sa tête était nichée au creux de son épaule, et elle y était très bien.

— Je croyais que toute ta famille s'attendait... voulait que tu t'occupes de la ferme.

— Elle s'est mise à nourrir cet espoir quand j'ai commencé à montrer un certain intérêt pour les instruments et la musique. Elle voulait que ses enfants connaissent autre chose que ce qu'elle-même avait connu, et elle m'aimait plus encore que la ferme.

— Et elle a été déçue ?

— Sans doute un peu, jusqu'à ce qu'elle comprenne que c'était ce que je voulais, dit-il en souriant. Dis-moi, Shannon, tu es heureuse dans ton travail ?

— Évidemment. Je suis douée, et je peux encore progresser. D'ici quelques années, j'aurai le choix entre faire partie de la direction de l'agence ou démarrer une affaire à moi.

— Mmm... Ça ressemble plus à de l'ambition qu'à du bonheur.

— Pourquoi faut-il que ce soit différent ?

— Je ne sais pas...

Murphy s'écarta soudain, craignant de ne pouvoir résister à l'envie qu'il avait de l'embrasser, alors que ce n'était nullement ce dont elle avait besoin pour l'instant.

— Tu devrais te poser la question, y réfléchir, pour

savoir si dessiner pour quelqu'un d'autre te fait éprouver la même chose que de peindre ce dont tu as toi-même envie.

Et il l'embrassa, mais légèrement, sur le front.

— En attendant, tu ferais mieux de sourire plutôt que de te morfondre. Rogan ne prend que les meilleurs dans ses galeries. Tu n'es encore jamais allée à Ennistymon, n'est-ce pas?

— Non, dit-elle, regrettant qu'il l'ait relâchée. C'est là que se trouve la galerie?

— Juste à côté. Je t'y emmènerai, si tu veux. Mais pas aujourd'hui, ajouta-t-il en jetant un coup d'œil à la pendule. J'ai encore deux ou trois choses à faire, et j'ai promis à Feeney de passer l'aider à réparer son tracteur.

— De toute façon, je t'ai pris assez de temps comme ça.

— Tu peux m'en prendre autant que tu veux.

Il lui saisit la main et la caressa du bout du pouce.

— Tu n'as qu'à venir ce soir au pub. Je t'offrirai un verre pour fêter ça.

— Je ne suis pas sûre qu'il y ait quelque chose à fêter, mais je passerai peut-être.

Devinant ce qu'il allait faire, Shannon recula.

— Murphy, je ne suis pas venue ici pour lutter avec toi dans la cuisine.

— Je n'en ai jamais eu l'intention.

— J'ai très bien vu la petite lueur qui brille dans tes yeux, maugréa-t-elle. C'est signe qu'il faut que je m'en aille.

— Mes mains sont propres, par conséquent je ne te salirai pas en t'embrassant.

— Ce n'est pas ça qui m'inquiète, c'est de... Oh, et puis, peu importe! Contente-toi de laisser tes mains là où je peux les voir. Je ne plaisante pas.

Docilement, il leva les mains en l'air, et sentit son cœur se retourner lorsqu'elle se hissa sur la pointe des pieds pour l'embrasser sur la joue.

— Merci pour le thé... et pour l'épaule.

— Tu peux revenir prendre l'un ou l'autre quand tu voudras.

Shannon soupira et s'obligea à reculer encore d'un pas.

— Je sais... Tu ne fais vraiment rien pour m'aider à être raisonnable.

— Si tu ne te sens pas d'humeur raisonnable, Feeney peut attendre.

Shannon ne put s'empêcher de rire. Aucun homme ne lui avait jamais proposé de l'emmener au lit avec autant de style.

— Retourne à ton travail, Murphy. Je crois que je suis d'humeur à peindre.

Connaissant maintenant parfaitement le raccourci par les champs, elle se dirigea vers l'arrière de la maison.

— Shannon Bodine?

— Oui?

Elle se retourna en riant et continua à marcher à reculons en le voyant sortir de la cuisine.

— Tu veux bien peindre quelque chose pour moi? Quelque chose qui me fasse penser à toi?

— Je vais voir.

Puis elle agita vaguement la main, pivota sur ses talons et repartit en vitesse à Blackthorn.


Kayla faisait la sieste sous l'amandier en fleur que Murphy avait planté pour elle dans le jardin de l'auberge. Sa mère était en train de désherber un parterre, tandis que son père faisait tout son possible pour la convaincre de rentrer se livrer à des activités d'intérieur avec lui.

— La maison est déserte, dit-il en laissant courir ses doigts sur le bras de Brianna. Tous les clients sont partis en excursion, et la petite dort à poings fermés.

Il se pencha pour l'embrasser dans la nuque, vivement encouragé de la voir frissonner sous son baiser.

— Viens au lit avec moi, Brianna.

— J'ai du travail.

— Tes fleurs ne vont pas s'envoler.

— Les mauvaises herbes non plus.

Elle tressaillit de plus belle en sentant le bout de sa langue sur sa peau.

— Ah, tu exagères, j'ai failli arracher une marguerite. Laisse-moi et va donc...

— Je t'aime, Brianna.

Il lui prit les mains et les embrassa tour à tour. D'un seul coup, elle se sentit fondre. Corps et âme.

— Oh, Grayson...

Elle ferma les yeux lorsqu'il frotta ses lèvres de façon pressante contre les siennes.

— Nous ne pouvons pas... Shannon risque de revenir d'une seconde à l'autre.

— Et alors? Tu crois qu'elle ignore comment Kayla est venue au monde?

— Là n'est pas le problème, répondit-elle en le prenant toutefois dans ses bras.

Il retira une première épingle de son chignon.

— Alors, quel est le problème?

Elle était certaine de sa réponse, une réponse simple et irréfutable.

— C'est que je t'aime, Grayson, fit-elle en riant.

D'un pas nonchalant, Shannon arriva dans le jardin et se figea sur place. Sa première réaction, mi-amusée, mi-gênée de les surprendre dans un moment aussi intime, laissa vite place à un réel intérêt.

Le tableau qu'ils formaient était touchant, et follement romantique. Le bébé, endormi sous sa couverture rose pâle, avec les arbres en fleurs et le linge qui séchait sur le fil à l'arrière-plan. Et l'homme et la femme, agenouillés dans l'herbe, enlacés tendrement dans les bras l'un de l'autre.

Dommage qu'elle n'ait pas eu un carnet de croquis sous la main...

Shannon avait dû faire du bruit, car Brianna se retourna et rougit en la voyant.

— Pardon... Je m'en vais.

— Non...

A la seconde où Shannon faisait demi-tour, Brianna se libéra de l'étreinte de Gray.

— Shannon, attends, ne sois pas bête...

— Va-t'en, insista Gray en voyant hésiter Shannon. Sois bête, file !

— Oh, Grayson !

Choquée, Brianna s'essuya les mains et se releva.

— Nous... J'étais en train de retirer les mauvaises herbes autour des pensées.

Shannon réprima un sourire.

— Oh, j'avais vu. Je vais faire un tour.

— Mais... tu viens à peine de rentrer.

— Eh bien, laisse-la aller en faire un autre...

Gray se leva, prit sa femme par la taille et jeta à Shannon un regard lourd de signification.

— Et surtout, prends tout ton temps.

Ignorant Brianna qui essayait de se dégager, il retira une seconde épingle de son chignon.

— Mieux ; prends ma voiture. Tu peux...

Il laissa échapper un grognement d'ours furieux en entendant Kayla se mettre à pleurer.

— Il faut lui changer sa couche, dit Brianna en s'éclipsant vers le petit lit.

Amusée, et se sentant follement désirée, elle sourit à son mari en prenant sa fille dans ses bras.

— Tu n'as qu'à brûler ton trop-plein d'énergie en arrachant les mauvaises herbes, Grayson. Je dois préparer des gâteaux.

Avec un regret évident, il regarda sa femme, et vit ses espoirs de passer une petite heure intime avec elle s'envoler en fumée.

— Les gâteaux... Je dois dire que je les avais complètement oubliés, fit-il d'un air navré.

— Désolée, s'excusa Shannon en haussant les épaules tandis que Brianna rentrait avec le bébé. Mauvaise synchronisation.

— Ça, tu peux le dire ! s'exclama Gray en la prenant par le cou. Pour la peine, tu vas venir m'aider à arracher ces foutues herbes.

— C'est la moindre des choses...

Et elle s'accroupit dans l'herbe à côté de lui.

— Je suppose que tous les clients sont absents ?

— Ils sont partis se balader. Au fait, nous avons appris la nouvelle. Félicitations !

— Merci. Je suis encore sous le choc. Rogan a une façon incroyable de repousser toutes les objections jusqu'à ce qu'on finisse par acquiescer à tout ce qu'il dit.

— C'est vrai.

Intrigué, Gray observa le profil de Shannon.

— Parce que tu vois une objection à être associée à Worldwide ?

— Non. Enfin, je ne sais pas trop, répondit-elle avec une certaine nervosité. C'est si inattendu. J'aime bien avoir le temps de me préparer à ce qui va m'arriver. Sans compter que j'ai déjà une carrière.

A laquelle elle n'avait pas pensé une seule seconde depuis des semaines.

— Je suis habituée à travailler en temps limité, à un rythme soutenu et dans un environnement où règne une agitation permanente. La peinture, ce genre de peinture, est quelque chose de solitaire, et qui dépend davantage de l'humeur que du marketing.

— Être habitué à un style de vie ne signifie pas qu'on ne puisse pas en changer, si la récompense en vaut la peine.

Gray lança un coup d'œil vers la fenêtre de la cuisine.

— Tout dépend de ce qu'on veut, et de la force avec laquelle on le veut.

— C'est justement ce que je n'arrive pas à décider. J'ai l'impression de stagner. Et je suis pas habituée à ça. J'ai toujours su ce qu'il fallait que je fasse, j'ai toujours eu confiance — peut-être trop — en ce que j'étais.

Shannon effleura les pétales violets d'une pensée d'un air songeur.

— Peut-être est-ce parce qu'il n'y avait que mes parents et moi. Je n'avais aucune autre famille. Je me suis toujours sentie capable de me débrouiller toute seule et de faire exactement ce que je voulais. Étant enfant, je ne me suis jamais vraiment liée à personne, à cause de nos fréquents déménagements. Mais je me suis toujours sentie à l'aise avec les inconnus, dans un nouvel endroit ou devant une nouvelle situation. Je n'ai jamais eu le sentiment d'avoir de véritable lien avec qui que ce soit en dehors de mes parents. A l'époque où nous nous sommes installés à Columbus, je savais déjà quel était mon but, et j'ai tout fait pour l'atteindre, étape par étape. Et en moins d'un an, j'ai perdu mes parents et découvert que ma vie n'était pas ce que je croyais. Brusquement, je me retrouve au beau milieu d'une famille que je ne me connaissais pas. Je ne sais même plus ce que je ressens, vis-à-vis des autres ou de moi.

Shannon releva la tête et esquissa un petit sourire.

— Hou là là! Je parle trop, non?

— Ça fait souvent du bien de dire tout haut ce qu'on a sur le cœur...

Doucement, Gray lui tira une mèche de cheveux.

— Et il me semble que quand on sait avancer étape par étape, on peut le faire dans n'importe quelle direction. Il suffit de rester seul quand on en a envie. J'ai mis un bon moment avant de comprendre ça.

Le baiser qu'il posa sur sa joue arracha un sourire à Shannon.

— Détends-toi, ma belle, et profite du moment présent.

## 13

Le lendemain matin, Shannon décida de peindre dans le jardin afin de mettre la touche finale à l'aquarelle de Brianna. Le bourdonnement d'une activité fébrile lui parvenait de la maison, car une famille de Mayo se préparait à quitter l'auberge afin de poursuivre son voyage vers le sud du pays.

L'odeur des *buns* tout chauds que Brianna avait faits pour le petit déjeuner se mêlait au parfum du rosier grimpant sur la treille.

Shannon recula en se mordillant l'index pour regarder sa toile enfin terminée.

— C'est vraiment très beau...

Liam sur ses talons, Maggie arriva sur la pelouse derrière elle.

— Il faut dire que Brianna est un bon sujet.

Elle se pencha et embrassa Liam sur le bout du nez.

— Tante Brie a fait des *buns*, chéri. Va vite te régaler.

Dès que son fils décampa, en claquant la porte de la cuisine derrière lui, Maggie regarda plus attentivement l'aquarelle.

— Rogan avait donc raison. C'est rare qu'il se trompe, ce qui est toujours pour moi une épreuve. Il a emporté ta toile de la ronde de pierres à la galerie avant même que j'aie eu le temps de la voir.

— Et tu voulais vérifier par toi-même si ça valait vraiment quelque chose.

— Le portrait que tu as fait de Liam était plus que

bon, concéda Maggie. Mais on ne peut pas juger sur un simple dessin au fusain. Je peux t'assurer qu'il va vouloir celui-ci, et il va te harceler jusqu'à ce que tu cèdes.

— Ce n'est pas du harcèlement, c'est une entreprise de démolition pure et simple.

Maggie éclata d'un rire sonore.

— Oh, c'est bien vrai ! Sacré Rogan... Tu as d'autres choses ?

Sans attendre d'y être invitée, elle prit le carnet de croquis de Shannon et commença à le feuilleter.

— Regarde, je t'en prie, dit sèchement Shannon.

Maggie ne manifesta son intérêt et son approbation que par quelques exclamations, puis laissa échapper un rire ravi.

— Oh, il faut que tu fasses celui-ci ! Il le faut absolument. Murphy sur ses terres... L'homme et ses chevaux... Décidément, j'aimerais bien être capable de faire des portraits comme celui-ci.

— Pendant que je peignais le cercle des fées, je l'ai aperçu au loin, expliqua Shannon en inclinant la tête pour examiner à son tour le dessin. Et je n'ai pas pu résister.

— Quand tu auras fini de peindre cette toile, j'aimerais beaucoup te l'acheter pour sa mère.

Subitement, elle fronça les sourcils.

— A moins que tu n'aies alors signé avec Sweeney. S'il a son mot à dire, il me la fera payer les yeux de la tête. Il demande toujours le prix fort.

— Ça ne devrait pas te poser de problèmes...

Shannon retira la toile du chevalet avec précaution et la posa sur la table.

— Quand je suis allée voir ton exposition à New York, il y a un an ou deux, je suis tombée en arrêt devant une de tes sculptures — une sorte de jaillissement de lumière, avec des couleurs chaudes qui explosaient au milieu. Ce n'est pas dans mes habitudes, mais, diable, j'en ai vraiment eu envie !

— *Rêves enflammés*, murmura Maggie, profondément flattée.

— Oui, c'est ça. J'ai dû choisir entre satisfaire mon

216

désir et un an de loyer. Mais il me fallait bien un toit au-dessus de la tête.

— Il a vendu cette pièce. S'il ne l'avait pas fait, je te l'aurais donnée.

Devant le regard stupéfait de Shannon, Maggie haussa les épaules. Touchée, et ne sachant trop comment réagir, Shannon installa une toile vierge sur le chevalet.

— Tu as de la chance d'avoir un homme d'affaires si avisé pour veiller sur tes intérêts.

Aussi déconcertée que Shannon, Maggie fourra ses mains dans ses poches.

— C'est ce qu'il me dit toujours. Il s'est d'ailleurs mis dans la tête de faire la même chose pour toi.

— Quand je serai rentrée à New York, je n'aurai plus tellement le temps de peindre.

Prenant un crayon, Shannon commença à tracer des traits légers sur la toile.

Maggie l'observa d'un air admiratif. Étant elle-même une artiste, elle savait à coup sûr reconnaître le talent chez les autres.

— Il fait établir les contrats aujourd'hui.

— Il ne perd pas de temps.

— Rogan est plus rapide que l'éclair. Il voudra cinquante pour cent, ajouta-t-elle avec un sourire malicieux. Mais tu pourras le faire descendre à quarante en invoquant le lien de parenté.

La bouche sèche, Shannon se sentit tout à coup mal à l'aise.

— Je n'ai encore rien accepté.

— Ah, mais tu finiras par le faire! Il va te harceler, te faire du charme, tout en se montrant raisonnable et très professionnel. Tu diras non, merci beaucoup, et il fera comme s'il n'avait rien entendu. S'il n'arrive pas à te convaincre, il trouvera une de tes petites faiblesses, un de tes rêves secrets, pour te faire fléchir. Et tu signeras avant même de t'en rendre compte. Tu tiens toujours ton crayon comme ça?

Tout en s'interrogeant sur le bien-fondé des prévisions de Maggie, Shannon jeta un coup d'œil sur sa main.

217

— Oui. Ça permet de garder le poignet souple.

— Mmm... Je tiens le mien plus fermement, mais je vais peut-être essayer. Au fait, je ferais bien de te donner ça avant que tu mélanges tes couleurs.

Et elle sortit de sa poche une boule emballée dans un papier. Dès qu'elle la soupesa, Shannon comprit de quoi il s'agissait.

— Oh, merci...

Elle retira le papier et brandit le globe de verre en pleine lumière.

— C'est toi qui l'as fait en grande partie, il est donc normal qu'il te revienne.

Shannon fit tourner la boule, admirant les tourbillons d'un bleu profond qui semblaient changer de forme et de couleur.

— C'est magnifique. Je te remercie.

— Je t'en prie...

Maggie se reconcentra sur la toile où l'on devinait la silhouette d'un homme et d'un cheval.

— Dans combien de temps penses-tu avoir fini ? C'est une question difficile, je sais, mais j'aimerais beaucoup l'offrir à Mrs. Brennan, la mère de Murphy, quand elle viendra pour le *ceilidh*.

— Si tout va bien, ça ne devrait pas me prendre plus d'un ou deux jours.

Shannon posa la boule de verre, puis reprit son crayon.

— Quand a lieu ce *ceilidh* ? Et qu'est-ce que c'est exactement ?

— Samedi prochain. C'est une sorte de rassemblement au cours duquel on joue de la musique et on danse autour d'un buffet.

Maggie aperçut Brianna qui sortait de la cuisine.

— J'étais en train d'expliquer à cette pauvre Américaine ignorante ce qu'était un *ceilidh*. Où est passé mon petit ouragan ?

— Il est parti au village avec Grayson. Il paraît qu'il s'agit d'une affaire d'hommes.

Brianna les rejoignit et contempla la toile posée sur la table avec un enthousiasme non dissimulé.

— Oh, je suis sincèrement flattée. Ce que tu fais est vraiment très beau, Shannon.

Elle regarda le tableau inachevé d'un air prudent. Son expérience auprès de Maggie lui avait appris qu'un artiste pouvait avoir de brusques sautes d'humeur.

— C'est Murphy, n'est-ce pas ?

— Ça le sera, murmura Shannon, penchée sur son dessin. Je ne savais pas que tu allais organiser une fête, Brie

— Une fête ? Oh, le *ceilidh*... Non, c'est Murphy qui s'en occupe. Cela nous a tous surpris, d'ailleurs, étant donné que sa famille est venue il y a quelques semaines à peine pour le baptême de Kayla. Mais ils vont tous revenir afin de faire ta connaissance.

Shannon lâcha son crayon. Lentement, elle se baissa pour le ramasser.

— Pardon ?

— Ils sont très impatients de te connaître, reprit Brianna, trop occupée à admirer la toile pour voir que Maggie levait les yeux au ciel en faisant d'affreuses grimaces. C'est une chance que la mère de Murphy et son mari puissent faire le voyage depuis Cork deux fois de suite.

Shannon se retourna.

— Pourquoi veulent-ils me rencontrer ?

— Parce que...

Brianna enregistra la mise en garde de Maggie une seconde trop tard. Confuse, elle se mit à lisser son tablier.

— Eh bien, parce que... Maggie ?

— Inutile de me regarder comme ça. Tu as mis les pieds dans le plat, à toi de terminer.

— C'est pourtant une question simple, Brianna. Pourquoi la mère de Murphy et sa famille veulent-ils me rencontrer ?

— Eh bien, quand il leur a dit qu'il te faisait la cour, ils...

— Il leur a dit quoi ?

Folle de rage, Shannon jeta son crayon par terre.

— Mais il est fou ou il est idiot ? Combien de fois va-t-il falloir lui répéter que ça ne m'intéresse pas avant qu'il fasse entrer ça dans son crâne ?

— A mon avis, plusieurs fois ! dit Maggie avec un grand sourire. Au village, les parieurs penchent pour un mariage en juin.

— Maggie... souffla discrètement Brianna.

— Un mariage ? s'exclama Shannon d'un ton qui se situait entre le grognement et le juron. C'est le bouquet ! Il fait venir sa mère pour m'inspecter, il laisse les gens parier...

— A vrai dire, c'est Tim O'Malley qui a lancé les paris, précisa Maggie.

— Mais il faut l'en empêcher !

— Oh, rien n'arrête Tim une fois qu'il a parié.

Shannon jeta à Maggie un regard foudroyant et totalement dépourvu d'humour.

— Tu trouves ça drôle que des gens que je ne connais même pas parient sur moi ?

Maggie n'eut pas besoin de réfléchir pour lui répondre.

— Oui.

Puis elle attrapa Shannon par les épaules en la secouant vigoureusement.

— Allons, calme-toi. Personne ne peut t'obliger à faire quelque chose que tu ne veux pas.

— Murphy Muldoon est un homme mort.

Amusée plus qu'alarmée, Maggie lui tapota la joue.

— Il me semble que tu ne serais pas aussi furieuse si tu étais vraiment aussi peu intéressée que tu le prétends. Qu'est-ce que tu en penses, Brie ?

— Je crois que j'en ai assez dit comme ça...

Toutefois, elle ne résista pas à l'envie de laisser parler son cœur.

— Il t'aime, Shannon, et je ne peux m'empêcher d'être désolée pour lui. Je sais ce que c'est de tomber amoureux et de ne pas trouver d'issue, quitte à avoir l'air parfaitement ridicule. Alors, ne sois pas trop dure avec lui.

La colère de Shannon retomba aussi vite qu'elle avait éclaté.

— Ce serait encore plus cruel de ma part de laisser les choses continuer ainsi, alors que je sais pertinemment que ça ne nous mènera nulle part, tu ne crois pas ?

Maggie prit le carnet de croquis et brandit la page où était dessiné Murphy.

— Nulle part, tu es sûre ?

Voyant que Shannon restait muette, Maggie reposa le carnet.

— Le *ceilidh* est dans une semaine. Ça te laisse du temps pour réfléchir.

— Mais c'est tout réfléchi !

Shannon prit son aquarelle et l'emporta dans la maison. En montant dans sa chambre, elle s'entraîna à répéter ce qu'elle dirait à Murphy dès qu'elle serait chez lui.

Certes, il était dommage de devoir briser une amitié qui comptait beaucoup pour elle. Néanmoins, elle doutait de parvenir à lui faire entendre raison autrement que par une séparation claire et définitive.

D'ailleurs, c'était la faute de cet imbécile... Elle se força à prendre le temps de poser soigneusement la toile contre le mur de sa chambre, puis s'approcha de la fenêtre pour regarder les champs. Au bout de quelques minutes, elle entendit des éclats de voix devant l'auberge.

Ça ne pouvait mieux tomber. Elle allait en profiter pour traquer la bête dans sa tanière.

Shannon se rua dans l'escalier et fut dehors en moins d'une seconde. Elle était déjà près du portail lorsqu'elle vit la voiture garée au bord de la route, Maggie et Brianna debout de chaque côté.

Il était clair qu'une dispute avait éclaté. La voix courroucée de Maggie lui parvint, et Shannon s'apprêtait à s'en aller quand elle remarqua l'expression de Brie.

Elle était toute pâle et se tenait raide et figée, avec un air de réelle souffrance dans le regard.

Décidément, c'était le jour...

Les propos rageurs cessèrent brusquement quand elle s'approcha de la voiture et croisa le regard de Maeve.

— Shannon! l'interpella Brianna en croisant nerveusement les mains. Lottie et maman sont venues nous rendre visite...

La femme au visage rond et à l'air débordé qui était au volant descendit de voiture.

— Comment allez-vous ? demanda-t-elle avec un bref sourire gêné.

— Remontez en voiture, Lottie, ordonna Maeve. Nous repartons immédiatement.

— Eh bien, repars toute seule, répliqua aussitôt Maggie. Lottie est la bienvenue.

— Et pas moi ?

— C'est toi qui as choisi, lui répondit sa fille en croisant les bras. Alors, sois malheureuse si tu veux, mais cesse de faire du mal à Brie.

— Mrs. Concannon, fit Shannon en écartant Maggie, je voudrais vous parler.

— Je n'ai rien à vous dire.

— Parfait. Vous n'aurez qu'à m'écouter.

Du coin de l'œil, Shannon nota le signe d'approbation que lui fit Lottie, et espéra de toutes ses forces qu'elle n'allait pas la décevoir.

— Vous et moi sommes liées, que cela nous plaise ou non. Nous sommes liées par l'intermédiaire de vos filles, et je refuse d'être à l'origine d'un désaccord quelconque entre vous.

— Personne n'est en désaccord à part elle, lança Maggie.

— Tais-toi, Maggie.

Ignorant la réaction de mauvaise humeur de sa sœur, Shannon poursuivit :

— Vous avez le droit d'être en colère, Mrs. Concannon. Tout comme celui de vous sentir blessée, que ce soit dans votre orgueil ou dans votre cœur, peu importe. En revanche, vous ne pourrez rien changer à ce qui s'est passé, ni à ce qui en est résulté. Pas plus que moi.

Malgré le silence obstiné de Maeve, qui la regardait droit dans les yeux, Shannon était décidée à aller jusqu'au bout.

222

— Mon rôle dans cette histoire est plutôt indirect ; j'en suis le résultat plus que la cause. Et que vous y ayez joué ou non un rôle n'a pas grande importance.

Cette dernière remarque poussa Maeve à sortir de sa réserve pour cracher son venin.

— Vous osez dire que c'est moi qui ai forcé votre mère à commettre le péché d'adultère avec mon mari ?

— Non. Mais je n'étais pas là. Et ma mère n'a jamais reproché à personne, et certainement pas à vous, ce qu'elle a fait. Ce que je veux dire, c'est que votre rôle importe peu. Certains pourraient penser que, puisque vous ne l'aimiez pas, vous ne devriez pas vous formaliser du fait qu'il ait trouvé quelqu'un d'autre. Mais je ne suis pas d'accord avec ça. Vous avez parfaitement le droit d'y accorder de l'importance. Ils ont eu tort d'agir ainsi.

Maggie allait protester, mais Shannon lui intima le silence d'un regard glacial.

— Ils ont eu tort, répéta-t-elle, soulagée que personne ne vienne l'interrompre. Que l'on regarde les choses d'un point de vue moral, religieux ou intellectuel. Vous étiez sa femme, et quelle qu'ait pu être votre déception à l'un ou à l'autre par rapport à ce mariage, il aurait dû le respecter. L'honorer. Ce qu'il n'a pas fait. Et le découvrir au bout de tant d'années n'atténue en rien la colère, ni la trahison.

Elle reprit sa respiration, consciente de capter toute l'attention de Maeve.

— Je ne peux pas revenir en arrière et ne pas être née, Mrs. Concannon. Rien de ce que nous pourrons faire l'une ou l'autre ne brisera le lien qui existe entre nous, aussi allons-nous devoir vivre avec.

Elle s'arrêta à nouveau. Maeve la regardait en plissant les yeux d'un air perplexe.

— Ma mère est morte après que je lui ai dit des choses épouvantables. A cela non plus, je ne peux rien changer, ce que je regretterai toute ma vie. Alors ne laissez pas une chose contre laquelle vous ne pouvez rien vous gâcher la vie. Je vais bientôt repartir, tandis que Maggie, Brie et vos petits-enfants resteront ici.

Ayant le sentiment d'avoir fait de son mieux, Shannon recula.

— Et maintenant, si vous voulez bien m'excuser, il faut que j'aille tuer quelqu'un.

Elle s'éloigna sur la route et n'avait pas fait dix pas quand elle entendit s'ouvrir la portière de la voiture.

— Mademoiselle...

Shannon s'arrêta, se retourna et soutint fièrement le regard de Maeve.

— Oui ?

— Vous avez raison...

Quel que fût l'effort qu'exigeait cet aveu de sa part, Maeve s'arrangea pour le dissimuler sous un brusque hochement de tête.

— Et vous avez du bon sens, en tout cas plus que n'en a jamais eu l'homme dont le sang coule dans vos veines.

— Merci, fit Shannon en s'inclinant légèrement.

Lorsqu'elle se remit en marche, tout le monde considéra Maeve avec des yeux ronds, comme si des ailes venaient tout à coup de lui pousser dans le dos.

— Bon, on ne va pas rester plantées ici toute la journée, remuez-vous un peu, Lottie ! Je veux aller voir ma petite-fille.

Pas mal, songea Shannon en accélérant le pas. Si elle avait autant de chance avec Murphy, elle pourrait considérer sa mission comme accomplie et sa journée comme bien remplie.

Arrivée devant la ferme, elle s'engagea dans la cour et aperçut Murphy devant l'enclos aux moutons, en compagnie d'un petit homme avec une jambe de bois qui tenait une pipe entre ses dents.

Ils ne se parlaient pas, mais elle eût juré qu'une sorte de communication passait entre eux.

Subitement, le vieil homme hocha la tête.

— Bon, c'est d'accord, Murphy. Deux cochons.

— Vous seriez gentil de me les garder, Mr. McNee. Seulement un jour ou deux.

— Pas de problème.

Il enfonça la pipe dans sa bouche et se dirigeait vers l'enclos quand il aperçut Shannon.

— Tu as de la visite, mon garçon.

Murphy se tourna et sourit d'un air radieux.

— Shannon... Je suis heureux de te voir.

— Ah, ne commence pas, espèce de babouin, dit-elle en se précipitant vers lui, le doigt pointé en avant. Tu me dois une petite explication, il me semble.

McNee, debout à côté d'eux, dressa l'oreille.

— C'est elle, Murphy?

Comme pour tâter le terrain, Murphy se gratta le menton avant de répondre.

— C'est elle.

— Tu as pris ton temps pour en choisir une, mais tu as bien choisi.

Trépignant de colère, Shannon se tourna vers le vieux paysan.

— Si vous avez parié sur cet imbécile, vous pouvez dire adieu à votre argent.

— Il y a un pari d'ouvert? demanda McNee d'un air offensé. Pourquoi ne m'a-t-on rien dit?

Alors que Shannon pensait à la satisfaction qu'elle éprouverait à leur cogner la tête l'une contre l'autre, Murphy lui tapota le bras.

— Excuse-moi une minute. Vous voulez que je vous aide à choisir un mouton, Mr. McNee?

— Non, je vais me débrouiller tout seul, d'autant plus que tu as là de quoi t'occuper.

Avec une agilité surprenante, le vieil homme enjamba la barrière de l'enclos, et tous les moutons se dispersèrent aussitôt.

— Rentrons.

— Non, nous allons rester exactement là où nous sommes, rétorqua Shannon.

Elle jura entre ses dents quand il l'agrippa par le bras.

— Non, rentrons. Je préfère que tu hurles en privé.

Toujours soigneux, il s'arrêta sur le seuil pour retirer ses bottes. Puis il ouvrit la porte et attendit galamment qu'elle passe devant lui.

— Tu veux t'asseoir?

— Bon sang, non, je ne veux pas m'asseoir!

Murphy haussa les épaules et s'appuya contre le comptoir.

— Alors, restons debout. Quelque chose te préoccupe ?

La douceur de son ton ne fit que ranimer sa fureur.

— Comment as-tu osé ? Comment as-tu osé appeler ta famille et leur dire de venir voir à quoi je ressemblais, comme si j'étais un cheval que tu allais vendre aux enchères ?

Murphy se détendit.

— Tu as tort de croire ça. Je leur ai demandé de venir pour qu'ils fassent ta connaissance, ce qui est tout à fait différent.

— Je ne vois pas en quoi. Et tu les fais venir sous un faux prétexte. Tu leur as dit que tu me faisais la cour.

— Mais c'est ce que je fais, Shannon.

— Nous avons déjà discuté de ça, aussi n'y reviendrai-je pas.

— Comme tu voudras. Je t'offre une tasse de thé ?

— Non, tu ne m'offres pas de tasse de thé, fit Shannon en grinçant des dents.

— J'ai autre chose pour toi, dit-il en allant chercher une boîte derrière le comptoir. L'autre jour, je suis allé à Ennis et je t'ai acheté ça. J'ai oublié de te le donner hier.

Avec une réaction qu'elle reconnut comme puérile, elle s'empressa de mettre les mains dans son dos.

— Non, sûrement pas. Je ne veux pas de cadeaux de toi. Ce n'est vraiment plus drôle du tout, Murphy.

Il se résigna à ouvrir lui-même la boîte.

— Tu aimes bien les jolies choses. Et celles-ci m'ont tapé dans l'œil.

Malgré elle, Shannon posa le regard sur l'écrin, dans lequel reposait une ravissante paire de boucles d'oreilles d'un style qu'elle aurait pu choisir elle-même. Un cœur en topaze et un cœur en améthyste entrelacés l'un au-dessus de l'autre.

— Murphy, ce sont des boucles d'oreilles très chères. Tu vas aller les rendre.

— Si c'est pour mon portefeuille que tu t'inquiètes, sache que je ne suis pas pauvre.

— C'est à prendre en considération, mais c'est secondaire.

Shannon se força à détourner les yeux des ravissants bijoux.

— Je ne veux accepter aucun cadeau de toi, reprit-elle. Ça ne ferait que t'encourager.

Il avança vers elle jusqu'à ce qu'elle se retrouve coincée contre le réfrigérateur.

— Arrête tout de suite...

— Puisque tu n'en portes pas aujourd'hui, nous allons les essayer. Cesse de bouger, chérie, sinon je ne vais jamais y arriver.

Lorsqu'il voulut lui mettre la première boucle d'oreille, Shannon le repoussa, puis poussa un cri quand le bout de l'attache lui piqua le lobe de l'oreille.

— Bien fait pour toi, marmonna-t-il en se concentrant pleinement sur sa tâche.

— Je te préviens, je vais te frapper ! siffla-t-elle entre ses dents.

— Attends au moins que j'aie fini. Ce n'est pas facile pour un homme. Pourquoi font-ils ces trucs si petits ? Voilà, ça y est.

L'air aussi satisfait que s'il venait d'accomplir un exploit, il recula pour admirer le résultat.

— Elles te vont à merveille.

— Comment faire entendre raison à quelqu'un qui refuse d'être raisonnable ? maugréa-t-elle. Murphy, je veux que tu appelles ta famille et que tu leur dises de ne pas venir.

— Je ne peux pas faire ça ; ils se font une joie d'assister au *ceilidh* et de te rencontrer.

Shannon serra les poings.

— D'accord, alors appelle-les et dis-leur que tu t'es trompé, que tu as changé d'avis, ou ce que tu voudras, mais que toi et moi, ça ne marche pas.

Murphy la regarda d'un air étonné.

— Tu voudrais que je leur dise que je ne vais pas t'épouser ?

— C'est ça, exactement ! fit-elle en lui donnant une petite tape de félicitation sur le bras. Tu as tout de même fini par comprendre.

— Ça m'ennuie de te contrarier, mais je ne peux pas mentir à ma famille.

Il esquiva un premier coup, puis un deuxième, mais le troisième faillit le cueillir lorsqu'il se plia en deux en éclatant de rire. Il évita son poing de justesse en attrapant Shannon par la taille et en la faisant tourbillonner.

— Ah, tu es faite pour moi, Shannon ! Je suis fou de toi.

— Tu es fou, oui...

La suite de sa phrase s'étouffa entre ses lèvres.

Suffoquant sous son baiser, elle l'agrippa par les épaules tandis qu'il continuait à la faire tourner en rond, ne réussissant qu'à accentuer son vertige. Ses lèvres étaient brûlantes. Quand il la reposa enfin, la pièce continua un instant à tourner, et son cœur avec.

L'idée traversa tout à coup Shannon qu'il ne lui laissait d'autre choix que de l'aimer en retour.

— Il n'en est pas question, dit-elle à voix basse.

Dans un sursaut de panique, elle se dégagea.

Ses cheveux étaient en bataille, ses yeux écarquillés et stupéfaits. Il vit la veine qui battait à son cou et ses joues empourprées par son baiser.

— Viens au lit avec moi, Shannon.

Sa voix était rauque, pressante.

— Bon sang, j'ai besoin de toi ! Chaque fois que tu t'en vas, je ressens un vide épouvantable, et j'ai peur que tu ne reviennes pas.

Désespéré, il l'attira à nouveau contre lui et enfouit son visage dans sa chevelure.

— Je ne peux pas continuer à te voir t'en aller sans jamais te posséder.

— Ne fais pas ça...

Shannon ferma les yeux, luttant de toutes ses forces contre ce qu'elle ressentait tout au fond d'elle.

— Aller au lit avec moi ne te suffira pas, et je ne veux rien d'autre.

— C'est pourtant de tout autre chose qu'il s'agit. De tout autre chose.

Il la relâcha. Puis, repensant à ce qui s'était passé la

228

dernière fois, il laissa retomber ses mains, de peur de lui faire mal.

— Tu me trouves maladroit, c'est ça ? S'il m'arrive de l'être, c'est uniquement parce que je n'arrive plus à penser correctement quand je suis près de toi.

— Non, ce n'est pas toi, Murphy... C'est moi. Moi et l'idée que tu te fais de nous. J'ai été bien plus maladroite que toi.

Elle voulut prendre une grande respiration, mais s'aperçut qu'elle avait le cœur serré.

— Alors, je vais réparer ça. Et ne plus te revoir.

Le regarder dans les yeux lui coûtait, mais elle ne voulait pas être lâche.

— Ce sera plus facile pour nous deux. Je vais donc prendre des dispositions pour rentrer à New York.

— Ça s'appelle fuir, dit-il d'une voix posée. Mais est-ce moi que tu fuis, ou bien toi-même ?

— J'ai une vie à moi, et il est temps que je la reprenne.

La rage qui l'avait envahi ne laissait même plus de place à la peur. Le regard brûlant, Murphy mit la main dans sa poche et jeta ce qu'il en sortit sur la table.

Shannon se raidit avant même d'avoir vu de quoi il s'agissait. Un rond de cuivre avec un étalon gravé. Derrière, il devait y avoir une épingle, elle le savait, une épingle assez solide et assez large pour agrafer la cape d'un cavalier.

Murphy la vit devenir livide. Elle tendit la main vers la broche, puis la retira vivement en refermant le poing.

— Qu'est-ce que c'est ?

— Tu sais parfaitement ce que c'est.

En voyant qu'elle secouait négativement la tête, il jura dans sa barbe.

— Inutile de te mentir à toi-même, Shannon. Ça ne sert à rien.

L'espace d'une seconde, elle revit la broche scintiller sur la laine noire de la cape ruisselante de pluie.

— Où l'as-tu trouvée ?

— Au milieu du cercle des fées, quand j'étais enfant.

Je m'étais endormi là-bas en la serrant dans ma main. C'est là que j'ai rêvé de toi pour la première fois.

Même quand sa vision se brouilla, Shannon n'arriva pas à détacher son regard de la broche.

— Ce n'est pas possible...

— Ça s'est passé exactement comme je viens de te le dire.

Il prit le bijou et le lui tendit.

— Je n'en veux pas! s'exclama-t-elle d'une voix affolée.

— Je l'ai gardée la moitié de ma vie pour te la donner...

Retrouvant son calme, il la remit dans sa poche.

— Je peux bien la garder encore. Et inutile de t'en aller avant d'avoir passé tout le temps que tu voudras avec tes sœurs. Je ne te toucherai plus, ni n'insisterai pour que tu me donnes ce que tu refuses de me donner. Tu as ma parole.

Et il s'y tiendrait. Elle le connaissait désormais suffisamment bien pour ne pas en douter. Comment lui reprocher de lui faire une promesse qui la faisait se sentir toute petite et au bord des larmes?

— Je tiens à toi, Murphy. Je n'ai aucune envie de te faire du mal.

Elle ne se rendait pas compte que c'était précisément ce qu'elle venait de faire. Mais Murphy n'en montra rien.

— Je suis grand, Shannon. Je peux m'occuper de moi.

Elle qui avait été persuadée qu'elle parviendrait à s'en aller sans aucune difficulté, elle n'avait maintenant plus qu'une envie, le sentir tout contre elle et se blottir dans ses bras.

— Je ne veux pas perdre ton amitié. En très peu de temps, c'est devenu quelque chose d'important pour moi.

— Tu ne la perdras pas...

Il lui sourit, prenant soin toutefois de garder les mains sagement le long du corps pour s'empêcher de la toucher.

— Ne t'inquiète pas pour ça.

Ce qu'elle s'efforça de faire en repartant vers l'auberge. De même qu'elle essaya de ne pas chercher à comprendre pourquoi elle avait soudain si irrésistiblement envie de pleurer.

## 14

Murphy se défoula en nettoyant l'écurie. Ce travail physique lui changerait les idées.

Malheureusement, ça ne marchait pas.

Il prit une pelletée de paille et la jeta sur le tas dans la brouette.

— Tu as toujours très bien su viser...

Maggie arrivait derrière lui. Elle souriait, mais son regard cherchait à déchiffrer l'expression de son visage. Et ce qu'elle y vit lui chavira le cœur.

— Tu ne travailles pas ? lui demanda Murphy sans se retourner. J'entends ronronner ton four.

— Je vais m'y mettre.

Elle s'approcha et s'appuya contre la porte ouverte du box.

— Je ne suis pas venue hier parce que je me suis dit que tu avais besoin d'être tranquille. Alors, j'ai attendu jusqu'à ce matin. Shannon avait l'air extrêmement malheureuse quand elle est rentrée à l'auberge.

— J'ai pourtant fait de mon mieux pour qu'elle se sente bien, marmonna-t-il avant de passer dans le box suivant.

— Et toi, Murphy, tu vas bien ?

Maggie posa une main sur son dos et l'y laissa, malgré son haussement d'épaules.

— Je sais bien ce que tu ressens pour elle. Te voir dans cet état ne me plaît pas du tout.

— Alors tu ferais mieux de t'en aller, parce que je risque de rester dans cet état un bon moment. Pousse-toi de là, tu vas recevoir du crottin dans la figure.

Au lieu de quoi, elle saisit le manche de la fourche et l'immobilisa un instant d'un air furieux.

— Très bien. Continue à entasser ton crottin tant que tu voudras, mais parle-moi.

— Je ne suis pas d'humeur à avoir de la compagnie.

— Et depuis quand suis-je de la compagnie ?

— Bon sang, Maggie, va-t'en !

Il pivota sur lui-même et lui jeta un regard foudroyant.

— Je n'ai que faire de ta pitié, je ne veux pas de ta sympathie et je me fiche pas mal de tes conseils.

Elle serra les poings, les posa sur ses hanches et se hissa sur la pointe des pieds pour lui faire front.

— Si tu crois te débarrasser de moi en me disant des choses désagréables, tu te trompes.

Murphy fit un gros effort sur lui-même, sachant pertinemment que se mettre en colère ne servirait à rien.

— Excuse-moi, Maggie Mae, je n'aurais pas dû te parler comme ça, mais j'ai besoin d'être seul un petit moment.

— Murphy...

S'il n'arrivait pas à la faire partir, et vite, elle ne céderait pas et continuerait à le cuisiner.

— Ce n'est pas que je ne sois pas content que tu sois passée me voir et que tu veuilles m'aider ; seulement, je ne suis pas prêt à ça. Alors sois gentille, ma belle, laisse-moi tranquille.

Décontenancée, Maggie fit la première chose qui lui vint à l'esprit et l'embrassa sur la joue.

— Tu viendras me parler dès que tu pourras ?

— Bien sûr. Allez, file. J'ai du boulot.

Lorsqu'elle l'eut quitté, Murphy enfonça sa fourche dans le tas de paille et jura entre ses dents jusqu'à ce qu'il eût épuisé tout son stock.


Il travailla comme un damné jusqu'au coucher du soleil. Il avait beau être entraîné, il avait mal partout quand il s'installa devant un sandwich et une bière bien fraîche.

Bien qu'il ne fût que huit heures, il pensait déjà à aller se coucher lorsque la porte s'ouvrit. Rogan et Gray apparurent sur le seuil, suivis de Conco qui remuait joyeusement la queue.

— Nous sommes en mission, déclara Gray en lui donnant une bourrade dans le dos avant d'aller ouvrir un placard.

— En mission ? Et quel genre de mission ? demanda Murphy en grattant machinalement la tête de Conco.

— Nous avons reçu l'ordre de t'empêcher de broyer du noir.

Rogan posa une bouteille de whisky sur le comptoir et l'ouvrit.

— Nous n'avons le droit de rentrer ni l'un ni l'autre tant que nous n'aurons pas réussi.

— Brie et Maggie se font un sang d'encre à ton sujet depuis deux jours, expliqua Gray.

— Ce n'est pas la peine, et ça non plus, rétorqua Murphy en montrant la bouteille. J'allais monter me coucher.

— Un Irlandais comme toi ne va pas dire non à deux amis et à une bouteille de Jameson, dit alors Gray en posant trois verres sur la table.

— On est supposés se saouler, c'est ça ?

Murphy considéra la bouteille. C'était une solution à laquelle il n'avait pas pensé.

— Nos femmes n'ont pas réussi à te dérider, dit Rogan en servant trois whiskies bien tassés, aussi ont-elles décidé que c'était une affaire d'hommes.

Il s'assit confortablement et leva son verre.

— *Slainte !*

Murphy se gratta le menton, puis poussa un soupir.

— Oh, et puis tant pis !

Il avala un premier verre d'un trait, fit la grimace et le reposa sur la table pour le faire remplir.

— Vous n'avez apporté qu'une bouteille ?

Gray éclata de rire et entreprit de servir une seconde tournée.

La bouteille était à moitié vide et Murphy se sentait plus détendu. Sensation toute provisoire, il le savait, et qui n'aurait donné le change qu'à un imbécile. Ce qu'il avait justement l'impression d'être ces temps-ci...

— Vous voulez que je vous dise une chose ?...

Déjà légèrement éméché, Gray se cala sur sa chaise et tira une bouffée du cigare que lui avait offert Rogan.

— Je ne peux pas me saouler.

— Mais si, dit Rogan en examinant le bout de son cigare. Je t'ai déjà vu.

— Comment peux-tu le savoir ? Tu étais toi-même complètement bourré !

Se trouvant très drôle, Gray se pencha en avant et faillit vaciller.

— Ce que je veux dire, c'est que je ne veux pas être ivre au point de ne pas pouvoir faire l'amour à ma femme en rentrant ce soir. Oh, merci...

Il saisit le verre que Murphy venait de remplir et le brandit.

— Je veux rattraper le temps perdu, reprit-il, l'air soudain sérieux. Savez-vous combien de temps on doit s'abstenir quand une femme est enceinte ?

— Oh, je le sais, répliqua Rogan en hochant gravement la tête. Je peux même dire que je le sais très bien.

— Mais ça n'a pas l'air de les déranger du tout. Elles sont...

Gray fit de grands gestes de la main.

— Elles couvent. Par conséquent, je tiens à rattraper le temps perdu et je ne veux pas me saouler.

— Trop tard, marmonna Murphy en regardant son propre verre.

— Tu crois qu'on ne sait pas quel est ton problème ? poursuivit Gray en assénant une bourrade amicale à Murphy. Tu es obsédé, un point c'est tout.

Murphy eut un rire bref, puis vida son verre.

— Il y a de quoi...

— C'est comme ça, soupira Gray en tirant sur son cigare. Quand elles t'accrochent, elles t'accrochent pour de bon. Pas vrai, Sweeney ?

— Absolument. Elle est en train de peindre une tempête, tu savais ?

Murphy le regarda d'un air songeur.

— Pour mon malheur, et pour ton plus grand bonheur.

Rogan se contenta de sourire.

— Nous allons lui organiser une première exposition cet automne. Elle ne le sait pas encore, mais je vais m'en charger. Au fait, elle a bravement tenu tête à Maeve Concannon, tu le savais?

— Comment ça? s'enquit Murphy en allumant une cigarette. Elles se sont disputées?

— Non, pas du tout. Shannon est allée la voir et lui a dit ce qu'elle avait sur le cœur. Quand elle a eu fini, Maeve a déclaré que c'était une femme sensée, puis elle est entrée à la maison pour voir le bébé et Liam.

— C'est vrai?

Éperdu d'admiration et d'amour, Murphy se resservit un whisky.

— Sacrée fille, hein? Shannon Bodine... une femme à la tête dure et au cœur tendre. Je vais aller la féliciter immédiatement.

Il se leva, et seule la force de sa constitution l'empêcha de tituber.

— Je vais aller la chercher et la ramener ici, où elle devrait être.

— Je peux regarder? demanda Gray.

— Non...

En soupirant, Murphy se laissa retomber sur sa chaise.

— Non, je ne peux pas faire ça. Je lui ai promis que je ne le ferais pas. Je ne suis vraiment qu'un idiot.

Il s'empara de la bouteille et remplit son verre à ras bord.

— Je vais sûrement le regretter demain matin, mais ça vaut la peine...

Il s'octroya une longue lampée.

— ... de partager son chagrin avec les deux meilleurs amis dont un homme puisse rêver.

— Tu as raison. Buvons à ça, Rogan.

— J'étais en train de me dire que je ferais bien de profiter de ce dont tu parlais à l'instant... Car dans sept mois, il n'en sera plus question.

— Je vous serais reconnaissant si vous arrêtiez tous les deux de parler de femmes. Je souffre, moi.

— C'est indélicat de notre part, tu as raison, reconnut Rogan. Nous avons reçu aujourd'hui une sculpture d'un artiste de Mayo. Une œuvre en marbre du Connemara. Un nu splendide.

— Bon sang, Rogan, voilà que tu recommences...

L'air exaspéré de Gray déclencha le fou rire de Murphy.

Quand la bouteille fut vide, ils transportèrent leur ami dans son lit, puis rentrèrent chacun de leur côté, satisfaits d'avoir accompli leur mission.


Rester loin d'elle était pour lui une véritable torture. Murphy avait beau être débordé de travail à la ferme, sentir jour après jour, et nuit après nuit, qu'elle était là, juste de l'autre côté des champs, le faisait horriblement souffrir. La savoir si proche, et pourtant inaccessible... Toutefois, se dire qu'il faisait cela pour elle le soulageait quelque peu.

Rien n'apaise l'âme autant que le martyre.

Les amis bien intentionnés n'aidaient en rien. Il y avait une semaine que Shannon était venue le voir quand il entra dans le jardin de l'auberge et la vit devant son chevalet. Elle portait le tee-shirt de son université, tout maculé de peinture, et un jean trop large déchiré à un genou, et il se dit qu'elle ressemblait à un ange.

Le front plissé, elle mordillait le bout de son pinceau en regardant attentivement sa toile. Il vit qu'elle l'avait aperçu au changement de son regard. Lentement, elle retira le pinceau de sa bouche avant de se tourner vers lui.

Murphy resta silencieux, sachant que s'il ouvrait la bouche il allait se mettre à bredouiller lamentablement. Au bout d'un moment, il s'approcha pour examiner la toile.

C'était une vue de l'arrière de l'auberge, avec sa belle façade de pierres et les fenêtres ouvertes. Le jardin de

Brianna resplendissait de couleurs. Et la porte de la cuisine était grande ouverte, en signe de bienvenue.

Shannon regretta aussitôt d'avoir posé son pinceau et attrapa un chiffon pour se donner une contenance.

— Alors, qu'est-ce que tu en penses ?

— C'est bien...

Il ne trouvait pas ses mots.

— Tu as terminé ?

— Oui. A l'instant.

— Eh bien...

Il fit passer les boîtes d'œufs qu'il tenait d'une main dans l'autre.

— C'est un beau tableau.

Shannon se retourna et farfouilla parmi ses tubes de peinture sur le petit établi que Gray lui avait installé.

— J'imagine que tu as été très occupé ?

— Oui, très...

Elle le regarda droit dans les yeux, et il se sentit défaillir.

— Très occupé.

Furieux contre lui-même, Murphy baissa les yeux sur ses boîtes.

— Ce sont des œufs, marmonna-t-il. Brianna m'a demandé de lui apporter des œufs. Elle en avait besoin.

— Oh, fit Shannon en considérant à son tour les boîtes en carton. Je vois.

Brianna, qui les observait derrière la fenêtre de la cuisine, leva les yeux au ciel.

— Regardez-moi ça ! Ils se comportent comme deux niais...

Elle les trouva si pathétiques qu'elle décida d'aller les rejoindre au lieu de les laisser en tête à tête comme elle l'avait prévu.

— Ah, tu es là, Murphy, tu as apporté les œufs ! Merci. Viens goûter le strudel que je viens de faire.

— Il faut que je...

Mais elle était déjà repartie dans la cuisine, le laissant tout désemparé. A nouveau, il fit passer ses boîtes d'une main dans l'autre et regarda Shannon.

— Je dois, euh...

Diable, pourquoi n'arrivait-il plus à articuler un mot correctement ?

— Tu n'as qu'à les apporter à Brianna, comme ça, je m'en irai.

— Murphy...

Il fallait à tout prix arrêter ça, se dit Shannon en lui touchant le bras. Instantanément, il se raidit, mais elle ne pouvait lui en vouloir.

— Il y a une semaine que tu n'es pas venu ici, et je sais que d'habitude tu passes voir Brianna et Gray régulièrement.

Il regarda sa main, puis remonta vers son visage.

— Je pensais qu'il valait mieux que je me tienne à l'écart.

— Je suis désolée. Je ne veux pas que tu sois malheureux. Je croyais que nous étions encore amis.

Murphy la regarda dans les yeux.

— Tu ne viens plus dans les champs ?

— Non. Moi aussi, je me suis dit qu'il valait mieux que je reste à l'écart.

Elle avait envie de lui dire qu'il lui avait manqué, mais n'osa pas.

— Tu es fâché contre moi ?

— Ce serait plutôt contre moi.

Il se força à se reprendre. Devant des yeux pareils, n'importe quel homme aurait craqué.

— Tu veux du strudel ?

— Oui, bien sûr, fit-elle avec un grand sourire.

Lorsqu'ils entrèrent dans la cuisine, Brianna poussa un soupir de soulagement.

— Merci pour les œufs, Murphy.

S'affairant à nouveau, elle lui prit les boîtes qu'elle mit dans le réfrigérateur.

— J'en ai besoin pour le plat que je compte préparer pour le *ceilidh*. Tu as vu le tableau de Shannon ? Il est magnifique, n'est-ce pas ?

— Oui.

Il retira sa casquette et l'accrocha à une patère.

— Ce strudel est une recette que m'a donnée une

Allemande la *semaine dernière*. Tu *te souviens* d'elle, Shannon ? Mrs. Merz. Celle qui avait une grosse voix.

— Oui, le sergent-chef, répondit Shannon en souriant. Le matin, elle faisait mettre ses trois enfants en rang pour l'inspection — ainsi que son mari !

— Et ils étaient tous impeccables. Tu me diras si ce strudel est aussi délicieux qu'elle le prétendait.

Brianna était en train de découper des parts quand le téléphone sonna. Shannon alla décrocher le combiné fixé au mur.

— Allô, Blackthorn Cottage.

Elle hésita un moment en haussant les sourcils.

— Tod ? Oui, c'est moi, fit-elle en riant. Non, je n'ai pas l'accent irlandais.

Murphy ne put réprimer un sourire en prenant place à la table.

— Tod ! railla-t-il quand Brianna posa une part de gâteau devant lui. Ça fait plus penser à un nom d'insecte qu'à un nom d'homme.

— Chut, ordonna Brianna en lui donnant une petite tape sur le bras.

— C'est superbe, poursuivit Shannon. Ça ressemble un peu à ce film avec Burt Lancaster, tu te souviens ?

Une nouvelle fois, elle pouffa de rire.

— Exactement... Eh bien, ma foi, je me promène beaucoup, je mange. Et je peins.

— Tu t'ennuies donc tant que ça ? fit son correspondant d'une voix amusée et faussement compatissante.

— Non, pas du tout, répondit Shannon en plissant le front.

— Ce style de vie ne te ressemble pourtant pas. Bon, alors, quand rentres-tu ?

Elle entortilla le fil du téléphone autour de son doigt et se mit à le tourner.

— Je n'en sais rien. Probablement d'ici une quinzaine de jours.

— Voyons, Shan, ça fait déjà un mois que tu es partie !

Ses doigts trituraient frénétiquement le fil, l'entortillant de plus belle. C'était curieux, elle n'avait pas vu passer le temps.

240

— J'avais trois semaines de congé à rattraper...

Le ton défensif qu'elle venait d'employer lui déplut.

— Je prendrai le reste à mon compte. Comment ça va, là-bas ?

— Oh, tu sais comment c'est. Depuis que nous avons décroché le budget Gulfstream, on se croirait dans une vraie maison de fous. Mais tu sais ça mieux que moi, Shan, puisque c'est grâce à toi qu'on l'a eu. Je voulais juste te dire que la direction est ravie, mais que notre service commence à être débordé par les prochaines campagnes de cet automne et de Noël. Bref, on a besoin de toi.

Shannon sentit le sang affluer à ses tempes, annonciateur d'un irréductible mal de tête.

— J'ai encore des choses à régler, Tod. Des affaires personnelles.

— Tu as été mise à rude épreuve. Mais je te connais, Shannon, tu retomberas vite sur tes pieds. Tu me manques. Je sais bien que les choses étaient un peu tendues entre nous quand tu es partie, et que je n'ai pas été aussi compréhensif que j'aurais dû l'être, ni assez à l'écoute de tes problèmes. Mais je crois qu'on pourra en parler et que tout rentrera dans l'ordre.

— Tu t'es occupé du budget Oprah ?

— Écoute, Shan, repose-toi encore deux ou trois jours et rappelle-moi. Tu me diras à quelle heure arrive ton avion, je viendrai te chercher à l'aéroport et on s'installera tranquillement devant une bonne bouteille de vin pour parler de tout ça.

— Je te rappellerai, Tod. Merci de ton coup de fil.

— Ne tarde pas trop. Les chefs ont la mémoire courte.

— Je tâcherai de ne pas l'oublier. Au revoir.

Shannon raccrocha et, voyant que le fil du téléphone était tout enroulé autour de ses doigts, se concentra pour le démêler.

— C'était New York, dit-elle sans se retourner. Un ami de l'agence.

Avant de faire volte-face, elle s'appliqua à afficher un grand sourire.

— Alors, comment est ce strudel ?

— Tu n'as qu'à le goûter.

Brianna servit une tasse de thé à Shannon. Bien que son premier réflexe eût été de la réconforter, elle s'interdit de le faire, décidant de laisser ce soin à Murphy.

— Je crois que j'entends Kayla pleurer, dit-elle en se précipitant dans la pièce voisine.

— Il veut que tu reviennes...

Quand Shannon leva les yeux vers lui, Murphy baissa la tête.

— Ce Tod veut que tu reviennes.

— Il s'occupe de quelques-uns de mes budgets en mon absence, ce qui représente beaucoup de travail en plus.

— Il veut que tu reviennes, répéta-t-il.

Shannon planta sa fourchette dans le gâteau.

— C'est effectivement ce qu'il m'a dit, mais sans insister particulièrement. Nous avons eu une discussion un peu houleuse juste avant mon départ.

— Houleuse... Tu veux dire une dispute ?

— Non, fit-elle en ébauchant un petit sourire. Tod ne se dispute pas. Il discute. C'est quelqu'un de très civilisé.

— Et là, c'est parce qu'il vient de discuter avec toi d'une manière civilisée que tu es si nerveuse ?

Murphy posa ses mains sur celles de Shannon qui s'agitaient dans tous les sens.

— Tu m'as demandé d'être ton ami. Alors, j'essaie.

— Je ne sais plus très bien où j'en suis, dit-elle lentement. D'habitude, il ne me faut pas autant de temps pour savoir ce que je veux et comment y parvenir. Je suis plutôt douée pour analyser les choses. Mon père l'était, lui aussi, ce que j'admirais beaucoup chez lui. C'est d'ailleurs lui qui m'a appris à être ainsi.

D'un geste impatient, elle retira ses mains.

— J'avais tout planifié, et ça marchait plutôt bien. Une bonne situation dans une bonne agence, un appartement agréable en ville, une garde-robe à l'avenant, une collection d'art, petite mais choisie avec goût, un abonnement dans la meilleure salle de gym, une relation satisfaisante avec un homme séduisant et brillant qui partageait mes intérêts... Et puis tout a volé en éclats, et je suis épuisée rien qu'à l'idée de penser qu'il va me falloir recoller tous les morceaux.

— Parce que c'est ça que tu veux faire ? Que tu dois faire ?

— Je ne peux pas remettre les choses à plus tard éternellement. Ce coup de téléphone m'a rappelé que j'avais tout laissé partir à la dérive. Or j'ai besoin de me sentir en terrain solide, Murphy. Sinon, je ne fonctionne pas bien.

Quand sa voix se brisa, Shannon porta la main à ses lèvres.

— Ça me fait encore tellement mal. Ça me fait mal de penser à mes parents et de me dire que je ne les reverrai plus jamais. Je n'ai même pas pu leur dire au revoir comme je l'aurais voulu. Je n'ai même pas pu, ni à l'un ni à l'autre.

Sans rien dire, Murphy s'approcha et la fit lever pour la prendre dans ses bras. Il émanait de son silence une compréhension si parfaite, si élémentaire, que Shannon en fut bouleversée. Elle pouvait pleurer, se laisser aller contre son épaule, en sachant que cette épaule ne se déroberait jamais.

— Je n'arrête pas de me dire que j'ai repris le dessus, parvint-elle à articuler entre deux sanglots, mais c'est plus fort que moi, ça revient sans cesse et ça me serre le cœur.

— Tu ne t'es pas assez autorisée à pleurer. Laisse-toi aller, ma chérie, ça te fera du bien.

A chacun de ses hoquets, il était déchiré de se dire qu'il ne pouvait rien faire de plus qu'être là et la consoler.

— Je voudrais qu'ils soient encore là...

— Je sais, chérie. Je sais.

— Pourquoi faut-il que les gens disparaissent, Murphy ? Pourquoi les gens qu'on aime doivent-ils nous quitter ?

— Ils ne nous quittent pas vraiment. Ils continuent

à vivre en toi. Tu n'entends pas quelquefois ta mère te parler, ou ton père te rappeler quelque chose que vous avez fait ensemble?

Exténuée à force de pleurer, Shannon appuya sa joue mouillée contre son torse. C'était stupide... Elle avait été stupide de se croire plus forte en retenant ses larmes plutôt qu'en les laissant couler.

— Si...

Elle esquissa un vague sourire.

— Il m'arrive de revoir des moments que nous avons vécus. Des moments tout ce qu'il y a de plus ordinaire, comme quand nous prenions ensemble le petit déjeuner.

— Tu vois, ils ne t'ont pas complètement quittée.

Shannon ferma les yeux, réconfortée d'entendre le bruit régulier du cœur de Murphy contre son oreille.

— Juste avant la messe — la messe d'enterrement de ma mère —, le prêtre est venu s'asseoir près de moi. Il était très gentil, plein de compassion, comme il l'avait été quelques mois plus tôt à la mort de mon père. Et pourtant il n'a dit que des choses banales — sur la vie éternelle, la miséricorde et les récompenses dont bénéficieraient mes parents dans l'autre monde pour avoir été des catholiques fervents, des gens bons et attentionnés.

Elle se pressa une dernière fois contre lui, égoïstement, avant de s'écarter.

— Il voulait me réconforter, et sans doute a-t-il réussi à le faire un peu. Mais ce que tu viens de me dire m'aide bien davantage.

— Tu sais, avoir la foi est une manière de se souvenir. Il faut considérer ses souvenirs comme quelque chose de précieux, pas comme quelque chose qui fait souffrir.

Il essuya du bout du pouce une grosse larme qui roulait sur sa joue.

— Tu te sens mieux? Je peux rester, si tu veux, ou demander à Brie de venir.

— Non, ça va. Merci.

Il lui redressa le menton et l'embrassa sur le front.

244

— Alors, assieds-toi et bois ton thé. Et ne laisse pas New York t'encombrer l'esprit avant d'y être prête.

— C'est un excellent conseil.

Voyant qu'elle reniflait, il sortit un mouchoir de sa poche.

— Mouche ton nez.

Shannon rit brièvement et obéit.

— Je suis contente que tu sois passé, Murphy. Ne reste pas trop longtemps éloigné.

— Je repasserai.

Parce qu'il savait qu'elle avait besoin maintenant d'être seule, il se retourna et alla chercher sa casquette.

— Tu reviendras bientôt dans les champs? J'aime bien te voir peindre dans la lumière du soleil.

— Oui, je reviendrai. Murphy...

Elle hésita, ne sachant comment formuler sa question, ni pourquoi il lui paraissait subitement si important de la lui poser.

— Non, rien...

Murphy s'arrêta sur le seuil.

— Qu'est-ce qu'il y a? Il vaut mieux dire ce qu'on a sur le cœur que de le laisser tourner en rond dans sa tête.

Tourner en rond, c'était exactement ce qu'elle faisait...

— Je me demandais... Si nous avions été... amis, quand ma mère est tombée malade, et que j'avais dû partir la soigner... pour être avec elle... Si, quand elle est morte, je t'avais dit que je pouvais me débrouiller toute seule, ou même que je le préférais, aurais-tu respecté mon souhait? M'aurais-tu laissée seule?

— Non, bien sûr que non.

Intrigué, il enfonça sa casquette au ras des yeux.

— C'est une question qui n'a pas de sens. Quand on est ami avec quelqu'un, on ne le laisse pas tout seul avec son chagrin.

— C'est bien ce que je pensais, dit-elle dans un murmure.

Puis elle le regarda, longuement, et si intensément qu'il s'essuya le menton comme pour enlever des miettes.

— Qu'est-ce qu'il y a ?
— Rien. Je...

Elle souleva sa tasse avec un sourire moqueur.

— Je rêvassais.

Plus perplexe que jamais, Murphy lui rendit son sourire.

— A bientôt. Tu... tu viendras au *ceilidh* ?
— Pour rien au monde je ne voudrais rater ça !

## 15

Des flots de musique se déversaient de la ferme lorsque Shannon arriva avec Brianna et sa famille. Ils étaient venus en voiture, car ils avaient trop de nourriture à transporter à eux trois, sans compter le bébé, pour venir à pied.

Shannon s'étonna tout d'abord du nombre de véhicules garés le long de la route. Les roues mordaient sur l'herbe du bas-côté, laissant juste assez de place à une voiture pour se faufiler.

— On dirait que la maison est pleine à craquer, remarqua-t-elle tandis qu'ils commençaient à décharger les plats et les saladiers.

— Oh, ces voitures sont seulement celles de gens qui habitent loin, les autres viennent à pied. Gray, ne secoue pas trop ce plat. Tout va se renverser.

— Comment veux-tu que je fasse, je n'ai pas trois mains !

— Il est furieux parce que son éditeur a rajouté une ville à sa tournée de promotion, expliqua Brianna à Shannon, sans parvenir à cacher son irritation. Il fut un temps où cet homme ne tenait pas en place.

— Les temps changent, et si tu venais avec moi...

— Tu sais bien que je ne peux pas abandonner l'auberge trois semaines en plein milieu de l'été. Alors, arrête.

Bien qu'elle eût les bras chargés, Brianna se pencha pour l'embrasser.

— Tu ne vas pas faire la tête ce soir. Oh, regarde, voilà Kate !

Elle se précipita vers elle, et sa voix mélodieuse résonna dans l'air du soir.

— Tu n'as qu'à annuler cette tournée, souffla Shannon en lui emboîtant le pas avec Gray.

— C'est plutôt à elle que tu devrais dire ça. « Tu ne vas pas négliger tes responsabilités professionnelles à cause de moi, Grayson Thane. Quand tu reviendras, tu me retrouveras exactement à l'endroit où tu m'avais laissée. »

— Et c'est la vérité. Allons, haut les cœurs ! S'il y a un homme qui a tout pour être heureux, Gray, c'est bien toi.

— Oui, je sais. Mais j'aurai du mal à me dire ça quand je me retrouverai tout seul dans mon lit à Cleveland au mois de juillet.

— Il est vrai que tu vas devoir supporter la vie luxueuse à l'hôtel, les films à la télé, l'adulation de tes fans...

— Oh, ça va comme ça, Bodine...

D'un coup de coude, il la poussa à l'intérieur de la maison.

Shannon n'avait jamais imaginé qu'il y eût tant de monde dans le comté. La ferme était pleine à craquer et résonnait de joyeux éclats de voix. Avant même d'avoir fait trois pas dans l'entrée, elle fut présentée à une dizaine de personnes et toutes celles qui la connaissaient vinrent la saluer.

Un air de flûte et de violon s'échappait du salon où plusieurs personnes dansaient déjà. Des assiettes pleines de nourriture étaient empilées sur des tables, ou posées en équilibre sur les genoux des convives dont les pieds battaient la mesure avec enthousiasme. Partout, les verres s'entrechoquaient dans des mains impatientes qui trinquaient allégrement.

Et il y avait encore plus de monde dans la cuisine où de multiples plats étaient alignés sur le comptoir et sur la table. Brianna était là, les bras ballants, le bébé lui ayant été arraché dès son arrivée.

— Ah, voilà Shannon ! s'exclama-t-elle avec un sourire rayonnant en la déchargeant de ce qu'elle avait dans les mains. Elle n'a encore jamais assisté à un *ceilidh*. D'habitude, on joue de la musique dans la cuisine, seulement, il n'y avait pas assez de place. Mais on entend aussi bien. Tu connais Deirdre O'Malley?

— Oui ; bonjour.

— Prenez une assiette, ma jolie, lui ordonna Deirdre, avant que les hordes affamées ne vous laissent rien d'autre que des miettes. Donne-moi donc ça, Grayson.

— D'accord, mais je veux une bière en échange.

— Sers-toi. Tiens, il y a tout ce qu'il faut dans le coin, là-bas.

— Shannon, tu en veux une?

— Volontiers.

Et elle sourit en voyant Gray partir chercher des bouteilles.

— Ce soir, il ne va pas y avoir grand monde au pub, Mrs. O'Malley.

— Non. D'ailleurs, on a fermé. Quand il y a un *ceilidh* chez Murphy, tout le village se vide. Ah, Alice, je parlais justement de votre garçon !

Sur le point de boire la bière que lui avait rapportée Gray, Shannon se retourna et vit une femme mince aux cheveux bruns ondulés entrer dans la cuisine. Elle avait les yeux de Murphy, et le même sourire.

— Ils lui ont mis un violon dans les mains, alors il risque de rester coincé dans le salon un bon moment.

Sa voix était douce et légèrement chantante.

— Je venais lui préparer une assiette, au cas où il trouverait une minute pour manger.

Elle en prit une, puis son sourire s'illumina.

— Brie, je ne t'avais pas vue ! Qu'as-tu fait de ton petit ange?

— Je suis là, Mrs. Brennan.

Avec un sourire coquin, Gray s'avança pour l'embrasser.

— Oh, toi, tu serais plutôt un démon! Où est la petite?

— Nancy Feeney et la jeune Mary Kate l'ont enlevée, expliqua Deirdre en déballant les plats que Brianna avait apportés. Tu vas devoir d'abord les trouver et ensuite te battre avec elles si tu veux leur prendre le bébé.

— Mais c'est bien ce que je compte faire. Ah, écoutez jouer mon garçon! s'exclama Alice, une lueur de fierté dans les yeux. Il a vraiment reçu un don du Seigneur.

— Je suis contente que vous ayez pu venir de Cork, Mrs. Brennan, commença Brianna. Vous ne connaissez pas Shannon, ma... mon amie d'Amérique?

— Non, pas encore...

La fierté laissa place dans son regard à une prudence mêlée de curiosité.

— Je suis heureuse de vous rencontrer, Shannon Bodine, dit-elle en tendant la main.

Shannon se surprit à essuyer sa paume moite sur son pantalon avant de lui serrer la main.

— Enchantée, Mrs. Brennan...

Et maintenant, que lui dire?

— Murphy vous ressemble.

— Merci. C'est un beau garçon, en tout cas. Je crois que vous vivez à New York et que vous êtes dessinatrice, c'est ça?

— Oui.

Horriblement mal à l'aise, Shannon but une gorgée de bière pour se donner une contenance. Quand Maggie arriva à grand bruit par la porte de service, elle lui eût volontiers baisé les pieds.

— Nous sommes en retard, claironna Maggie. Et comme Rogan va dire à tout le monde que c'est ma faute, je préfère prendre les devants. J'avais un travail à terminer.

Elle déposa bruyamment un saladier sur la table, puis posa par terre Liam qui s'éloigna en trottinant.

— Je meurs de faim!

Elle attrapa sur une assiette un des champignons farcis préparés par sa sœur et n'en fit qu'une bouchée.

— Mrs. Brennan, c'est justement vous que je voulais voir.

L'expression quelque peu formelle d'Alice disparut

dès qu'elle fit le tour de la table pour venir embrasser Maggie.

— Seigneur, tu es exactement comme quand tu étais petite. Tu fais plus de bruit à toi toute seule que six tambours !

— Vous regretterez sûrement ce que vous venez de dire quand je vous aurai donné votre cadeau. Tu viens, Rogan ?

— Un homme a bien le droit de prendre le temps de boire une bière.

Sa bouteille à la main, il se fraya un chemin dans la cuisine, tenant avec précaution un grand paquet enveloppé sous le bras.

Son arrivée fut l'occasion de nouvelles effusions et de bavardages enjoués. Voyant là une occasion idéale de s'éclipser, Shannon se rapprocha discrètement de la porte.

— Hé, tu ne vas pas te sauver comme ça, espèce de lâche !

Visiblement amusé, Gray lui bloqua le passage. Et d'un geste aussi ferme qu'affectueux, il la prit par l'épaule.

— Allons, Gray, fiche-moi la paix.

— Pas question.

Coincée, Shannon regarda Alice défaire avec soin le papier kraft dans lequel était emballé le tableau. Des exclamations de surprise et d'approbation fusèrent dans la pièce tandis que plusieurs personnes se rassemblaient en arc de cercle autour de la toile.

— Oh, c'est lui tout craché, murmura Alice. C'est exactement comme ça qu'il penche la tête et qu'il se tient. Je n'ai jamais reçu de plus beau cadeau, Maggie, je t'assure. Je ne sais comment te remercier de m'avoir offert ça, ou de l'avoir peint.

— Vous pouvez me remercier de vous l'avoir offert, mais c'est Shannon qui l'a peint.

Toutes les têtes se tournèrent dans sa direction en la dévisageant attentivement.

— Vous avez un merveilleux talent, dit Alice au bout d'une seconde en retrouvant sa voix enjouée. Et du cœur... pour voir votre sujet avec autant de clair-voyance. Je suis très fière d'avoir ce portrait.

Avant que Shannon ne trouve quoi dire, une petite femme brune entra en trombe dans la cuisine.

— Maman, tu ne devineras jamais qui... Qu'est-ce que c'est que ça ?

Apercevant la peinture, elle joua des coudes pour s'en approcher.

— Mais... c'est Murphy avec ses chevaux.

— C'est Shannon Bodine qui l'a peint, lui dit Alice.

— Oh ?

Avec de grands yeux ronds et curieux, la jeune femme se tourna en balayant la pièce du regard. Et il ne lui fallut que quelques secondes pour repérer Shannon.

— Bonjour ; je suis Kate, sa sœur, et je suis ravie de vous rencontrer. Vous êtes la première à qui il fait la cour.

Shannon se tassa légèrement contre Gray qui la soutint de son bras.

— Ce n'est pas... Nous ne sommes pas... Murphy a exagéré, se décida-t-elle à dire devant les innombrables paires d'yeux braqués sur elle. Nous sommes amis.

— Il vaut mieux être ami avec quelqu'un qui vous fait la cour, rétorqua Kate aussitôt. Vous pensez que vous pourriez faire le portrait de mes enfants ? Maggie ne veut pas.

— Je souffle le verre, lui rappela Maggie en remplissant copieusement son assiette. Et je te préviens que tu vas devoir passer par Rogan. C'est lui qui s'occupe de son travail.

— Je n'ai encore signé aucun contrat, s'empressa de préciser Shannon. Je n'ai même pas...

— Vous pourriez peut-être le faire avant de signer avec lui, coupa Kate. Je peux tous les réunir et vous les amener quand vous voulez.

— Arrête d'embêter cette jeune femme, lui dit doucement Alice. Au fait, qu'est-ce que tu étais venue me dire ?

— Venue te dire ?

Kate regarda dans le vide un instant, puis son regard s'illumina.

— Oh, tu ne devineras jamais qui vient d'arriver... Maeve Concannon! En chair et en os.

— Mais Maeve n'a pas assisté à un seul *ceilidh* depuis vingt ans! s'exclama Deirdre. Si ce n'est pas plus.

— Eh bien, elle est venue, et Lottie est avec elle.

Sans un mot, Brianna et Maggie échangèrent un regard éberlué avant de sortir en même temps de la cuisine.

— Nous ferions bien d'aller voir si elle veut manger quelque chose, se justifia Brianna.

— Nous ferions surtout bien d'aller vérifier si elle ne va pas tout casser dans la maison, rectifia Maggie. Tu ne veux pas venir, Shannon? Tu as merveilleusement su t'y prendre, la dernière fois.

— Eh bien, à vrai dire, je ne pense pas que...

Mais Maggie l'agrippa par le bras et l'entraîna dans le couloir.

— Il y a encore de la musique, dit-elle à voix basse. Ça, au moins, elle ne peut pas l'arrêter.

— Écoute, tout ceci ne me concerne pas, protesta Shannon. C'est votre mère.

— Je me permets de te rappeler tes propres paroles sur nos liens familiaux.

— Tu exagères, Maggie.

Cependant, Shannon n'eut d'autre choix que de serrer les dents et se laisser propulser dans le salon.

— Dieu du ciel...

Ce fut tout ce que Brianna trouva à dire.

Maeve était assise, avec Liam sur les genoux, et tapait du pied au rythme d'un quadrille endiablé. Son visage était certes impassible, sa bouche pincée, mais le mouvement de son pied trahissait bel et bien sa satisfaction.

— Elle a l'air de bien s'amuser, s'étonna Maggie en écarquillant de grands yeux.

— Diable, et pourquoi ne le ferait-elle pas?

— Elle ne vient jamais écouter de musique, murmura Brianna. Je ne l'ai jamais vue comme ça.

Lottie passa devant elle, dansant dans les bras d'un voisin.

— Comment Lottie a-t-elle fait pour la décider à venir? dit Brianna en secouant la tête.

Mais Shannon avait déjà oublié Maeve. Au fond de la pièce, Murphy se déhanchait, un violon coincé entre l'épaule et le menton. Il avait les yeux à demi clos, et elle pensa qu'il était perdu dans la musique que jouaient ses mains agiles. Mais tout à coup, il sourit et lui fit un clin d'œil.

— Qu'est-ce qu'ils jouent? demanda Shannon.

Le violoniste était accompagné d'un flûtiste et d'un accordéoniste.

— Un quadrille écossais, répondit Brianna dans un sourire en se mettant à taper du pied. Ah, regarde-les danser!

— Assez regardé! fit Gray en l'attrapant par-derrière et en l'entraînant sur la piste de danse.

— Qu'est-ce qu'elle danse bien! s'exclama Shannon au bout d'un instant.

— Brie serait certainement devenue danseuse, si les choses avaient été différentes.

Songeuse, Maggie laissa glisser son regard de sa sœur à sa mère.

— Mais peut-être que les choses vont être différentes désormais.

Prenant une grande inspiration, Maggie s'avança dans le salon. Après un bref moment d'hésitation, elle se faufila parmi les danseurs et alla s'asseoir à côté de sa mère.

— Voilà une chose que je pensais ne jamais voir...

Alice arrivait derrière Shannon.

— Maeve Concannon en compagnie de sa fille à un *ceilidh*, son petit-fils sur les genoux et en train de taper du pied... Et son sourire n'est pas loin.

— J'imagine que vous la connaissez depuis longtemps.

— Depuis l'enfance. Elle a fait de sa vie et de celle de Tom un enfer. Et ses filles en ont beaucoup souffert. Se battre par amour n'est pas facile. Mais elle semble avoir trouvé un peu de satisfaction dans la vie qu'elle mène aujourd'hui, grâce à ses petits-enfants. Ce dont je me réjouis.

Alice considéra Shannon d'un œil vaguement amusé.

— Je voulais m'excuser à la place de ma fille pour la façon dont elle vous a embarrassée dans la cuisine. Elle a toujours été comme ça ; elle parle d'abord et elle réfléchit ensuite.

— Oh, ce n'est pas grave. Elle était seulement... mal informée.

Le terme fit sourire Alice.

— S'il n'y a pas de mal, c'est le principal. Tenez, voici ma fille Eileen et son mari, Jack. Voulez-vous que je vous les présente ?

— Bien sûr.

Shannon fit leur connaissance, ainsi que celle des autres sœurs de Murphy, de son frère, de ses nièces, de ses neveux et de ses cousins. Les noms se mélangeaient dans sa tête, mais elle fut touchée de l'accueil spontané et chaleureux qu'elle reçut chaque fois qu'elle serra une main.

On lui apporta une assiette pleine, une autre bière et elle se retrouva assise à côté de Kate qui papotait à son oreille.

Le temps s'écoula doucement, dans une atmosphère pleine de musique et de chaleur. Les enfants couraient un peu partout ou bien s'endormaient dans les premiers bras venus. Shannon regarda des hommes et des femmes flirter tout en dansant, et ceux qui étaient trop vieux pour en faire autant se régaler de ce rituel.

Comment peindrait-elle cette fête ? Dans des couleurs vives et éclatantes, ou bien dans des teintes douces et des tons pastel ? Les unes ou les autres conviendraient. Car il y avait là une folle excitation, une extraordinaire énergie tout comme un bonheur tranquille à perpétuer les traditions.

Et tout cela s'entendait dans la musique. Murphy avait eu raison. Chaque note, chaque voix qui entonnait une chanson parlait de racines trop profondes pour être arrachées.

Shannon tomba sous le charme en entendant la vieille Mrs. Conroy chanter une ballade d'amour malheureux de sa voix aiguë et néanmoins parfaitement juste. Elle rit avec les autres quand retentirent les chansons à boire entraînantes. Impressionnée et émerveillée, elle regarda Brianna et Kate exécuter un pas de danse complexe et ravissant qui attira une foule d'admirateurs dans le salon.

Elle applaudit à en avoir mal aux mains lorsque la musique s'arrêta, puis se détourna brusquement en voyant Murphy prêter son violon à un de ses voisins.

— Ça te plaît ? lui demanda-t-il.

— C'est fabuleux, dit-elle en lui proposant de partager son assiette. Tu n'as pas eu le temps de manger quoi que ce soit. Alors, tiens, profites-en.

Puis elle le gratifia d'un grand sourire.

— Je n'ai pas envie que tu t'arrêtes de jouer.

— Il y a toujours quelqu'un pour prendre la suite.

Toutefois, il prit une moitié de son sandwich au jambon.

— Qu'est-ce que tu joues d'autre, en dehors du violon et du concertina ?

— Oh, un peu de tout. J'ai vu que tu avais fait la connaissance de ma famille.

— Ils sont si nombreux ! Et ils pensent tous que le soleil se lève dans les yeux de Murphy.

Elle rit en le voyant lui faire un clin d'œil.

— Je pense qu'il est temps qu'on danse.

Quand il lui prit la main, Shannon secoua la tête.

— Comme je l'ai déjà expliqué à plusieurs charmants gentlemen, regarder me suffit amplement. Non, Murphy.

Mais il l'entraîna, et elle éclata encore une fois de rire.

— Je ne sais pas danser ça — la gigue, le quadrille ou je ne sais trop quoi.

— Mais si, tu peux, fit-il en la prenant dans ses bras. De toute façon, je leur ai demandé de jouer une valse. Pour la première fois que nous dansons ensemble, il faut une valse.

256

Ce fut sa voix qui la fit céder.

— Mais je n'ai jamais dansé de valse de ma vie!

Il se mit à rire, puis la regarda avec de grands yeux.

— Tu plaisantes?

— Non. Dans les clubs où je vais, ce n'est pas très en vogue. Il vaut mieux que je regarde, je t'assure.

— Je vais te montrer...

Il la prit par la taille et lui agrippa plus fermement la main.

— Mets ton autre main sur mon épaule.

— Je connais la position; le problème, ce sont les pas.

C'était une trop belle soirée pour lui refuser ce plaisir. Aussi se pencha-t-elle en regardant ses pieds.

— Tu sais compter? Alors tu fais un premier pas, et plus vite, deux et trois. Et si tu laisses traîner un peu le pied arrière à la dernière mesure, ça ira tout seul. Oui, c'est ça.

Lorsqu'il commença à la faire tourbillonner, elle redressa la tête en riant.

— Ne va surtout pas te faire des idées. J'apprends vite, mais il faut m'expliquer longtemps.

— Nous avons tout le temps. Te tenir dans mes bras ne me dérange pas.

Tout à coup, quelque chose en elle se passa.

— Arrête de me regarder comme ça, Murphy.

— Il le faut bien, si je veux valser avec toi.

Et en disant cela, il lui fit effectuer trois longues boucles d'une grâce étonnante.

— Le secret, quand on valse, c'est de regarder son partenaire droit dans les yeux. C'est le seul moyen de ne pas avoir le tournis.

Regarder un point fixe avait sans doute ses mérites, mais pas quand il s'agissait de contempler des yeux d'un bleu si sombre et si envoûtant.

— Tu as des cils encore plus longs que ceux de tes sœurs, murmura-t-elle.

— Ça a toujours été un sujet de discorde entre nous.

— Tu as des yeux si magnifiques...

La tête lui tournait, la poussant peu à peu au bord du vertige, comme dans un rêve.

— Je les vois dans mon sommeil. Je ne peux pas m'empêcher de penser à toi.

Murphy sentit les muscles de son ventre se tordre avant de se contracter.

— Chérie, je ne sais pas si tu te rends compte que je fais de mon mieux pour tenir ma promesse.

— Je sais...

Tout lui parvenait au ralenti. Les couleurs, les mouvements, les voix, tout semblait se fondre en arrière-plan, les laissant tous les deux seuls au monde, bercés par la musique.

— Et je sais aussi que tu la tiendras, quoi qu'il t'en coûte.

— C'est ce que j'ai fait jusqu'à présent.

Sa voix était aussi tendue que sa main qui emprisonnait la sienne.

— Mais tu joues les tentatrices, Shannon. Serais-tu en train de me demander de renoncer à ma promesse ?

— Je ne sais pas. Pourquoi es-tu toujours là, dans un coin de ma tête ? fit-elle en fermant les yeux et en posant sa joue sur son épaule. Je ne sais plus ce que je fais... ni même ce que je ressens. Il faut que j'aille m'asseoir et que je réfléchisse. Quand tu me touches, je n'arrive plus à réfléchir.

— Tu vas finir par me rendre fou.

Prenant sur lui, il la raccompagna à sa place en lui tenant doucement la main. Puis il s'accroupit devant elle.

— Regarde-moi, dit-il d'une voix posée. Je ne t'en reparlerai plus, je te le jure. Ce n'est pas une question d'orgueil, mais je voulais te dire que, quoi que tu décides, le prochain pas devra venir de toi.

Non, songea Shannon. C'était une question d'honneur. Un mot aussi démodé que faire la cour.

— Arrête de flirter avec la demoiselle...

Tim s'approcha et donna à Murphy une grande bourrade dans le dos.

— ... et va nous chanter quelque chose.

— Je suis occupé, Tim.

— Non, vas-y, dit Shannon dans un sourire. Va chanter quelque chose. Je ne t'ai jamais entendu.

Faisant un effort pour se ressaisir, Murphy contempla ses mains posées à plat sur ses genoux.

— Qu'est-ce que tu as envie d'entendre ?

— Ta chanson préférée...

Et avec un geste qui était autant une excuse qu'une requête, elle posa sa main sur la sienne.

— Celle qui a le plus de sens pour toi.

— D'accord. Tu reviendras me parler, tout à l'heure ?

— Oui. A tout à l'heure.

Quand il se releva, Shannon lui sourit, convaincue qu'elle aurait le temps de rassembler ses esprits d'ici là.

— Alors, que penses-tu de ton premier *ceilidh* ? fit Brianna en venant s'asseoir près d'elle.

— Hein ? Oh, c'est fantastique ! Tout est si merveilleux.

— Nous n'avions pas eu une aussi belle fête depuis notre mariage l'année dernière. Oh, Murphy va chanter ! ajouta-t-elle en serrant la main de Shannon. Je me demande ce qu'il va choisir.

— Sa chanson préférée.

— « Four green fields », dit Brianna à voix basse, sentant ses yeux s'embuer avant même que la première note eût retenti.

Dès le premier accord, tout le monde se tut. Et le silence se prolongea quand Murphy commença à chanter, accompagné d'une simple flûte.

Elle ignorait qu'il possédait cela en lui — cette voix pure et claire de ténor qui venait du cœur. La chanson parlait de tristesse et d'espoir, de perte et de retrouvailles. Et tandis que toute la maison se faisait aussi silencieuse qu'une église, pas un instant Murphy ne la quitta des yeux.

C'était une chanson d'amour, mais d'amour pour l'Irlande, évoquant l'attachement à la terre et à la famille.

En l'écoutant, Shannon ressentit un pincement analogue à celui qu'elle avait éprouvé tout à l'heure en dansant la valse, mais en plus fort, plus profond. Le sang se mit à bouillonner dans ses veines, moins par passion que par acceptation. Par anticipation. Toutes les barrières qu'elle avait si soigneusement érigées s'effondrèrent tout à coup devant la beauté simple et évidente de la chanson.

La voix superbe de Murphy eut raison de ses dernières réticences. Des larmes roulèrent sur ses joues, des larmes brûlantes libérées par la douceur de sa voix et l'émotion contenue dans les paroles de la ballade. Lorsque la chanson fut terminée, personne n'applaudit, mais un murmure parcourut l'assistance, émue par tant de simplicité et de beauté.

Sans quitter Shannon des yeux, Murphy se pencha pour dire quelque chose à l'oreille du flûtiste. Celui-ci hocha la tête, puis attaqua un air rapide et joyeux. Aussitôt, les danseurs envahirent la piste.

Shannon sut qu'il avait compris avant même qu'il fasse un pas vers elle. Il lui sourit. Et elle se leva pour prendre la main qu'il lui tendait.

Murphy eut du mal à la faire sortir de la maison aussi vite qu'il l'aurait désiré, se faisant héler au passage par trop de gens qui voulaient lui dire un mot. Quand enfin ils arrivèrent dehors, il sentit sa main trembler dans la sienne.

Alors il se tourna vers elle.

— Tu es sûre?

— Oui, je suis sûre. Mais... ça ne change rien, Murphy. Il faut que tu comprennes que...

Il l'embrassa. Et son baiser fut si lent, si doux et si profond que les mots s'étouffèrent dans sa gorge. Sans lui lâcher la main, il l'entraîna vers les écuries.

— Là-dedans?

Shannon écarquillait les yeux, partagée entre l'incrédulité et le ravissement.

— Mais ce n'est pas possible ! Avec tous ces gens...

Murphy eut l'air surpris de s'entendre rire.

— Nous nous roulerons dans le foin une autre fois, Shannon chérie. Je veux seulement prendre des couvertures.

— Oh... des couvertures, répéta-t-elle tandis qu'il en

saisissait deux étendues sur une corde. Où allons-nous ?

Il les plia, les mit sur son bras, puis lui reprit la main.

— Là où tout a commencé.

Le cercle des fées... Son cœur se mit à cogner dans sa poitrine.

— Je... Tu crois que tu peux t'en aller comme ça ? Avec tout ce monde chez toi ?

— Je ne pense pas qu'on leur manquera.

Il fit une pause, et son regard se posa sur elle.

— Ça t'inquiète ?

— Non, fit-elle en secouant vivement la tête. Non, pas du tout.

Ils traversèrent les champs éclairés par un superbe clair de lune.

— Tu aimes compter les étoiles ?

— Je n'en sais rien...

Machinalement, Shannon leva la tête vers le ciel constellé.

— Je ne pense pas l'avoir jamais fait.

— C'est sans fin, dit doucement Murphy en portant leurs mains jointes à ses lèvres. Mais le plus important, ce n'est pas le nombre. C'est la merveille que tout cela représente. Et c'est ce que je vois à chaque fois que je te regarde. La merveille que tout cela représente.

En riant, il la souleva dans ses bras. Et quand il l'embrassa à nouveau, ce fut avec une joie débordante de fraîcheur et de jeunesse.

— Tu n'as qu'à imaginer que je te fais gravir un monumental escalier pour t'emmener dans un somptueux lit douillet, garni d'oreillers en satin et de draps en dentelle rose.

— Je n'ai pas besoin d'imaginer...

Submergée d'émotion, Shannon enfouit son visage dans son cou.

— Ce soir, je n'ai besoin que de toi. Et tu es là.

— Oui, je suis là...

Il effleura sa tempe d'un baiser et attendit qu'elle se tourne vers lui.

— Nous sommes là, dit-il en désignant le milieu du champ.

Devant eux, le cercle des fées se dressait sous la blancheur éclatante de la lune.

## 16

Sous les étoiles et la lune qui brillaient dans le ciel, Murphy la porta au milieu de la ronde de pierres. Le cri d'une chouette retentit dans la nuit avant de s'évanouir dans le silence.

Il la posa à terre, puis étala une première couverture et laissa tomber l'autre avant de se mettre à genoux devant elle.

— Qu'est-ce que tu fais?

Pourquoi était-elle soudain si nerveuse? Elle ne l'était pas un instant plus tôt.

— J'enlève tes chaussures.

Un geste si simple, si banal... Et pourtant d'une sensualité incroyable. Il retira ensuite les siennes qu'il posa méticuleusement à côté de celles de Shannon. Lentement, ses mains se promenèrent sur son corps, des chevilles aux épaules, tandis qu'il se relevait.

— Tu trembles. Tu as froid?

— Non...

Un tel feu intérieur l'avait envahie qu'elle pensa qu'elle n'aurait plus jamais froid de sa vie.

— Murphy, je ne voudrais pas que tu croies que cela signifie... autre chose que ce que cela signifie. Ce ne serait pas juste que tu...

Il prit son visage entre ses mains en souriant et l'embrassa.

— Je sais. « La beauté se suffit à elle-même... »

Toujours aussi douces, toujours aussi tendres, ses lèvres effleurèrent sa pommette.

— C'est un vers d'Emerson.

Combien d'hommes étaient ainsi capables de citer les poètes et de labourer la terre ?

— Tu es belle, Shannon. Tout ceci est très beau.

Et il veillerait à ce qu'il en soit ainsi. Il se donnerait à elle corps et âme. Et il prendrait possession de son âme tout autant que de son corps. Tout doucement, il lui caressa les épaules, le dos, les cheveux pendant que sa bouche l'encourageait patiemment à lui donner plus encore. A prendre plus encore.

Shannon frissonna, puis se pressa plus fort contre lui en soupirant de plaisir. Une brise légère flottait dans l'air, les enveloppant comme une musique.

Les yeux plongés dans les siens, Murphy s'écarta légèrement pour faire glisser de ses épaules la veste d'homme qu'elle portait et la laissa tomber par terre. Un cri étouffé de surprise et de désir s'échappa des lèvres de Shannon lorsqu'il l'embrassa à nouveau en suivant délicatement le contour de son visage du bout de ses doigts.

Shannon croyait connaître les règles du jeu en matière de séduction, les gestes que les hommes et les femmes effectuaient sur le chemin du plaisir. Mais sa façon de faire à lui était différente, ressemblait à une danse paisible dont elle savourait chaque pas. Comme lorsqu'ils avaient dansé la valse, elle ne put que le suivre en profitant pleinement de chaque seconde.

Sa respiration se fit irrégulière lorsque ses doigts s'arrêtèrent sur le premier bouton de sa chemise. Elle regretta de ne pas porter de la soie, des dessous en dentelle, n'importe quoi de plus féminin pour attiser son désir.

Lentement, il ouvrit la chemise, en écarta les pans, puis posa une main légère sur son cœur.

Shannon frémit.

— Murphy...

— J'ai tellement imaginé que je te touchais, dit-il en portant sa main à ses lèvres. J'ai si souvent imaginé sentir ta peau contre la mienne, rêvé de son goût, de son parfum...

Sans cesser de la regarder, il fit glisser la chemise sur ses épaules.

— J'ai les mains calleuses.

— Non, fit-elle en secouant la tête. Oh, non.

D'un air solennel, il laissa courir son doigt le long de la bretelle de son soutien-gorge, puis remonta jusqu'à son épaule. Il savait qu'elle avait la peau douce. Et en la voyant frémir sous ses caresses et renverser la tête en arrière avec une expression de total abandon, le désir qu'il avait d'elle se doubla d'une infinie tendresse.

Aussi ne prit-il pas tout de suite ses seins, qu'il devinait déjà petits et fermes sous sa main. Au lieu de cela, il se pencha pour reprendre sa bouche. Ses lèvres étaient incroyablement généreuses, ouvertes et accueillantes. Le goût puissant de sa bouche se propagea dans tout son corps, développant des parfums plus forts et plus intimes.

— J'ai...

Elle se ressaisit et le regarda dans les yeux, ses mains agrippant ses épaules.

— J'ai envie de toi plus que je ne l'aurais jamais imaginé.

Sans cesser de le regarder, à son tour elle déboutonna sa chemise et la fit passer par-dessus ses épaules. Puis elle baissa les yeux.

— Oh !

Elle poussa un soupir ravi et admiratif en découvrant son torse large et puissant, taillé au prix de tant de travail et de sueur. Avide et curieuse, elle passa les mains sur ce torse dont la peau était douce sur les muscles tendus, et elle sentit le cœur de Murphy s'accélérer.

Le sien s'affola à son tour lorsqu'il défit la ceinture de son pantalon. Pétrifiée, elle sentit qu'il lui prenait la main pour l'aider à ne pas perdre l'équilibre tandis qu'elle l'enlevait. Mais quand elle voulut le toucher à nouveau, il secoua la tête. L'homme le plus amoureux et le plus patient avait tout de même ses limites.

— Allonge-toi avec moi, murmura-t-il. Viens.

Elle s'étendit sur la couverture et il prit à nouveau possession de sa bouche.

Puis il la caressa avec une tendresse étonnante, palpant ses seins et éprouvant un plaisir douloureux à sentir sa peau sous le coton. Il avait envie de retrouver ce goût qui l'excitait tellement, dans son cou ou sur ses épaules. Quand sa langue, après ses doigts, se faufila sous le tissu pour lécher la pointe de son sein, Shannon s'arc-bouta violemment.

— Viens, souffla-t-elle dans un demi-sanglot. Pour l'amour du ciel, viens !

Mais il se contenta de défaire l'agrafe de son soutien-gorge et de prendre délicatement son sein dans sa bouche.

Au supplice, n'en pouvant plus, elle l'attira contre lui. Elle ondulait frénétiquement sous lui, sans la moindre honte. Du bout de la langue, des dents, des lèvres, il l'excitait tandis qu'elle le suppliait et haletait. Soudain, un éclair la traversa de part en part, si vif, si fort, qu'elle se cabra en agrippant la couverture. Emportée par un plaisir fulgurant, elle trembla longuement de tous ses membres avant de retomber mollement sur le dos.

C'était impossible. Tout en cherchant à reprendre son souffle, Shannon écarta d'une main lourde une mèche de cheveux devant ses yeux. Ce n'était pas possible. Personne, jamais, ne lui avait fait éprouver quelque chose d'aussi fort.

Avec un vague grognement, Murphy pressa ses lèvres contre sa peau, puis sa main descendit plus bas, suivant amoureusement le galbe de sa taille et de ses hanches.

— Shannon, je t'aime. Maintenant et pour toujours.

— Je ne...

Trop faible pour parler, elle mit une main sur son dos. Il était trempé, et tous ses muscles étaient tendus.

— Je... J'ai besoin d'une minute...

Mais sa bouche se promenait déjà sur son ventre plat.

— Seigneur, mais qu'est-ce que tu me fais ?

— Je te donne du plaisir.

Et il avait l'intention de lui en donner encore et

encore. Le désir qu'il avait de la prendre était si douloureux, et d'une force si intense, qu'il savait bien qu'il ne pourrait pas continuer à se retenir encore longtemps. Habilement, il fit glisser son slip minuscule sur ses hanches, puis plongea entre ses cuisses.

— Et je me donne du plaisir.

Son corps était un trésor de sombres délices qu'il entendait explorer pleinement. Mais le moment n'était plus à la paresse. Fou de désir, il savoura chacun de ses soubresauts, chacun de ses cris, chacun de ses soupirs.

Il la voulait ainsi, offerte et alanguie, s'ouvrant à lui au fur et à mesure qu'il la fouillait, l'enflammait de ses caresses. Et quand elle fut toute mouillée, tout excitée, il ne s'en contenta pas.

Il se débarrassa de son jean en la couvrant de minuscules baisers, s'attardant sur ses mamelons durcis avant de remonter sur ses lèvres frémissantes.

Arc-boutée sous lui, Shannon écarta les jambes qu'elle referma sur ses reins. Murphy secoua la tête, non pas pour lui signifier un quelconque refus, mais pour éclaircir sa vision soudain brouillée. Il voulait la voir, et il voulait qu'elle le voie.

— Regarde-moi, ordonna-t-il, devant produire un gigantesque effort pour faire sortir les mots de sa gorge serrée. Je t'en prie, regarde-moi !

Shannon ouvrit les yeux. Sa vision était floue, puis elle se précisa peu à peu, et elle ne vit plus rien d'autre que son visage.

— Je t'aime, dit-il avec ardeur, les yeux rivés aux siens. Tu m'entends ?

— Oui, murmura-t-elle en l'empoignant par les cheveux. Oui...

Tout à coup, elle laissa échapper un cri lorsqu'il s'enfonça profondément en elle. Un violent orgasme la traversa, comme une coulée de lave, la laissant tremblante et brûlante. Quand elle referma les yeux, il prit sauvagement sa bouche tout en allant et venant frénétiquement en elle.

S'ajustant à son rythme, Shannon s'abandonna à la

tempête qui les emporta tous les deux. Ce fut soudain comme si le tonnerre éclatait, comme si de gigantesques éclairs déchiraient le ciel. Une splendide explosion ébranla tout son corps, puis elle retomba contre lui, inerte et éblouie.

Ses mains glissèrent mollement le long de son dos. Elle l'entendit murmurer son nom, le sentit se tendre de tout son être, puis s'arc-bouter violemment avant de se laisser retomber sur elle de tout son poids.

Il resta immobile, le visage enfoui dans sa chevelure, le corps parcouru de longs frissons. Elle se remit à trembler, ou plutôt à être secouée d'un frémissement de plénitude, comme cela arrive parfois quand deux êtres viennent de faire merveilleusement l'amour. Il voulut la caresser, pour l'apaiser, mais il était incapable de faire un geste.

— Je te promets que je vais cesser de t'écraser dans une minute, dit-il à voix basse.

— Ah, non, surtout pas !

Il frotta son nez contre ses cheveux en souriant.

— Au moins, je te tiens chaud.

— Je crois bien que je n'aurai plus jamais froid.

Shannon referma ses bras autour de lui avec un petit ronronnement de plaisir.

— Je vais probablement flatter ton orgueil en te disant cela, mais ça m'est égal. Personne ne m'a jamais fait éprouver autant de bonheur en me faisant l'amour.

Ce ne fut pas de l'orgueil qu'il ressentit alors, mais seulement de la joie.

— Il n'y a eu aucune femme avant toi.

Elle se lova contre lui en riant.

— Là, Murphy, tu exagères. Je suis sûre qu'il y a des tas de femmes qui...

— C'était juste pour m'entraîner, coupa-t-il en roulant sur un coude pour mieux la regarder.

Le sourire qu'elle lui fit le réjouit.

— Maintenant, je ne dis pas qu'une fois ou deux je n'aie pas pris plaisir à l'entraînement...

— Fais-moi penser à te boxer, tout à l'heure.

Et elle éclata de rire quand il la fit rouler au bout de la couverture en la serrant tendrement dans ses bras.

— Il va falloir que je fasse un portrait de toi, dit-elle d'un air moqueur en laissant courir ses doigts sur ses biceps et ses pectoraux. Je n'ai pas fait de nu depuis que je suis sortie des Beaux-Arts, mais...

— Chérie, sache que chaque fois que tu me verras nu, tu seras beaucoup trop occupée pour penser à tes crayons ou à tes pinceaux.

Elle lui décocha un sourire malicieux.

— Tu as raison...

Puis elle lui donna un baiser et resta quelques instants sans bouger. En soupirant, elle posa la tête sur son torse.

— Je n'avais encore jamais fait l'amour dehors.

— Tu plaisantes ?

— Dans mon quartier, ce n'est pas très bien vu, rétorqua-t-elle en se redressant.

Voyant qu'elle avait la chair de poule, Murphy rabattit la couverture sur elle.

— Pour toi, c'est vraiment la nuit des premières fois. Ton premier *ceilidh*. Ta première valse...

— C'est la valse qui a tout déclenché. Non, c'est faux.

Elle secoua la tête, puis se tourna pour prendre son visage entre ses mains.

— La valse m'a séduite. Mais en fait, c'est quand tu as chanté. Dès que je t'ai entendu, je me suis demandé pourquoi et comment j'avais pu te dire non.

— Il faudra que je pense à chanter pour toi très souvent.

D'une main, il la prit par le cou.

— Pour la belle Shannon aux yeux verts, l'amour de ma vie. Embrasse-moi.


Quand le ciel commença à flamboyer à l'est, il la réveilla tout doucement. A regret, car c'était un vrai plaisir de la contempler dans son sommeil, elle était si jolie. Il aurait tellement aimé lui faire encore une fois l'amour avant que l'aube ne se lève.

Mais il avait des obligations, et sa famille l'attendait.

— Shannon...

Tout doucement, il lui caressa la joue et l'embrassa.

— Chérie, c'est bientôt le matin. Les étoiles sont parties.

Shannon bougea légèrement et murmura en lui agrippant la main.

— Pourquoi ne restes-tu pas? Pourquoi? Pourquoi es-tu revenu si c'est pour m'abandonner encore?

— Chut...

Murphy la serra contre lui et déposa un baiser sur son front.

— Je suis là. Ne t'inquiète pas. Ce n'est qu'un rêve.

— Si tu m'aimais vraiment, tu ne repartirais pas.

— Mais je t'aime. Ouvre les yeux. Tu es en train de rêver.

Obéissant à sa voix, Shannon ouvrit les yeux, comme il le lui avait demandé. Pendant quelques secondes, elle eut l'impression de flotter entre deux mondes qui lui semblaient l'un comme l'autre normaux et familiers.

L'aube, c'était juste avant l'aube, songea-t-elle vaguement. Et l'air sentait bon le printemps. Les pierres se dressaient, grises et froides dans la pénombre, et elle sentait les bras de son amant l'enlacer.

— Ton cheval...

Le regard flou, elle tourna la tête. Elle aurait dû percevoir le tintement des étriers ou bien le bruit des sabots impatients frappant le sol.

— Les chevaux sont encore à l'écurie.

Fermement, Murphy la prit par le menton et l'obligea à le regarder en face.

— Shannon, où es-tu?

— Je...

Clignant des yeux, elle sortit progressivement de son rêve.

— Murphy?

Ses yeux, qui étaient à quelques centimètres de son visage, la considéraient d'un air anxieux.

— Tu te souviens de ce qui s'est passé? Qu'est-ce que j'ai fait pour te perdre? demanda-t-il d'un ton désolé.

Shannon secoua la tête. L'impression de désespoir et la peur qui s'étaient emparées d'elle dans son sommeil s'étaient maintenant évanouies.

— Je crois que je rêvais. C'est tout.

— Dis-moi ce que j'ai fait.

Mais elle se contenta de poser la tête sur son épaule, soulagée de sentir sa force et sa chaleur.

— Ce n'était qu'un rêve, répéta-t-elle. C'est déjà le matin?

Murphy faillit insister, mais renonça.

— Presque. Il faut que je te raccompagne à l'auberge.

— Pas encore.

— J'arrêterais volontiers la course du soleil, si je le pouvais.

Il la serra encore une fois contre lui avant de se lever pour aller chercher leurs vêtements.

Recroquevillée sous la couverture, Shannon le suivit des yeux, en proie soudain à un brûlant désir. Elle s'assit, et la couverture glissa sur ses hanches.

— Murphy?

Lorsqu'il se retourna, elle éprouva une profonde satisfaction à voir son regard se troubler.

— Fais-moi l'amour.

— Je ne demanderais pas mieux, mais ma famille est à la maison, et rien ne dit que l'un d'eux ne va pas...

Il ne termina pas sa phrase. Elle venait de se lever, mince et splendidement nue. Quand elle s'approcha de lui, les vêtements qu'il tenait à la main tombèrent dans l'herbe.

— Fais-moi l'amour, répéta-t-elle en le prenant par le cou. Vite, désespérément. Comme si c'était la dernière fois.

Il y avait bel et bien de la sorcière en elle. Il l'avait su à la seconde même où il avait vu ses yeux. Leur pouvoir ensorcelant était maintenant éclatant. Et son regard ne flancha pas lorsqu'il la prit par la nuque pour l'attirer contre lui.

— D'accord, mais comme ça, fit-il d'une voix rauque.

Il la plaqua contre la pierre la plus haute, l'agrippa par les hanches et la souleva de terre.

Elle s'accrocha à lui, folle de désir. Et il l'empala sur lui, la prit avec autant de force et de désespoir qu'elle le lui avait demandé.

Les yeux dans les yeux, ils se mirent à bouger en rythme, en soupirant fébrilement. Les ongles de Shannon s'enfoncèrent dans la chair de ses épaules et ses lèvres se retroussèrent en un sourire de triomphe en sentant leurs corps se convulser de plaisir à la même seconde.

Murphy avait l'impression que ses jambes allaient se dérober sous lui. Et ses mains étaient si moites qu'il avait peur de la lâcher. Il s'entendait respirer, le souffle court et haletant, telle une bête sauvage.

— Seigneur... marmonna-t-il, aveuglé de sueur en clignant des yeux. Doux Seigneur...

Affalée contre son épaule, Shannon se mit à rire, joyeuse et émerveillée. Il s'efforça de reprendre son souffle et de la tenir fermement quand elle leva les bras au ciel.

— Oh, je me sens si pleine de vie...

Un sourire au coin des lèvres, il prit garde à ne pas perdre l'équilibre.

— Tu es pleine de vie, c'est vrai, mais tu as failli me tuer.

Il l'embrassa fougueusement, puis la reposa par terre.

— Rhabille-toi vite, tentatrice, avant de finir de m'achever.

— Je voudrais qu'on rentre en courant tout nus à travers les champs.

Murphy laissa échapper un soupir et se pencha pour ramasser son soutien-gorge.

— Oh, ma très sainte mère serait sûrement enchantée, si elle se trouvait par hasard en train de faire un tour.

Amusée, Shannon remit son soutien-gorge, puis ramassa sa culotte qui gisait dans l'herbe.

— Je parie que ta très sainte mère sait parfaitement

ce que tu as fait, étant donné que tu n'es pas rentré de la nuit.

— Savoir et voir sont deux choses différentes.

Il lui donna une tape affectueuse sur la fesse quand elle se pencha pour attraper son chemisier.

— Tu es très sexy dans ces vêtements d'homme. Dis-moi, si je viens te chercher ce soir, tu voudras bien sortir avec moi ?

Perplexe et ravie, Shannon posa son regard sur lui. Que cet homme puisse lui demander cela, si gentiment, alors qu'ils venaient de faire l'amour comme des bêtes, l'enchanta au plus haut point.

— Ma foi, c'est bien possible, Murphy Muldoon, dit-elle en s'efforçant de prendre son meilleur accent irlandais.

Les yeux brillants, Murphy lui lança une de ses chaussures.

— Tu as toujours l'accent yankee. Mais il me plaît. Je le trouve charmant.

Shannon haussa les épaules.

— Tu parles !

Elle se baissa pour ramasser la couverture, mais il lui retint la main.

— Laisse-les ici... si tu veux bien.

En souriant, elle entrelaça ses doigts aux siens.

— Oui, je veux bien.

— Bon, je te raccompagne.

— Tu n'es pas obligé.

— Mais si.

Il la fit passer sous l'arche de pierres et l'entraîna dans le champ où la lumière commençait à scintiller de rosée sur l'herbe.

— Et j'en ai envie.

Heureuse, Shannon appuya la tête contre son épaule. A l'est, le soleil qui se levait doucement dans un flamboiement rose et doré faisait penser à un tableau aux tons pastel. Le chant d'un coq retentit, suivi de celui d'une alouette. Quand Murphy s'arrêta pour cueillir une fleur aux pétales d'un blanc délicat, elle se retourna en souriant et le laissa la lui mettre dans les cheveux.

— Oh, regarde, une pie !

Elle tendit la main vers l'oiseau qui volait au ras des champs.

— C'est bien ça, non ? Brianna m'en a montré une.

— C'est bien ça. Regarde là-bas. Vite ! Il y en a deux autres.

Ravi de cette aubaine, Murphy la prit tendrement par les épaules.

— Une, c'est du chagrin. Deux, c'est de la joie. Trois, un mariage et quatre, une naissance.

Shannon regarda les oiseaux s'envoler à tire-d'aile et s'éclaircit la gorge avant de parler.

— Murphy, je sais que tu as pour moi des sentiments très forts, mais je...

Il la souleva et la fit asseoir sur un muret de pierres.

— Je suis amoureux de toi, dit-il simplement. Si c'est ça que tu veux dire.

— Oui, c'est exactement ce que je veux dire.

Il fallait qu'elle se montre prudente, car elle était beaucoup plus profondément émue qu'elle ne voulait l'avouer.

— Et je crois comprendre comment tu vois évoluer les choses. En raison de ta personnalité, de ta culture et de ta religion.

— Tu as vraiment une façon incroyable de tout compliquer avec des mots. Ce que tu veux dire, c'est que je veux t'épouser.

— Oh, Murphy...

— Mais je ne te le demande pas tout de suite, lui fit-il remarquer. Ce que je veux pour l'instant, c'est profiter de cette promenade matinale avec toi en espérant te revoir ce soir.

Elle lui jeta un coup d'œil en biais et vit qu'il l'observait.

— Les choses peuvent rester simples, alors ?

— Il n'y a rien de plus simple. Attends, laisse-moi t'embrasser avant qu'on arrive dans le jardin de Brianna.

Il la fit pivoter pour la prendre dans ses bras, pencha la tête, et elle se sentit fondre.

— Encore un, murmura-t-elle en l'attirant contre elle.

— Je passerai te voir...

Il dut faire un effort pour s'écarter.

— Je t'emmènerais volontiers dîner quelque part, mais...

— Ta famille est là, termina-t-elle à sa place. Je comprends très bien.

— Ils repartent demain. Si ça ne te pose pas de problème par rapport à Brie, j'aimerais bien que tu viennes passer la nuit avec moi, dans mon lit.

— Pas de problème.

— Alors, à tout à l'heure.

Tendrement, il lui baisa le bout des doigts et la laissa à l'entrée du jardin où les roses étaient encore couvertes de gouttes de rosée.

Shannon traversa la pelouse en chantonnant, entra par la porte de service et s'arrêta net en apercevant Brianna qui était en train de préparer du café devant la cuisinière.

— Oh, bonjour...

Un sourire béat au coin des lèvres, Shannon fourra les mains dans les poches de son pantalon.

— Tu es debout de bonne heure.

Brianna se contenta de lever un sourcil. Elle était debout depuis une demi-heure, comme chaque matin de l'année.

— Kayla avait faim.

Shannon jeta un coup d'œil étonné à la pendule.

— Il doit être un peu plus tard que je ne pensais. J'étais... dehors.

— Je m'en doutais. Murphy n'a pas voulu venir boire un café ?

— Non, il...

Shannon se figea, puis poussa un soupir.

— Je suppose que nous n'avons pas été très discrets.

— C'est vrai que je ne suis pas surprise de te voir rentrer à cette heure après avoir vu la façon dont vous êtes partis tous les deux hier soir.

Brianna se retourna en entendant la bouilloire siffler.

— Tu as l'air heureuse.

— Ah bon?

Shannon éclata de rire, puis, cédant à son impulsion, se précipita vers Brianna en se jetant à son cou.

— Je dois l'être! Je dois être bêtement heureuse! Je viens de passer la nuit avec un homme dans un pâturage. Tu imagines? Moi... dans un pâturage! C'est incroyable!

— Je suis heureuse pour toi.

Brianna resta immobile, profondément touchée par cette première manifestation d'affection entre sœurs.

— Pour vous deux. Murphy est quelqu'un de spécial. J'espérais depuis longtemps qu'il trouverait quelqu'un d'aussi spécial que lui.

Shannon resta serrée contre Brianna encore quelques secondes.

— Ce n'est pas exactement ça. Je tiens à lui. Beaucoup. Je n'aurais pas passé la nuit avec lui si ce n'était pas le cas.

— Je sais. Je comprends très bien.

— Mais je ne suis pas comme toi...

Shannon s'écarta, espérant parvenir à expliquer à Brianna ce qu'elle avait besoin de s'expliquer à elle-même.

— Je ne suis pas comme toi ou comme Maggie. Je n'ai pas l'intention de m'installer ici pour me marier et fonder une famille. J'ai d'autres ambitions.

Un léger trouble passa dans le regard de Brianna qui baissa les yeux.

— Murphy est très amoureux de toi.

— Je sais. Et je ne suis pas sûre de ne pas être amoureuse de lui.

Shannon se détourna, éprouvant subitement le besoin de bouger pour ne pas perdre l'équilibre.

— Mais l'amour ne suffit pas à construire une vie. Toi et moi devrions le savoir, après ce qui est arrivé à nos parents. J'ai essayé d'expliquer ça à Murphy, et j'espère avoir réussi. Parce que la dernière chose que je souhaite, c'est lui faire du mal.

— Tu ne penses pas que tu te feras du mal à toi si tu refuses d'écouter ton cœur?

— J'ai aussi une tête.

Brianna sortit deux tasses et deux soucoupes d'un placard.

— C'est vrai. Il n'y a que toi pour décider ce qui est bien. Mais c'est très difficile quand une partie de soi tire dans le sens inverse de l'autre.

— Je vois que tu comprends...

Shannon posa une main reconnaissante sur son épaule.

— Tu me comprends vraiment.

— Bien sûr. Pour Murphy, c'est facile. Il ne s'interroge pas sur ce qu'il pense, ou ce qu'il ressent, ou ce dont il a besoin. Tu es tout pour lui. Mais les choses ne sont pas aussi simples pour toi. Aussi devrais-tu prendre le bonheur comme il vient, sans te poser des questions à chaque instant.

— C'est cc que j'essaie de faire. Et pas seulement vis-à-vis de Murphy. Je suis heureuse, Brianna, dit-elle plus doucement. Heureuse d'être avec toi.

— Je ne saurais te dire à quel point c'est bon d'entendre ça...

Spontanément, elle se retourna avec un sourire débordant d'affection.

— ... et de savoir que tu as pu le dire. Décidément, c'est une belle journée !

— Oui, c'est une magnifique journée ! fit Shannon en prenant joyeusement les mains de Brianna dans les siennes. La plus belle des journées. Je vais me changer.

— Monte-toi un café...

Refoulant ses larmes, Brianna remplit une tasse.

— Je vais te préparer un petit déjeuner avant d'aller à l'église.

— Non, je vais boire ce café, me changer, et puis je redescends t'aider à faire le petit déjeuner.

— Mais...

— Je ne suis plus une cliente dans cette maison.

Cette fois, les yeux de Brianna se remplirent de larmes qu'elle ne put retenir.

— Non, c'est exact. Alors, va vite, dit-elle en se retournant brusquement pour se servir du thé. Ceux qui le sont vont bientôt se lever.

Gray attendit que Shannon soit sortie de la cuisine pour entrer. Il alla droit vers sa femme qui pleurait en silence et la prit dans ses bras.

— Vas-y, ma chérie, murmura-t-il en lui caressant le dos. Laisse-toi aller. Pleure autant que tu voudras. Vous avez bien failli me tirer des larmes, toutes les deux.

— Grayson, dit Brianna dans un sanglot en se laissant bercer contre son épaule, c'est ma sœur.

Il l'embrassa sur le front.

— Oui. C'est ta sœur.

## 17

A New York, Shannon n'était pas allée assister souvent à la messe. Bien qu'issue de parents catholiques fervents, bien qu'ayant fréquenté des écoles religieuses et fait sa communion, elle se considérait comme une jeune femme catholique moderne, et se sentait en profond désaccord avec bon nombre des doctrines et lois édictées par le Vatican.

La messe du dimanche était simplement une habitude qu'elle avait perdue lorsqu'elle s'était installée dans sa nouvelle vie à New York.

Mais pour les gens de ce petit village du comté de Clare, la messe dominicale n'était en rien une habitude. C'était quelque chose de fondamental.

Elle devait d'ailleurs reconnaître que la petite église lui plaisait. L'odeur des cierges aux flammes vacillantes et les bancs cirés lui rappelaient de tendres souvenirs d'enfance. Les statues de Marie et de Joseph, les tableaux illustrant le chemin de la Croix ou encore le tissu brodé qui recouvrait l'autel étaient des symboles que l'on retrouvait partout à travers le monde.

La chapelle du village s'enorgueillissait de ses vitraux qui laissaient filtrer une douce lumière. Les bancs étaient usés, les prie-Dieu branlants, et le plancher craquait à la moindre génuflexion.

Malgré la simplicité du décor, le rite se déroulait avec autant de pompe et de solennité qu'à la cathédrale Saint-Patrick de la Cinquième Avenue. Rassurée d'être assise près de Brianna, Shannon prit un réel plaisir à entendre le ton lyrique du prêtre, les réponses murmurées de l'assemblée et les cris ou les pleurs occasionnels d'un enfant.

De l'autre côté de l'allée centrale, la famille de Murphy occupait deux rangées à elle seule. La sienne — car elle commençait à se considérer en famille — n'en occupait qu'une.

Lorsque tout le monde se leva pour la bénédiction finale, Liam escalada le banc en lui tendant les bras. Shannon le cala sur sa hanche et sourit en le voyant avancer les lèvres pour réclamer un baiser.

— C'est joli, chuchota-t-il quand elle l'eut embrassé.

Ses petits doigts dodus tripotaient les topazes et les améthystes qu'elle avait aux oreilles.

— C'est à moi !

— Non, c'est à moi, répliqua-t-elle en sortant sur le parvis de l'église éclaboussé de soleil.

— Joli ! répéta le petit garçon.

Brianna fouilla dans son sac, espérant y trouver quelque chose à lui donner pour lui faire plaisir.

— Ça, c'est bien vrai, mon pote, fit alors Murphy en lui prenant l'enfant qu'il hissa à bout de bras. Elle est jolie comme un matin de mai.

Shannon sentit un petit frisson lui parcourir les reins. Il y avait quelques heures à peine, ils étaient enlacés, dans les bras l'un de l'autre, entièrement nus et trempés de sueur. Maintenant, ils étaient soigneusement habillés au milieu d'une foule de gens. Et elle éprouva une nouvelle bouffée de désir pour son amant.

Sortant un petit miroir de son sac, elle le tendit à Liam.

— Tiens, ça aussi c'est joli.

Enchanté, Liam saisit le miroir et se regarda dedans en faisant des grimaces.

— Regarde, maman, dit la jeune Kate qui tenait son dernier bébé sur l'épaule, on dirait une vraie petite famille. Tu te doutais que Murphy jetterait son dévolu sur une Yankee ? Surtout sur une comme celle-ci ?

— Non, répondit Alice en les observant d'un air partagé. Je ne m'en doutais pas du tout. A une époque, j'ai

cru qu'il choisirait une des filles de Tom Concannon.
Mais je ne m'attendais pas à ça.

Kate jeta un coup d'œil sur son fils de trois ans qui
était en train d'arracher des brins d'herbe et de les
sucer d'un air ravi.

— Et ça ne t'ennuie pas ?

— Je n'ai pas encore décidé...

Chassant son humeur sombre, Alice se pencha pour
prendre son petit-fils dans ses bras.

— Kevin, ce sont les vaches qui mangent de l'herbe.
Rassemble ta petite troupe, Kate. Il faut aller préparer
le repas de ce soir.

Entendant quelqu'un l'appeler, Murphy leva la main.

— Je dois y aller. Je passerai te voir plus tard, dit-il
en rendant Liam à Shannon. Tu me permets de te donner un baiser ?

— Un baiser ! répéta Liam avec enthousiasme en lui
tendant sa bouche.

— Pas à toi, bonhomme.

Mais Murphy l'embrassa avant d'effleurer les lèvres
de Shannon.

— A tout à l'heure.

— Oui, à tout à l'heure.

Et elle dut se maîtriser pour ne pas soupirer comme
une collégienne en le voyant s'éloigner.

— Tu veux que je te débarrasse de ce poids lourd,
tante Shannon ?

S'étant assuré que la voie était libre, Rogan la rejoi-
gnait.

— Non, je peux le garder.

— On dirait plutôt que c'est lui qui te garde... Je
désirais te parler. Tu veux bien venir à la maison ?
Maggie et moi serions ravis de t'avoir pour le thé. Et
Liam aussi.

— Thé ! répéta Liam en se désintéressant tout à
coup du miroir et en sautillant de joie sur la hanche de
Shannon. Gâteau...

— Il n'y a que cela qui l'intéresse, plaisanta Rogan.
Exactement comme sa mère.

Sans attendre sa réponse, il prit Shannon par le bras
et l'entraîna vers sa voiture.

— Il faudrait que je prévienne Brie...

— C'est fait... Maggie! appela-t-il en se retournant. Ton fils veut du thé et du gâteau.

— Mon fils? Quel fils?

Maggie les rattrapa au moment où Shannon se dirigeait machinalement vers la portière du conducteur.

— C'est toi qui nous ramènes, Shannon?

— Zut... je fais ça neuf fois sur dix.

Liam sur ses talons, elle fit le tour de la voiture et installa l'enfant dans son siège auto.

— Quand on est américain, on le reste, commenta Maggie en montant à son tour.

Shannon se contenta de froncer le nez et de jouer avec l'enfant pendant le reste du trajet.

Peu de temps après, ils prenaient place dans la cuisine. Ce fut Rogan, nota Shannon, qui prépara le thé.

— Alors, ce *ceilidh* t'a plu? lui demanda-t-il.

— Énormément.

Maggie apporta un quatre-quarts coupé en tranches sur la table.

— Tu es partie tôt, lança-t-elle avec une lueur espiègle dans les yeux.

Shannon haussa les sourcils, puis prit le coin d'une tranche de gâteau.

— C'est une recette de Brie, dit-elle après l'avoir goûté.

— C'est d'ailleurs elle qui l'a fait. Réjouis-t'en.

— Oui, réjouissons-nous, glissa Rogan. Brie est trop bonne pour laisser Maggie nous empoisonner.

— Je suis une artiste, pas une cuisinière.

— Brianna est beaucoup plus qu'une cuisinière, riposta Shannon. C'est une artiste. Et cela se voit dans toutes les pièces de l'auberge.

— Tiens, tiens...

Amusée et ravie, Maggie se cala sur sa chaise.

— Tu es bien prompte à prendre sa défense, dis-moi?

— Tout comme toi, dit calmement Rogan en apportant la théière. Brianna inspire la loyauté. Et l'auberge est très accueillante, non?

Tout en continuant de s'appliquer à arrondir les angles, il remplit les tasses.

— J'y suis descendu la première fois que je suis venu ici forcer la porte de Margaret Mary. Le temps était exécrable. Aussi exécrable que le caractère de Maggie. Au milieu de tout cela, l'auberge m'a fait l'effet d'un havre de paix et de grâce incomparable.

— C'est plutôt toi qui avais un caractère exécrable, corrigea Maggie. Il m'a harcelée de manière impitoyable. Il a débarqué ici sans y avoir été invité, alors que je ne lui demandais rien. Et, comme tu le vois, je n'ai toujours pas réussi à me débarrasser de lui.

— La ténacité offre quelques récompenses.

D'un geste habituel et tout à fait naturel, il posa sa main sur celle de Maggie.

— Et notre première récompense vient de s'endormir dans son assiette, ajouta-t-il tout bas.

Maggie se tourna vers Liam qui dormait à poings fermés, la bouche ouverte, une part de gâteau dans la main.

— C'est vrai que c'est un trésor, fit-elle en riant.

Elle se leva et l'extirpa de sa chaise haute. Quand il se mit à pleurnicher, elle le serra dans ses bras en lui tapotant les fesses.

— Viens, mon chéri, tu vas aller t'allonger un peu. Allons voir où est ton ours. Je suis sûre qu'il attend son copain Liam.

— C'est une mère sensationnelle, dit Shannon avec spontanéité.

— Ça t'étonne ?

— Oui, dit-elle sans réfléchir. Enfin, je ne veux pas dire que...

— Il n'y a aucun problème. Ça l'étonne elle aussi. Au départ, elle était très réticente à l'idée d'avoir une famille. Cela venait en grande partie du fait qu'elle a eu une enfance difficile. Mais avec le temps, les choses s'arrangent toujours. Et même les plus profondes blessures finissent par se refermer. Je ne sais pas si elle arrivera un jour à se sentir proche de sa mère, mais il existe désormais un pont entre elles deux. La distance s'est déjà un peu réduite.

Il reposa sa tasse et lui sourit.

— Accepterais-tu de venir dans mon bureau un petit moment ?

— Dans ton bureau ?

— Là, juste à côté.

Rogan se leva, sachant que Shannon le suivrait, ne serait-ce que par politesse.

Il voulait l'affronter sur son propre terrain. Il était depuis assez longtemps dans les affaires pour savoir que c'était toujours un avantage. Qu'une atmosphère professionnelle convenait mieux dans certains cas que des discussions informelles autour d'une table.

Avec Shannon, il avait déjà décidé de faire une distinction claire et nette entre les affaires et la famille. A moins que le lien familial ne s'avère utile...

Curieuse, Shannon le suivit jusqu'à une porte qui donnait dans le salon. Elle s'arrêta sur le seuil avec un regard mêlé de surprise et d'admiration.

Ils avaient beau être en pleine campagne, séparés par un simple mur des vaches en train de paître et des poules en train de picorer, l'espace réservé au travail était comparable à n'importe quel bureau de haut standing dans une grande ville.

La pièce était décorée avec goût, et même avec beaucoup de raffinement. Tapis de Boukhara, lampe Tiffany et bureau ancien en acajou ciré. Maggie était présente dans la pièce — une étonnante fontaine en verre bleu saphir qui s'élevait presque jusqu'au plafond dans un délicat tourbillon de formes et de couleurs était posée sur une colonne de marbre. Elle évoqua instantanément à l'esprit de Shannon le jardin de Brianna.

L'aspect pratique n'avait pas été négligé. Il y avait là tous les outils nécessaires à un directeur digne de ce nom — fax, ordinateur, modem, photocopieuse, le tout dans un style sobre et high-tech.

— Dieu du ciel...

Son sourire s'élargit quand elle s'avança en effleurant le dessus d'un énorme ordinateur.

— Je n'aurais jamais deviné qu'il y avait tout cela ici.

— C'est ce que voulait Maggie. Et moi aussi, expliqua Rogan en lui indiquant une chaise. J'habite ici une bonne partie de l'année, mais pour le faire, il faut que je puisse travailler.

— Je croyais que tu avais un bureau à la galerie ?

— J'en ai un.

Afin de donner à leur conversation le ton qu'il souhaitait, Rogan s'installa derrière son bureau.

— Mais nous avons tous les deux des métiers très exigeants, et nous avons tous les deux un enfant. Aussi, quand mon emploi du temps le permet, je travaille ici trois jours par semaine, et je m'occupe de Liam le matin pendant que Maggie est à l'atelier.

— Ce ne doit pas être facile — pour aucun de vous — de jongler comme ça...

— Il faut prendre garde à ne laisser tomber que des balles qu'on peut remplacer. Le compromis est le seul moyen que je connaisse pour tout avoir. Bien, je me disais qu'on pourrait peut-être parler des autres tableaux que tu as peints.

— Oh, fit Shannon en haussant les sourcils. J'ai fait deux nouvelles aquarelles, et une autre huile, mais...

— J'ai vu celle que tu as faite de Brianna, coupa calmement Rogan. Tu as fini celle de l'auberge, où l'on voit le jardin ?

— Oui. Et je suis allée sur les falaises peindre un paysage. Un peu trop typique, je suppose.

— Ça m'étonnerait...

Il sourit et prit quelques notes sur un carnet.

— Enfin, nous verrons bien. Tu as d'autres toiles, à New York ?

— Il y en a plusieurs dans mon appartement et, bien entendu, celles que j'ai ramenées de Columbus.

— Nous nous chargerons de les faire expédier.

— Mais...

— Mon directeur de galerie à New York s'occupera des détails — l'emballage et tout ça — une fois que tu m'auras remis une liste de tes œuvres.

Shannon fit une nouvelle tentative pour dire quelque chose, mais il la prit de vitesse.

— Pour l'instant, nous n'avons que le tableau exposé à Clare, et je pense que nous le laisserons là jusqu'à ce que nous ayons défini une stratégie plus élaborée. En attendant...

Il ouvrit le tiroir de son bureau et en sortit une liasse de documents tapés à la machine.

— ... tu n'as qu'à jeter un coup d'œil sur ces contrats.

— Rogan, je n'ai jamais accepté de signer aucun contrat.

— Évidemment, puisque tu ne les as pas encore lus, fit-il d'un ton posé en lui décochant un superbe sourire. Je me ferais un plaisir d'en étudier les termes avec toi, à moins que tu ne préfères que je te recommande un avocat. Tu en as sûrement un à New York, mais ce serait mieux d'en avoir un ici.

Elle se retrouva avec une pile de papiers entre les mains.

— J'ai déjà un travail.

— Ça n'a pas l'air de t'empêcher de peindre. Ma secrétaire te contactera dans le courant de la semaine prochaine afin de réunir quelques informations. Tout ce qu'il faut pour établir une biographie et des dossiers de presse.

— Des dossiers de presse?

Shannon porta la main à sa tempe. La tête lui tournait.

— Tu verras dans le contrat que Worldwide se charge de toute la publicité pour toi. Cela dépendra de l'inventaire de tes œuvres, mais nous devrions être prêts à organiser une exposition en octobre, peut-être même en septembre.

— Une exposition...

La main toujours sur la tempe, elle le regarda avec de grands yeux.

— Tu veux faire une exposition? A Worldwide Galleries?

— J'ai pensé un moment la faire à Dublin, où nous avions organisé la première exposition de Maggie. Mais, étant donné tes liens avec la région, je crois qu'il vaut mieux que ça ait lieu à la galerie de Clare.

Il inclina la tête avec un sourire poli.

— Qu'est-ce que tu en penses ?

— Je n'en pense rien, marmonna-t-elle. Je n'arrive plus à penser, Rogan. J'ai déjà vu des expositions à Worldwide et j'ai du mal à concevoir l'idée d'y en faire une.

— Tu ne vas pas rester là, à me regarder comme ça, en essayant de me faire croire que tu doutes de ton talent ?

Shannon le dévisageait, bouche bée. Toutefois, à cause de la manière dont il avait formulé cela, et voyant la façon dont il la regardait en attendant sa réponse, elle se força à se redresser.

— C'est seulement que je n'ai jamais pensé à ma peinture sous un angle pragmatique.

— Et pourquoi le ferais-tu ? C'est mon boulot. Tu n'as qu'à peindre, Shannon, c'est tout. Je m'occupe des détails et de tout le reste. A propos de détails...

Il releva la tête, savourant déjà sa victoire.

— Nous allons avoir besoin de photos. J'ai un excellent photographe à Dublin pour ce genre de travail. Cette semaine, je dois aller passer deux jours là-bas. Tu n'as qu'à prendre l'avion avec moi, nous nous en occuperons ensemble.

Shannon ferma les yeux, mais elle avait beau essayer, elle n'arrivait pas à repérer à quel moment précis de la conversation elle avait perdu pied.

— Tu veux que je vienne à Dublin ?

— Rien qu'une journée ou deux. A moins que tu ne veuilles rester plus longtemps. Bien entendu, tu peux t'installer chez nous autant de temps qu'il te plaira. Je vais te prendre un rendez-vous avec un avocat qui examinera les contrats avec toi et te conseillera.

— J'ai fait de la gestion au collège, marmonna Shannon. Je peux lire un contrat toute seule.

— Comme tu voudras.

Bien que ce fût tout à fait superflu, Rogan fit semblant de feuilleter son agenda.

— Mardi te conviendrait ?

— Mardi ?

— Si on part mardi, on peut faire les photos mercredi.

— Ton photographe n'est peut-être pas libre.

— Je suis sûr qu'il nous trouvera une petite place. D'autant plus qu'il avait déjà pris rendez-vous...

— Alors, mardi ?

Shannon poussa un soupir qui souleva sa frange, puis écarta les bras.

— Ma foi, pourquoi pas ?


Elle se reposa cette question en repartant à pied vers l'auberge. Puis elle se la formula différemment : Pourquoi acceptait-elle cela ? Pourquoi Rogan la pressait-elle d'accepter ?

Certes, elle avait du talent. Elle le voyait bien dans son travail, et de nombreux professeurs le lui avaient dit et répété au cours de ses années d'études. Mais l'art n'était pas un travail. Or elle avait toujours fait passer son travail en premier.

Accepter la proposition de Rogan revenait à faire l'exact contraire de ce qu'elle avait fait toute sa vie — laisser son art prendre toute la place en chargeant quelqu'un de s'occuper des détails de ses affaires. Ce qui l'effrayait quelque peu et la mettait plus que mal à l'aise. Néanmoins, elle avait accepté. En tout cas, elle n'avait pas opposé un refus catégorique.

Mais elle aurait pu. Oh, elle connaissait parfaitement les méthodes qu'avait utilisées Rogan. Et il s'était montré sacrément habile. Ce devait être un homme difficile à manœuvrer, mais elle aurait certainement pu y arriver.

En fait, elle n'avait pas vraiment essayé.

Tout ceci était absurde. Et follement compliqué. Comment pouvait-elle faire une exposition cet automne en Irlande alors qu'elle serait à cinq mille kilomètres de là, derrière son bureau ?

Mais était-ce vraiment ce qu'elle voulait ? entendit-elle une petite voix lui murmurer à l'oreille.

Vexée, elle haussa les épaules et continua à marcher en fixant la route d'un air renfrogné.

— Vous avez l'air furieuse, commenta Alice.

Une main sur le portail de son fils, elle sourit en voyant arriver Shannon.

— Oh. J'étais en train de...

Elle fit un effort pour se dérider un peu.

— Je repensais à une conversation que je viens d'avoir et je me demandais pourquoi je n'avais pas eu le dessus.

— On finit toujours par trouver une occasion d'avoir le dessus.

Alice se passa la main sur la tempe, puis poussa le portail.

— Vous voulez entrer un instant?

Voyant que Shannon hésitait, elle l'ouvrit plus largement.

— Mes enfants sont tous éparpillés je ne sais où, je serais heureuse d'avoir un peu de compagnie.

— Vous me surprenez, dit Shannon en s'avançant et en refermant elle-même le portail. J'aurais cru que vous seriez contente d'avoir quelques minutes de calme et de tranquillité.

— Comme disait ma mère, c'est ce qu'on a pour l'éternité une fois qu'on est six pieds sous terre. Je viens d'aller faire un petit tour dans le jardin de Murphy. Il s'en occupe bien.

— Il fait tout bien.

Ne sachant trop comment se comporter, Shannon suivit Alice sur la terrasse et prit place dans un fauteuil à bascule à côté d'elle.

— Ça, c'est bien vrai. Il ne fait jamais rien à moins d'être certain de le faire sérieusement et correctement. A une époque, quand il était jeune, il mettait un temps fou avant de se décider à faire ce que je lui demandais. A chaque fois que je lui en faisais la remarque, il me regardait en souriant et me disait qu'il réfléchissait à la meilleure façon de le faire, c'est tout.

— Ça ne m'étonne pas de lui. Où est-il?

— Oh, mon mari et lui sont là-bas, au fond de la cour, en train de regarder le moteur de je ne sais quel engin. Mon Colin adore faire comme s'il y connaissait quelque chose en mécanique, et Murphy prend un malin plaisir à le laisser faire.

Shannon esquissa un sourire.

— Mon père aussi s'appelait Colin.

— Ah oui? Vous l'avez perdu récemment, n'est-ce pas?

— L'année dernière. L'été dernier.

— Et votre mère au printemps.

Instinctivement, Alice serra la main de Shannon dans la sienne.

— C'est une souffrance que seul le temps peut apaiser.

Elle commença à se balancer, et Shannon en fit autant, si bien que seuls le craquement du bois et le pépiement des oiseaux résonnaient dans le silence.

— Le *ceilidh* vous a plu?

Cette fois, sa question fit rougir Shannon.

— Oui. Je n'avais jamais assisté à une fête de ce genre.

— Depuis que je vis à Cork, ces fêtes me manquent beaucoup. En ville, ce n'est pas pareil.

— Votre mari est médecin à Cork?

— Oui. C'est un bon médecin. Mais pour vous dire la vérité, quand je suis partie vivre avec lui, j'ai bien cru que j'allais mourir. Finis, les levers à l'aube où j'apercevais les vaches, fini, le souci de se demander si la prochaine récolte sera bonne ou si le tracteur ne tombera pas en panne!

Un sourire au coin des lèvres, elle contempla la vallée qui s'étendait à perte de vue au-delà du jardin.

— Une partie de moi continue à regretter ce temps-là. Y compris les soucis.

— Peut-être reviendrez-vous vous installer par ici quand votre mari prendra sa retraite.

— Non, mon Colin est trop citadin. Vous devez comprendre l'attrait qu'exerce la ville, vous qui vivez à New York.

— Oui...

Toutefois, elle contemplait elle aussi avec un réel bonheur la vallée et les collines d'un vert étincelant qui se découpaient à l'horizon.

— J'aime la foule, la précipitation. Et le bruit. Il m'a fallu plusieurs jours avant de m'habituer au calme qui règne ici, et à tout cet espace.

— Murphy a besoin d'espace, et de sentir la terre sous ses pieds.

Shannon se tourna vers Alice pour l'observer.

— Je sais. Je crois n'avoir jamais rencontré quelqu'un d'aussi... profondément enraciné que lui.

— Et vous, Shannon, vous avez des racines ?

— Je me sens bien à New York, dit-elle prudemment. Nous avons beaucoup bougé quand j'étais enfant, par conséquent je n'ai pas vraiment de racines au sens où vous l'entendez.

Alice hocha la tête.

— Une mère s'inquiète toujours pour ses enfants, quel que soit leur âge. Je vois bien que Murphy est amoureux de vous.

— Mrs. Brennan...

Shannon leva les mains, puis les laissa retomber. Que pouvait-elle lui dire ?

— Vous vous dites sûrement : Mais que me veut cette femme ? Quelle réponse attend-elle que je lui fasse à ce qui n'est même pas une question ?

Alice ébaucha un sourire.

— Vous ne me connaissez pas plus que je ne vous connais, je ne peux donc pas deviner en vous regardant quels sentiments vous avez pour mon fils, ni ce que vous comptez en faire. Vous avez des sentiments pour lui, c'est clair. Mais je connais Murphy. Vous n'êtes pas la femme que j'aurais choisie pour lui, même s'il est assez grand pour le faire tout seul.

Elle jeta un coup d'œil à Shannon et éclata de rire.

— Allons bon ! Voilà que je vous ai vexée !

— Non, pas du tout, répliqua sèchement Shannon, qui se sentait effectivement vexée. Vous avez parfaitement le droit de dire ce que vous pensez.

Toujours en souriant, Alice recommença à se balancer.

— Bien sûr, mais je me suis mal exprimée. Pendant quelque temps — oh ! pas très longtemps —, j'ai cru que Maggie serait pour lui. Et j'avais beau adorer cette fille, ça m'inquiétait terriblement. Ils se seraient entre-tués en moins d'un an.

Malgré elle, Shannon éprouva un petit pincement de jalousie.

— Murphy et Maggie?

— Oh, ce n'était qu'une idée en l'air. Ensuite, j'ai pensé que ce serait Brianna. Je me disais : Ah, voilà la femme qu'il lui faut. Elle lui aurait donné un solide foyer.

— Murphy et Brie... balbutia Shannon. Je suppose qu'il a tenté sa chance.

— Oh, pas avec Brie, non. Il l'aimait beaucoup, ainsi que Maggie, mais il les aimait comme des sœurs. C'était moi qui avais tout imaginé dans ma tête en souhaitant le voir heureux. J'étais inquiète, vous comprenez, parce qu'il avait vingt-cinq ans et ne montrait aucun intérêt particulier pour aucune fille des environs. Il passait tout son temps à travailler à la ferme, à lire et à jouer de la musique. Je trouvais qu'il avait besoin d'une famille. D'une femme à ses côtés et d'enfants autour de lui.

Shannon se tortilla sur son fauteuil, agacée par les images qu'Alice avait fait naître dans sa tête.

— De nos jours, vingt-cinq ans, c'est encore jeune pour se marier.

— C'est vrai, opina Alice. En Irlande, les hommes attendent parfois de longues années avant de se décider. Car ils savent qu'une fois leurs vœux prononcés, c'est pour toujours. Le divorce n'existe pas ici, ni devant Dieu, ni devant la loi. Mais une mère a envie de voir son fils pleinement épanoui. Un jour, je l'ai pris à part, et je lui ai dit ce que j'avais sur le cœur. Je lui ai expliqué qu'un homme n'était pas fait pour vivre seul, pour travailler dur toute la journée et rentrer le soir chez lui sans avoir personne qui l'attende. Je lui ai dit aussi que la fille O'Malley le regardait du coin de l'œil et lui ai demandé s'il ne la trouvait pas ravissante.

Quand Alice se retourna vers Shannon, son sourire avait disparu.

— Il a reconnu qu'elle l'était, mais quand je lui ai suggéré d'y réfléchir plus sérieusement, de penser à son avenir, de se trouver une femme pour compléter sa vie, il a secoué la tête, m'a pris les mains et m'a regardé comme il sait si bien le faire.

« "Maman", m'a-t-il dit, Nell O'Malley n'est pas pour moi. Je connais la femme qui m'est destinée. Je l'ai vue."

Le regard d'Alice se remplit soudain d'une émotion que Shannon ne comprit pas.

— J'étais contente, alors je lui ai demandé de qui il s'agissait. Il m'a répondu qu'il ne l'avait pas encore rencontrée, pas en vrai. Mais que c'était comme s'il la connaissait, car il la voyait dans ses rêves depuis qu'il était petit. Il attendait simplement qu'elle vienne.

Shannon avala sa salive avec difficulté et réussit à reprendre la parole d'une voix égale.

— Murphy a tendance à être romantique.

— Oui. Mais je sais quand mon fils rêve et quand il parle sérieusement. Il me disait la vérité. Et il ne m'a rien dit d'autre que la vérité quand il m'a téléphoné pour me dire qu'elle était enfin arrivée.

— Ce n'est pas comme ça. Ça ne peut pas être comme ça...

— Juger de ces choses n'est pas facile. Il s'agit de son cœur. Et vous le tenez, Shannon Bodine. La seule chose que je vous demande est d'y faire très attention. Si vous pensez ne pas pouvoir le garder, ou ne pas en vouloir, rendez-le-lui gentiment.

— Je n'ai aucune intention de lui faire du mal.

— Oh, je sais bien, mon enfant ! Murphy n'aurait jamais choisi une femme méchante. Si je vous ai fait de la peine, je le regrette sincèrement.

Shannon la regarda en secouant la tête.

— Vous aviez besoin de me le dire. Et je crois bien que j'avais besoin de l'entendre. Je veillerai à ce que les choses soient bien claires entre nous.

Avec une sorte de ricanement, Alice se pencha pour prendre la main de Shannon.

— Vous pouvez essayer, ma petite, mais il se fera un

plaisir de les embrouiller à nouveau! Surtout, n'allez pas croire que je vous ai dit tout cela pour que vous vous sentiez seule responsable. Ces choses-là se partagent, et à égalité. Ce qui se passera entre vous, joie ou chagrin, sera de votre responsabilité à tous les deux. Si votre mère était là, elle demanderait sûrement à Murphy de faire attention à vous.

— Sans doute, dit Shannon en se détendant un peu. Oui, sans doute. Il a de la chance de vous avoir, Mrs. Brennan.

— C'est ce que je lui rappelle souvent. Venez, allons voir si mes filles ont fini de préparer le gigot de ce soir.

— Il faut que je rentre.

Sans l'écouter, Alice se leva en entraînant Shannon avec elle.

— Vous allez partager le dîner du dimanche avec nous. Murphy sera content que vous soyez là. Et moi aussi.

Elle ouvrit la porte de la maison et s'écarta légèrement en invitant Shannon à entrer.

## 18

Murphy avait beau être enchanté de voir Shannon avec sa famille, de la voir faire sauter une de ses nièces sur ses genoux, rire aux histoires que lui racontait Kate ou encore écouter attentivement son neveu lui expliquer le fonctionnement d'un carburateur, il avait envie de l'avoir à lui tout seul.

Sa famille qu'il aimait tant semblait s'être donné le mot pour l'empêcher de réaliser ce désir simple et parfaitement légitime.

Il fit remarquer discrètement que c'était une soirée idéale pour aller faire un tour en voiture, et que cela plairait certainement à Shannon, mais sa réponse éventuelle fut noyée dans les bavardages de ses sœurs occupées à parler chiffons.

Patient, il attendit un petit moment avant de faire une nouvelle tentative et de proposer d'aller au pub — une fois là-bas, il se faisait fort de s'éclipser avec Shannon en un clin d'œil. Cependant, son beau-père le prit à part et commença à lui poser des questions sur le moteur de la nouvelle moissonneuse-batteuse.

Quand le soleil fut couché et la lune levée, il se retrouva entraîné dans une partie de Monopoly par les enfants, tandis que Shannon, à l'autre bout de la pièce, entamait une discussion animée sur la musique américaine avec son adolescente de nièce.

Il reprit espoir lorsqu'on décida enfin d'aller mettre les enfants au lit. Profitant de l'aubaine, il attrapa Shannon par la main.

— Nous allons mettre la bouilloire à chauffer pour faire du thé.

Et sans perdre une minute il la poussa vers la cuisine, qu'il traversa d'un seul trait jusqu'à la porte de service.

— Mais... la bouilloire...

— Au diable la bouilloire, marmonna-t-il en la faisant tourbillonner dans ses bras.

Adossé au poulailler où les poules couvaient, il l'embrassa comme si sa vie en dépendait.

— Je n'avais jamais remarqué qu'il y avait tant de monde dans ma famille.

— Vingt-trois, murmura Shannon. Vingt-quatre avec toi. J'ai compté.

— Et l'un d'eux va sûrement jeter un coup d'œil par la fenêtre d'une seconde à l'autre. Viens. Filons.

Il l'entraîna derrière l'écurie, longea l'enclos à moutons et s'élança à l'assaut d'une petite colline. A bout de souffle, Shannon éclata de rire.

— Ils ne vont quand même pas lancer les chiens à nos trousses !

— Si nous avions des chiens, c'est probablement ce qu'ils feraient, dit-il en ralentissant légèrement le pas. Je te veux pour moi tout seul. Ça t'ennuie ?

— Non. A vrai dire, j'attendais d'avoir une occasion de te parler.

— Nous parlerons autant que tu voudras, promit-il. Mais après que je t'aurai montré ce que j'ai rêvé de te faire pendant toute la journée et une moitié de la nuit.

Shannon sentit son estomac se nouer.

— Nous ferions mieux de parler d'abord. Nous ne nous sommes pas vraiment fixé de limites. Or il est important que nous sachions tous les deux où nous en sommes avant d'aller plus loin.

— Des limites ?

Le mot le fit sourire.

— Je pense pouvoir me débrouiller sans.

— Je ne parle pas de l'aspect physique...

Une pensée lui traversa tout à coup l'esprit, et sa voix se fit immédiatement plus cassante.

— A propos, tu n'as jamais eu de rapports physiques avec Maggie ?

La première réaction de Murphy fut d'éclater de rire, mais une pointe de malice le poussa à n'en rien faire et à hocher la tête d'un air pensif.

— Ma foi, maintenant que tu m'y fais penser...

Laissant sa phrase en suspens, il emmena Shannon au milieu de la ronde de pierres.

Loin de trouver ça drôle, elle le repoussa quand il voulut lui retirer sa veste.

— Maintenant que je t'y fais penser... répéta-t-elle d'une voix glacée.

— Nous avons eu un petit échange, reprit-il en déboutonnant son chemisier, sans prêter attention aux mains de Shannon qui tentaient de l'en empêcher... Une fois, je l'ai embrassée, et ce n'était pas exactement ce qu'on pourrait appeler un baiser fraternel.

Il sourit en regardant Shannon dans les yeux.

— C'était un peu bizarre, et très tendre. J'avais quinze ans, si ma mémoire est bonne.

— Oh...

Le monstre aux yeux verts se sentit soudain ridicule.

— J'ai également réussi à en subtiliser un à Brie. Mais ça s'est terminé par un éclat de rire alors que nos bouches étaient encore collées l'une à l'autre. Ce qui a mis un terme à notre histoire d'amour sur-le-champ.

— Oh... soupira à nouveau Shannon en faisant la moue. Et c'est tout ?

— Ne t'inquiète pas. Je n'ai jamais... franchi aucune limite avec l'une ou l'autre de tes sœurs. Par conséquent...

La bouche soudain toute sèche, il la débarrassa de son chemisier. Ce soir, elle portait une combinaison en soie noire au décolleté profond et provocant qui disparaissait dans un mouvement de drapé sous la ceinture de sa jupe.

— Je veux voir le reste, arriva-t-il à dire en faisant glisser la fermeture Éclair.

Une brise légère souleva les cheveux de Shannon qui se tenait devant lui sous la lumière scintillante de la lune. Elle l'avait mise exprès pour lui, l'avait choisie ce matin dans son tiroir en imaginant l'expression de son visage quand il la verrait dedans. Une combinaison en soie et en dentelle, ultrasexy et ultracourte, qui soulignait harmonieusement ses courbes.

Ébloui, Murphy laissa remonter sa main le long de sa cuisse et sentit sa peau tiède au-dessus du bas.

— Heureusement que je ne savais pas ce que tu portais sous ce petit tailleur, dit-il d'une voix rauque. Je n'aurais jamais pu attendre la fin de la messe.

Shannon avait eu l'intention de lui parler sérieusement. Il le fallait. Mais le bon sens ne pouvait pas grand-chose face à un désir aussi ardent. Elle lui retira son pull.

— Moi, je savais ce qu'il y avait là-dessous. Tu n'imagines pas ce à quoi j'ai pensé au moment de l'offertoire...

Murphy esquissa un sourire.

— Nous ferons tous les deux pénitence... Plus tard.

Il fit glisser une bretelle sur une épaule, puis l'autre, et la combinaison en tombant dénuda sa superbe poitrine.

— La déesse gardienne de la terre sacrée, murmura-t-il. Et la sorcière qui se cachait en elle.

Ses paroles firent trembler Shannon, à la fois de crainte et d'excitation.

— Je suis seulement une femme, Murphy. Une femme qui a envie de toi...

Impatiente, elle se lova entre ses bras.

— Montre-moi. Montre-moi ce que tu as imaginé me faire, chuchota-t-elle en pressant sa bouche avide contre la sienne. Et plus encore.

Il aurait pu l'avaler toute crue, se régaler de sa chair centimètre par centimètre, puis hurler au clair de lune comme un loup enragé.

Alors il lui montra. Il promena ses mains partout sur son corps, palpant sa chair ferme et souple tout en dévorant sa bouche. Les petits soupirs qui s'échappaient de ses lèvres se transformèrent peu à peu en un ronronnement de plaisir. Lorsqu'elle lui mordilla la lèvre, il lécha longuement sa gorge, savourant le goût de sa peau douce et soyeuse.

Au moment où sa main remonta entre ses cuisses, elle était déjà toute mouillée. Si elle lui avait résisté, si elle s'était mise soudain à crier au lieu de continuer à gémir, il aurait été incapable de se maîtriser.

Ses jambes s'abandonnèrent sous elle. Elle se sentit tomber, sentit son corps amortir sa chute comme un coussin, puis son poids quand il la fit rouler sous lui.

Sa bouche était partout, aspirant superbement tout son corps à travers la soie et en dessous. Ses caresses se firent plus rapides, plus pressantes, et elle y répondit avec la même fougue.

Folle de désir, elle retira son pantalon, puis s'empala sur lui, un sourire de triomphe illuminant son beau visage que balayait sa chevelure, tel un voile soyeux.

Elle était à lui. Maintenant et pour toujours.

Shannon commença à bouger, lentement tout d'abord, comme si elle exécutait une danse mystérieuse. Des nuages passèrent devant la lune, obscurcissant un instant son visage comme dans un rêve qu'il n'arrivait pas à retenir.

Le sang battait à ses tempes, son cœur cognait follement, menaçant d'exploser et de se réduire à un petit tas de cendres.

Il la regarda lever les bras, comme pour adresser une prière ensorcelante vers le ciel. Puis ses mouvements s'accélérèrent, il commença à marmonner des mots désespérés en gaélique et eut l'impression qu'elle lui répondait dans la même langue, avec la même ferveur. Alors, tout se brouilla dans sa tête et, dans un violent soubresaut, il se vida en elle.

Elle se laissa retomber contre lui, fébrile, en gémissant. Et les visions qui dansaient dans sa tête s'évanouirent peu à peu.

Elle avait dormi. Lorsqu'elle se réveilla, son cœur battait doucement, régulièrement, et sa peau était brûlante. Quand la main de Murphy se referma sur son sein, elle se tourna vers lui en lui tendant ses lèvres.

Ses caresses étaient maintenant plus douces,

presque révérencieuses. Elle poussa un soupir, puis le laissa la caresser tendrement et éveiller son désir.

Elle s'ouvrit à lui, le sentit la remplir. Ivre d'amour et de tendresse, elle ondula en rythme avec lui jusqu'à l'extase.

Ensuite, elle s'allongea contre lui, douillettement blottie sous la couverture qu'il avait rabattue sur elle.

— Ce soir, ma chérie, on ne va pas pouvoir dormir ici, dit-il en lui caressant les cheveux.

Shannon le sentit se raidir lorsque sa main descendit sur son ventre.

— Nous ne sommes pas obligés de dormir.

— Ce que je voulais dire, c'est que nous ne pouvons pas rester ici...

Il enfouit son nez dans sa chevelure, pour le simple bonheur de respirer son odeur.

— Il va pleuvoir.

— Tu crois ?

Ouvrant vaguement un œil, Shannon jeta un regard vers le ciel.

— Où sont passées les étoiles ?

— Derrière les nuages, et la pluie ne va pas tarder à arriver.

— Hum... Quelle heure est-il ?

— Je ne sais pas. J'ai perdu toute notion du temps.

— Où est ma montre ?

— Tu n'en portais pas.

— Ah bon ?

Machinalement, elle toucha son poignet. Bizarre... Elle qui ne faisait jamais un pas sans sa montre. Enfin, jusqu'à présent.

— Mais nous n'avons pas besoin de montre pour savoir qu'il est temps que j'aille te mettre à l'abri.

A regret, il repoussa la couverture.

— Tu m'inviterais à boire un thé pour que je passe encore un peu de temps à te regarder ?

Elle enfila son chemisier.

— Nous pourrions le prendre dans ma chambre.

— Je m'y sentirais aussi à l'aise que dans la mienne pendant que ma famille est sous mon toit.

Il la regarda lisser ses bas.

— Tu remettras quelque chose du même genre ?

Shannon renvoya ses cheveux en arrière tout en boutonnant son chemisier.

— Tu ne parles pas du tailleur, j'imagine.

— Non, chérie, de ce qu'il y a en dessous.

— Je n'ai pas un grand stock de lingerie affriolante, mais je verrai ce que je peux faire, dit-elle en se levant pour remettre sa jupe. Mais je ferai peut-être une ou deux trouvailles intéressantes à Dublin.

— A Dublin ? Tu vas à Dublin ?

— Mardi.

Elle haussa les épaules en enfilant sa veste, puis prit la main qu'il lui tendait.

— Je ne sais pas très bien comment ça s'est décidé, toujours est-il que je pars avec Rogan.

— Ah, vous avez finalement fait affaire ?

— Je n'ai même pas encore lu le contrat. Mais apparemment, j'ai rendez-vous mercredi pour une séance de photos. Et je suis supposée lui remettre une liste de mes œuvres — c'est comme ça qu'il appelle les peintures que j'ai à New York.

— C'est formidable !

Heureux pour elle, Murphy la souleva de terre et l'embrassa à pleine bouche.

— Pourquoi ne m'as-tu rien dit ? Nous aurions fêté ça.

— Si nous avions fêté ça davantage, je pense que nous n'aurions plus été en état d'en parler.

Murphy éclata de rire, et elle glissa son bras sous le sien. Bien qu'elle ne fût pas très sûre elle-même de ce qu'elle éprouvait, la joie évidente qu'il venait de manifester la toucha au plus profond.

— D'ailleurs, je ne sais pas s'il y a quelque chose à fêter. Je n'ai pas encore signé — même si Rogan en parle comme d'une affaire conclue.

— Tu peux lui faire confiance, si c'est cela qui t'inquiète.

— Non, pas du tout. La réputation de Worldwide est incontestable. Et je fais entièrement confiance à

Rogan. Pour moi, c'est une décision importante à prendre, or je ne prends des décisions qu'après avoir mûrement réfléchi.

— Mais tu vas à Dublin, lui fit-il remarquer.

— Je n'ai pas pu faire autrement. Nous étions tranquillement en train de parler de Maggie et de Liam et, une seconde plus tard, je me suis retrouvée avec un contrat dans les mains à discuter exposition et publicité.

— Rogan est un malin, dit Murphy avec admiration. Tu vas me manquer. Tu comptes partir longtemps ?

— D'après ce qu'il m'a dit, je devrais être de retour jeudi ou vendredi.

Ils arrivaient en vue de l'auberge quand les premières gouttes de pluie se mirent à tomber.

— Je voulais te parler sérieusement, Murphy.

— C'est ce que tu m'as dit. Au sujet des limites, c'est ça ?

— Oui.

— Ça peut peut-être attendre, fit-il en montrant la fenêtre d'un signe de tête. Brie est dans la cuisine. J'entrerais volontiers, mais nous ne serons pas seuls, et je ne peux pas rester longtemps.

— Bon, d'accord. Ça attendra.


Le mardi matin, Shannon était fin prête et se demandait dans quoi elle s'était embarquée. Elle s'était d'ailleurs posé cette question à plusieurs reprises depuis son arrivée en Irlande. Chaque fois qu'elle procédait à un rajustement dans sa vie, ou l'envisageait, il lui fallait en faire un nouveau.

Néanmoins, l'idée de passer quelques jours à Dublin n'avait rien d'une corvée. Il y avait des semaines qu'elle n'avait pas mis les pieds dans un endroit ressemblant de près ou de loin à une ville.

— Tu as un parapluie ? demanda Brianna en se penchant sur le sac que Shannon avait posé devant la porte de l'auberge. Et une veste ou un imper, au cas où le temps change brusquement ?

— Oui, maman.

Rougissant légèrement, Brianna fit passer le bébé sur son épaule.

— Chaque fois que je vérifie ses bagages, Maggie devient folle de rage. Grayson, lui, a abandonné et il me laisse faire sa valise.

— Crois-moi, je suis experte en la matière, et puis, je ne pars que deux jours. Ah, la voiture de Rogan est là.

— Amuse-toi bien...

Brianna aurait volontiers porté elle-même le sac de Shannon si celle-ci ne l'avait pas prise de vitesse.

— La maison de Dublin est très belle, tu verras. Et le chef de Rogan est un vrai magicien.

— Il dit la même chose de toi, commenta Rogan en grimpant l'escalier pour prendre le sac de Shannon.

Il embrassa Brianna et Kayla avant d'aller le mettre dans le coffre.

— N'oublie pas de prendre tes vitamines, recommanda Brianna à Maggie.

Puis elle se pencha par la fenêtre de la voiture pour dire au revoir à sa sœur et à Liam.

— Je ne savais pas que tu venais avec nous, Maggie.

De même qu'elle ne savait pas vraiment si elle devait s'en réjouir.

Elle se retourna pour serrer Brianna dans ses bras et embrasser Kayla sur le bout du nez.

— Bon voyage !

Brianna agita joyeusement la petite main de Kayla jusqu'à ce que la voiture fût hors de vue.

En roulant vers l'aéroport, sous un ciel de plomb et une petite bruine persistante, Shannon repensa au jour où elle avait atterri en Irlande.

Elle était alors une vraie boule de nerfs, pleine de colère. Sa colère était depuis retombée, mais elle était toujours aussi nerveuse en pensant à ce que ce bref voyage allait modifier dans sa vie.

Très vite, ils se retrouvèrent installés dans l'avion privé de Rogan. Liam sautillait devant le hublot, montrant du doigt chaque camion ou engin qui passait devant lui.

— Ce petit bonhomme est déjà un grand voyageur...

Maggie se tassa au fond de son siège, espérant décoller au plus vite afin de pouvoir boire une tasse de thé. Elle souffrait beaucoup plus de nausées que lors de sa première grossesse, ce qui la rendait folle de rage.

— C'est une chance pour lui, commenta Shannon. Moi, j'ai toujours adoré ça.

— Tu as fait de nombreux voyages avec tes parents, dit Rogan en prenant la main de Maggie.

Tout autant qu'à sa femme, il lui tardait que soit dépassé le stade de ces épouvantables nausées matinales.

— C'était le passe-temps favori de mon père. Notre arrivée à l'aéroport de Rome est un de mes premiers grands souvenirs. Je me rappelle l'agitation, les voix, toutes ces couleurs... Je devais avoir cinq ans.

Quand l'avion commença à rouler sur la piste, Liam poussa un grand cri de joie.

— C'est le moment qu'il préfère.

Bien que le décollage lui donnât encore plus mal au cœur, Maggie s'efforça de sourire. Zut, zut et zut... Le pauvre toast sans beurre ni confiture qu'elle avait avalé au petit déjeuner était à deux doigts de quitter son estomac.

— Moi aussi.

Shannon se pencha et pressa sa joue contre celle de Liam pour partager ce moment excitant avec lui.

— Ça y est, Liam! Nous voilà avec les oiseaux.

— Oiseaux! Au revoir!

Shannon soupira discrètement. Murphy était là, en bas. Ils n'avaient pas pu passer toute la nuit ensemble comme ils l'avaient espéré. Entre le voyage à préparer, la pluie et un cheval au sabot fendu, ils n'avaient eu qu'une heure en tête à tête.

En outre, le temps passait. Elle allait devoir y songer très bientôt. New York ne l'attendrait pas éternellement.

— Oh, merde...

Shannon se retourna d'un air surpris et vit Maggie détacher sa ceinture et se lever en quatrième vitesse. La porte des toilettes claqua derrière elle.

— Oh, merde! répéta joyeusement Liam avec une diction pour une fois presque parfaite.

— Elle a mal au cœur en avion? demanda Shannon en détachant sa propre ceinture, sans savoir très bien ce qu'elle devait faire.

— Nausée matinale, laissa tomber Rogan en jetant un œil sur la porte des toilettes. Cette fois, elle n'y a pas échappé.

— Tu veux que j'aille voir si je peux l'aider?

— Ça ne servirait qu'à la rendre encore plus furieuse.

L'air désolé, Rogan haussa les épaules.

— Pour Liam, elle n'a eu que deux ou trois jours de malaises, et c'est tout. Elle trouve plus vexant que n'importe quoi de ne pas vivre cette grossesse de la même façon.

— Chaque grossesse est différente, je suppose.

— C'est ce que nous découvrons. Elle va vouloir du thé, dit-il en s'apprêtant à se lever.

— Je m'en occupe, laisse...

Shannon se leva d'un bond et lui effleura doucement l'épaule.

— Ne t'inquiète pas.

— Elle aime le thé très fort.

— Je sais.

Shannon s'éloigna vers l'étroit boyau qui servait d'office. L'avion était à l'image de son propriétaire, décida-t-elle, lisse, efficace, élégant et parfaitement organisé. Elle trouva plusieurs sortes de thés et de tisanes mais, étant donné l'état de Maggie, opta pour une camomille.

Elle arrêta ce qu'elle était en train de faire pour se retourner quand la porte des toilettes s'ouvrit.

— Ça va mieux?

— Mmm...

La voix de Maggie était faible, un peu comme celle d'un guerrier qui vient de réchapper d'une bataille sanglante.

— J'espère que c'est fini pour aujourd'hui.

— Va t'asseoir, ordonna Shannon. Tu es encore toute blanche.

— C'est toujours mieux que verte, renifla Maggie en posant le regard sur la théière. Tu fais une infusion ?

— Ça va te faire du bien. Tiens...

Elle tendit à Maggie un paquet de crackers qu'elle avait trouvé dans le placard.

— Va t'asseoir, Margaret Mary, et grignote ça.

Trop épuisée pour discuter, Maggie regagna son siège.

— Je suis désolé, murmura Rogan en lui prenant le bras.

— N'attends pas de moi que je te dise que ce n'est pas ta faute.

Toutefois, elle se lova contre lui et sourit à Liam qui était occupé à décider s'il allait dessiner avec le crayon que son père lui avait donné ou bien le manger.

— Tu sais ce que je pense, Rogan ?

— Non, qu'est-ce que tu penses, Margaret Mary ?

— Que pour ce petit diable, j'ai vécu la grossesse la plus facile qui soit.

Elle jeta un regard foudroyant à son fils lorsqu'il porta le crayon à sa bouche. Liam lui fit un grand sourire, puis s'attaqua sagement à son coloriage.

— Si c'est plus difficile cette fois, c'est peut-être parce que nous allons avoir un enfant calme et docile qui ne fera jamais aucune bêtise.

— Hum...

Rogan se tourna vers son fils et réussit à lui prendre le gros crayon avant qu'il n'ait commencé à dessiner sur la paroi de l'avion. L'enfant protesta à grands cris et jeta son livre de coloriage par terre.

— Et c'est ce dont tu as envie ?

Maggie éclata de rire tandis que les hurlements de rage de Liam résonnaient dans toute la cabine.

— Certainement pas !


Brianna ne lui avait pas menti. La maison de Dublin était effectivement très belle. Nichée entre des arbres magnifiques au fond d'un jardin, la demeure offrait une vue splendide sur le parc. Les meubles anciens avaient l'élégance et le raffinement que seule la fortune permet d'acquérir. Les chandeliers étincelaient, les planchers brillaient et les domestiques se déplaçaient en silence, faisant preuve d'une parfaite efficacité.

Shannon se vit attribuer une chambre dans laquelle il y avait un grand lit à colonnes, une tapisserie d'Aubusson et un tableau étonnant de Georgia O'Keefe. Le temps qu'elle aille se rafraîchir dans la salle de bains, une femme de chambre avait déjà déballé son sac et disposé ses affaires de toilette sur la table Chippendale.

Elle alla retrouver Maggie qui l'attendait en bas dans le grand salon.

— On va nous servir une petite collation, l'informat-elle. Chaque jour à cette heure-ci, je meurs de faim.

— Je suis contente que tu te sentes mieux. Seigneur !

Shannon écarquilla de grands yeux en apercevant la sculpture qui dominait une partie de la pièce. Fascinée, elle s'en approcha et ne put résister à l'envie de toucher le verre du bout des doigts.

C'était une sculpture extraordinaire, particulièrement érotique, et presque humaine de par la forme et les courbes des deux silhouettes. On reconnaissait sans peine un homme et une femme, fusionnant dans un épanouissement absolu.

— Ça te plaît ?

Maggie avait eu beau demander cela d'un ton anodin, elle ne parvint pas complètement à dissimuler son plaisir devant la réaction éblouie de Shannon.

— C'est incroyable...

— Je l'ai appelée *Abandon*.

— Oui, bien sûr, murmura Shannon, émerveillée. Tu as réussi à faire ça, quelque chose d'aussi beau que ça, dans ce trou perdu en pleine campagne ?

— Pourquoi pas ? Un véritable artiste n'a pas besoin de nager dans le luxe. Ah, voilà le repas ! Dieu vous bénisse, Noreen.

Maggie avait déjà mordu dans un sandwich au poulet quand Shannon demanda :

— Où est Liam ?

— Oh, une des femmes de chambre est littéralement folle de lui. Elle l'a emmené à la cuisine pour lui faire du chocolat chaud et le gâter. Je te conseille de manger un de ces sandwiches avant que je les termine.

La prenant au mot, Shannon en choisit un petit.

— C'est une maison superbe.

— Elle est belle, c'est vrai, mais on ne peut jamais y être seule. Avoir sans cesse des domestiques autour de moi m'horripile.

Elle haussa les épaules.

— Je sais bien que nous aurons besoin d'aide quand le bébé sera né. Il va falloir que je m'enferme à double tour dans mon atelier pour être un peu tranquille.

— La plupart des gens seraient enchantés d'avoir des femmes de chambre et des cuisiniers à leur disposition.

— Je ne suis pas la plupart des gens, rétorqua Maggie en mordant dans un morceau de poulet. Mais j'apprends à vivre avec. Rogan est au téléphone. C'est un maniaque du téléphone. Il a une affaire à Paris qu'il devrait aller traiter en personne, mais il refuse de me laisser tant que j'ai des nausées le matin. Et ça ne sert à rien que je crie. Quand ce type a une idée en tête, impossible de l'en faire démordre.

Elle s'attaqua à la salade de pâtes et jeta un regard circonspect à Shannon.

— Ce qu'il a en tête pour l'instant, c'est de te convaincre.

— Ma foi, je ne suis pas encore décidée. Pas complètement.

— Laisse-moi te dire tout d'abord que, quand il est venu me chercher, je n'avais nullement l'intention de signer un contrat. Avec qui que ce soit. Mais Rogan a une façon incroyable de percer les gens à jour, de deviner leurs points faibles et leurs secrets les mieux gardés. Il sait s'en servir. Avec infiniment de charme, de ténacité et de logique, et un tel sens de l'organisation qu'il a toujours un temps d'avance sur tout le monde.

— J'ai remarqué. Il m'a fait venir ici alors que j'avais l'intention de lui dire non merci.

— Pour lui, ce n'est pas seulement une question d'orgueil professionnel. Si c'était le cas, ce serait plus facile de lui résister. Il a une véritable passion pour l'art, et il adore les artistes. Et ce qu'il a fait à Clare...

La fierté se devinait dans le ton de sa voix et dans son regard.

— Il a réalisé quelque chose de vraiment important, pour l'art et pour l'Irlande. C'est parce qu'il aime profondément les deux qu'il a réussi.

— C'est quelqu'un de peu banal, sur le plan personnel aussi bien que professionnel. Il n'est pas nécessaire de le connaître très bien pour s'en apercevoir.

— Non, c'est vrai. Aussi, poursuivit Maggie en s'essuyant les doigts sur sa serviette, je voulais te demander ce qui ne va pas ?

Shannon fronça les sourcils.

— Pardon ?

— Pourquoi diable traînes-tu comme ça ? Il t'offre la lune sur un plateau... N'importe quel artiste rêverait d'avoir la chance qui t'est donnée, et toi, tu t'entêtes à refuser.

— Je ne m'entête pas à refuser, rectifia froidement Shannon. Je réfléchis.

— Tu réfléchis à quoi ? Tu as des peintures. Tu en feras d'autres.

— Savoir si je peux en faire d'autres, c'est justement ce à quoi je réfléchis.

Maggie haussa les épaules avant d'enfourner une nouvelle fourchetée de pâtes.

— C'est absurde. Tu ne vas quand même pas me faire croire que tu pourrais t'arrêter — que tu vas ranger tes pinceaux et ne plus jamais toucher à une toile ?

— Quand je serai rentrée à New York, je ne pourrai pas m'accorder autant de liberté que j'en ai ici.

— T'accorder ! répéta Maggie en reposant bruyamment sa fourchette. Parce que tu as l'idée tordue que ta peinture est une chose que tu t'accordes ?

— Mon poste à Ry-Tilghmanton...

— Oh, laisse tomber ça !

— ... est très important pour moi, termina Shannon

entre ses dents. Mes responsabilités me laissent peu le temps de peindre pour mon plaisir, et encore moins de le faire pour quelqu'un qui, admets-le, est un homme très exigeant.

— Et tes responsabilités envers toi-même, ou envers ton talent, qu'en fais-tu ? Tu crois que tu as le droit de ficher en l'air le don que tu as reçu ?

Dans l'esprit de Maggie, et dans son cœur, cette idée même était une abomination.

— Je n'ai vu que les peintures que tu as faites en Irlande, mais on se rend bien compte que tu as le coup d'œil, et la main. Tu es capable de voir et de comprendre les choses avec ton cœur. Tu n'as pas le droit de gâcher ça pour dessiner des bouteilles d'eau.

— Bon, tu as bien récité ta leçon, dit calmement Shannon. Mais j'ai le droit de choisir ce qui est bon pour moi, ce qui me satisfait. C'est ce que je compte faire. Si Rogan t'a chargée de me travailler au corps...

— Inutile de t'en prendre à lui ; je te dis ce que je pense, c'est tout.

Elles se levèrent en même temps, tels deux boxeurs prêts à s'affronter sur un ring.

— Il m'a seulement demandé de venir pour te tenir compagnie pendant qu'il serait occupé.

— C'est très délicat de sa part. Cependant, dis-toi bien une chose, cette transaction, si jamais elle aboutit, ne te concerne en rien. C'est entre Rogan et moi.

— Une transaction...

Avec une moue dégaigneuse, Maggie se laissa retomber sur sa chaise.

— Tu parles plus comme une femme d'affaires que comme une artiste.

Shannon redressa le menton d'un air hautain.

— Sache que je ne me sens nullement insultée. Maintenant, si tu veux bien m'excuser, je crois que je vais aller prendre l'air.

## 19

Elle ne se laisserait pas avoir comme ça. Shannon se jura que ni l'avis de Maggie ni son attitude désagréable ne l'influencerait en quoi que ce soit, ni ne viendrait jeter une ombre sur son séjour à Dublin.

La soirée, au moins, se déroula fort plaisamment, sans doute grâce aux manières irréprochables de Rogan et à son sens de l'hospitalité. Au cours du dîner, et du moment agréable qui suivit, il ne fit pas une seule fois allusion au contrat ou aux projets qu'il avait en tête.

Raison pour laquelle, sans doute, elle ne se méfia pas lorsqu'il l'emmena dans la bibliothèque le lendemain matin, après avoir pris tranquillement le petit déjeuner. Et il alla droit au but.

— Tu as rendez-vous à onze heures avec le photographe, lui dit-il dès qu'ils furent assis. Ils se chargeront de te coiffer et de te maquiller, aussi, ne t'en fais pas. J'avais envie de quelque chose d'élégant, mais de pas trop formel. Jack — c'est le photographe —, saura ce qui te convient le mieux.

— Oui, mais...

— Maggie se repose un peu ce matin, mais elle aimerait venir avec toi. Liam restera ici, comme ça vous aurez du temps pour faire un peu de shopping toutes les deux, ou pour vous promener dans Dublin.

— C'est très gentil...

Shannon reprit sa respiration. Elle n'aurait pas dû.

— J'aimerais que tu viennes faire un tour à la galerie. Tu connais déjà celle de New York, je crois?

— Oui, et...

— Tu verras, nous essayons de créer des ambiances différentes dans chaque ville, afin d'en rendre un peu l'atmosphère. Je vais être assez occupé pendant une bonne partie de la journée...

Il jeta un bref coup d'œil à sa montre.

— D'ailleurs, je dois filer. Mais tu me ferais plaisir en passant au bureau. Maggie peut t'y amener à trois heures. Nous verrons ensemble quelles modifications tu souhaites apporter au contrat.

— Arrête !

Shannon leva les deux mains sans savoir très bien si elle avait envie de rire ou de hurler.

— Voilà que tu recommences !

— Excuse-moi, qu'est-ce que j'ai fait ?

— Oh, inutile de t'excuser ou de prendre cet air poli et étonné. Tu sais très bien ce que tu fais. Tu es le flatteur le plus élégant que j'aie jamais rencontré.

En voyant le sourire qu'il lui adressa, elle secoua la tête.

— Et ce petit sourire charmeur est mortel. Je comprends comment quelqu'un d'aussi têtu que Maggie a pu succomber.

— Oh, elle a mis du temps. Il a fallu que je la persuade peu à peu. Tu lui ressembles bien plus que tu n'as probablement envie de te l'entendre dire.

Il lui décocha un nouveau sourire en voyant une lueur de rage passer dans ses yeux.

— Oui, tu lui ressembles vraiment beaucoup...

— Ce n'est pas en m'insultant que tu réussiras à me convaincre.

— Alors, laisse-moi te dire une chose, reprit-il en croisant les mains. En tant que beau-frère, et aussi en tant que quelqu'un qui espère faire progresser ta carrière. Tu n'es pas venue ici parce que je t'y ai obligée, Shannon. J'ai joué un rôle, c'est certain, je t'ai poussée à bouger. Mais avant tout, j'ai fait germer une idée dans ta tête.

— Bon, c'est vrai. C'est une idée que j'avais envisagée il y a plusieurs années, et à laquelle j'avais finalement renoncé parce que j'estimais que c'était impossible. Et voilà que tu essaies de me persuader du contraire.

Intrigué, Rogan se cala dans son fauteuil en l'observant attentivement.

— C'est une question d'argent?

— De l'argent, j'en ai. Même plus qu'il ne m'en faut. Mon père gagnait très bien sa vie, dit-elle en secouant la tête. Non, ce n'est pas une question d'argent. Bien que ce soit important pour moi d'en gagner par moi-même. J'ai besoin de sécurité, de stabilité et en même temps de me lancer des défis. Je suppose que ça te paraît contradictoire.

— Pas du tout.

Voyant qu'il comprenait, Shannon poursuivit.

— J'ai toujours considéré ma peinture comme un plaisir, une habitude, une sorte d'obligation — quelque chose que je glissais dans mon emploi du temps comme un rendez-vous avec moi-même.

— Et tu hésites à en faire ton activité principale.

— Oui. J'ai fait ici du meilleur travail que je n'en ai fait au cours de toute ma vie. Et cela me pousse dans une direction que je n'avais jamais envisagée sérieusement.

Maintenant qu'elle lui avait parlé, elle se sentait plus confuse que jamais.

— Mais que va-t-il se passer quand je vais rentrer à New York et reprendre ma vie là où je l'ai laissée? Si je signe ce contrat, je te donne ma parole. Comment veux-tu que je le fasse quand je ne suis pas sûre de pouvoir la tenir?

— Ton intégrité est en lutte avec tes impulsions, dit Rogan sans détour. Ce n'est pas facile. Pourquoi ne pas tenir compte des deux?

— Que proposes-tu pour y arriver?

— Ton contrat avec Worlwide s'appliquera aux toiles que tu as peintes en Irlande et à celles que tu as déjà à New York — avec une option, expliqua-t-il en faisant tourner son crayon entre ses doigts. Nous aurons un droit de regard sur tout ce que tu produiras pendant deux ans, que tu peignes une toile ou quinze.

— C'est un sacré compromis, murmura-t-elle. Mais tu voulais faire une exposition. Je ne sais pas si j'ai assez de toiles pour ça, ou si ce que j'ai te conviendra.

— La taille de l'exposition reste flexible. Je te ferai savoir ce qui ne me convient pas.

— Ça, je n'en doute pas une seconde !


Une fois Rogan parti, Shannon remonta au premier étage. Il lui avait donné matière à réfléchir. D'une certaine façon, il avait réussi à ouvrir une porte sans l'obliger à en fermer une autre. Elle pouvait accepter ses conditions tout en reprenant sa vie normalement.

Toutefois, elle trouva curieux, et plus troublant que jamais, de souhaiter finalement qu'il la pousse dans ses retranchements en la forçant à faire un choix clair et net.

Mais elle n'avait pas le temps de penser à cela pour l'instant — du moins, si elle voulait découvrir la ville avant la séance de photos.

Une séance de photos ! se dit-elle en ricanant. Non, mais, vraiment...

Son sourire s'effaça lorsqu'elle frappa à la porte de la chambre de Maggie.

— Maggie ? Rogan m'a demandé de te réveiller.

N'entendant pas de réponse, Shannon leva les yeux au ciel avant de frapper à nouveau.

— Il est neuf heures passées, Margaret Mary. Même les femmes enceintes doivent finir par sortir du lit.

Perdant patience, Shannon tourna la poignée et entrouvrit la porte. Le lit était vide, aussi l'ouvrit-elle plus largement, en pensant que Maggie était peut-être en train de s'habiller et ne l'avait pas entendue.

Au moment où elle allait l'appeler une nouvelle fois, elle entendit le bruit reconnaissable entre tous de quelqu'un en train de rendre tripes et boyaux. Sans hésiter une seconde, elle se précipita dans la salle de bains et trouva Maggie penchée au-dessus de la cuvette des toilettes.

— Sors d'ici, bon sang ! Va-t'en !

314

Maggie agita mollement la main avant d'être prise d'une nouvelle nausée.

— On ne peut même plus vomir en paix ?

Sans un mot, Shannon alla mouiller un gant de toilette. Trop occupée pour offrir une quelconque résistance, Maggie se laissa appliquer le gant sur le front.

— Pauvre chérie, fit Shannon à voix basse en voyant Maggie se tasser sur elle-même. Quelle horrible façon de commencer la journée ! Repose-toi une seconde, reprends ta respiration.

— Ça va, tu peux t'en aller. Ça va.

— Tu parles ! Tu veux boire une goutte d'eau ?

Sans attendre sa réponse, Shannon alla remplir un verre puis revint près de Maggie et l'approcha de ses lèvres.

— Tiens, doucement, bois à petites gorgées.

— Cet enfant a intérêt à être un saint, c'est moi qui te le dis !

Et, parce qu'elle était là, Maggie s'appuya sur l'épaule de Shannon.

— Tu as vu le médecin ? demanda Shannon en lui passant le gant sur le visage. Il n'y a rien que tu puisses prendre ?

— J'ai vu le médecin. Quel crétin... « Encore une quinzaine de jours et vous serez en pleine forme », c'est tout ce qu'il a trouvé à me dire ! J'ai failli le trucider sur place.

— Aucun jury au monde — s'il était composé de femmes — ne t'aurait condamnée. Allez, viens, relève-toi. Le sol est glacé.

Trop faible pour discuter, Maggie se laissa emmener jusqu'à son lit.

— Non, je ne veux pas me coucher. Je veux juste m'asseoir une minute.

— Comme tu voudras...

Shannon l'accompagna jusqu'à un fauteuil.

— Tu veux une tasse de thé ?

— Oh...

Soulagée de sentir que la crise était passée, Maggie renversa la tête en arrière et ferma les yeux.

— Je veux bien. Tu n'as qu'à appeler la cuisine avec le téléphone qui est là pour demander si on peut me faire monter un thé, avec un toast. Ce serait vraiment gentil.

Elle resta immobile, le temps de reprendre des forces et de cesser de frissonner.

— Eh bien, ça n'a pas été très agréable pour nous deux, dit-elle quand Shannon eut raccroché.

— C'était pire pour toi.

Hésitant à laisser Maggie toute seule, Shannon s'assit au bout du lit.

— C'est très gentil à toi de m'avoir aidée. Je te remercie.

— Ce n'est pas ce que tu avais l'air de penser en m'insultant.

Les lèvres de Maggie se retroussèrent en un grand sourire.

— Je te prie de m'excuser. J'ai horreur de... de ne pas pouvoir contrôler ce qui m'arrive.

— Moi aussi. D'ailleurs, je n'ai été ivre qu'une seule fois dans ma vie.

— Une seule fois? s'esclaffa Maggie d'un air moqueur.

— Et, en dehors du côté libérateur, j'ai trouvé ça plutôt déprimant. Je n'avais plus aucun contrôle sur rien. En plus, j'ai eu le plaisir d'être malade comme un chien en rentrant chez moi, sans parler du lendemain matin. Aussi ai-je décidé qu'il était plus sage de modérer ma consommation.

— Un verre réchauffe le cœur, deux échauffent le cerveau. C'est toujours ce que disait papa.

— Il voyait donc la réalité en face.

— Pas souvent. Tu as ses yeux.

Maggie vit Shannon baisser les yeux en luttant de son mieux pour ne pas s'énerver.

— Je suis désolée que tu n'aies pas envié de te l'entendre dire.

Et Shannon se rendit compte qu'elle l'était aussi.

— Mon père et ma mère avaient les yeux bleus. Je me souviens avoir demandé un jour à ma mère pourquoi j'avais les yeux verts. Elle a eu l'air triste, l'espace d'une seconde, puis elle m'a souri et m'a dit que c'était un ange qui me les avait donnés.

— Ça lui aurait plu. Il aurait été heureux de savoir qu'elle avait trouvé un homme comme ton père pour vous aimer toutes les deux.

Lorsqu'on apporta le thé, Maggie releva la tête.

— Il y a deux tasses, dit-elle en voyant Shannon se lever pour s'en aller. Si tu veux, tu peux en prendre une avec moi.

— D'accord.

— Ça t'ennuierait de me raconter comment ils se sont rencontrés — tes parents ?

— Non.

Shannon retourna s'asseoir et s'aperçut que raconter cette histoire était loin de l'ennuyer. Au contraire, cela lui fit du bien. Et quand Maggie éclata de rire en imaginant Colin s'étaler avec Amanda dans la boue, elle rit de bon cœur avec elle.

— J'aurais bien aimé les connaître, dit finalement Maggie.

— Je pense qu'ils auraient aimé te rencontrer.

Légèrement gênée de se montrer aussi sentimentale, Shannon se leva.

— Écoute, si tu as envie de te reposer, je peux prendre un taxi jusque chez le photographe.

— Je me sens nettement mieux. J'ai envie de venir avec toi — et de voir Jack te torturer comme il l'a fait avec moi quand Rogan m'a imposé cette petite séance.

— Merci.

— Il n'y a pas de quoi. Et puis...

Maggie reposa le plateau et se leva à son tour.

— ... ça me fera plaisir de passer un peu de temps avec toi.

— A moi aussi, ça me fera plaisir, sourit Shannon. Je t'attends en bas.


Elle adorait Dublin. Les canaux, les ponts, la foule... Et elle adorait les boutiques. Bien qu'impatiente d'en

voir davantage, Shannon se refréna et se laissa entraîner par Maggie à faire un copieux déjeuner.

Contrairement à sa sœur qui ne tenait pas en place,
Shannon avait trouvé la séance de photos une expérience plutôt agréable et fort intéressante. Quand elle
en fit la remarque à Maggie, celle-ci se contenta d'un
haussement d'épaules.

Lorsqu'elles sortirent du restaurant, Shannon cal-
cula qu'elles avaient pulvérisé le record du temps passé
en compagnie l'une de l'autre sans se disputer ou
s'insulter.

Elle découvrit bientôt qu'elle avait au moins un
point commun avec Maggie. C'était une championne
du shopping — elle passait d'une boutique à l'autre,
choisissait et décidait d'acheter ou non en un clin d'œil
sans se lancer dans d'interminables palabres, chose
qui agaçait Shannon chez bon nombre de ses amies.

— Non, fit Maggie en voyant Shannon mettre
devant elle un pull couleur biscuit. Il te faut des tons
vifs, pas des tons neutres.

— Mais il me plaît...

Shannon se regarda dans le miroir en faisant la
moue et remonta le pull sous son menton.

— Et la matière est superbe.

— Oui, et cette couleur te donne le teint d'un
cadavre de plus d'une semaine.

— Ma foi, c'est pourtant vrai ! s'exclama Shannon en
riant.

— Ce qu'il te faut, c'est celui-ci.

Maggie lui tendit un pull d'un splendide vert
mousse, puis se plaça derrière elle en fronçant les yeux
pour examiner le résultat dans le miroir.

— Oui, il n'y a aucun doute.

— Tu as raison, reconnut Shannon. Ça m'énerve
que tu aies raison.

Elle mit le pull sur son bras et tâta la manche du
chemisier que Maggie tenait à la main.

— Tu vas le prendre ?

— Pourquoi ?

— Parce que si tu n'en veux pas, je le prends.

— Alors, je le prends.

Et d'un air suffisant, Maggie rassembla ses affaires et se dirigea vers la caisse.

— Je suis sûre que tu ne l'aurais pas pris si je ne t'avais pas dit que je le voulais, se plaignit Shannon lorsqu'elles sortirent du magasin.

— Non, mais ça ne fait qu'augmenter ma satisfaction. Il y a une boutique de fournitures de pâtisserie pas très loin d'ici. Je voudrais passer prendre deux ou trois choses pour Brie.

— Allons-y.

Toujours furieuse de cette histoire de chemisier, Shannon lui emboîta le pas.

— Qu'est-ce que c'est ?

— Un magasin de musique, dit sèchement Maggie quand Shannon s'arrêta devant la vitrine.

— Je m'en doute. Mais ça, qu'est-ce que c'est ?

— Une cithare.

— On dirait plus une œuvre d'art qu'un instrument de musique.

— C'est les deux à la fois. Celle-ci est particulièrement magnifique. Murphy en a fabriqué une aussi belle il y a quelques années. Elle avait un son superbe. Sa sœur Maureen en est tombée tellement amoureuse qu'il lui en a fait cadeau.

— Ça ne m'étonne pas de lui. Tu crois que ça lui plairait ? D'en avoir une fabriquée par quelqu'un d'autre ?

Maggie haussa les sourcils.

— A mon avis, tu pourrais lui offrir du vent dans un sac en papier, il le garderait comme un trésor.

Toutefois, Shannon avait déjà pris sa décision et entra dans le magasin.

Elle regarda l'employé retirer la cithare de la vitrine, puis l'écouta attentivement lui faire une démonstration non dépourvue de talent.

— Je l'imagine déjà en jouer, pas toi ? remarqua Shannon, un vague sourire au coin des lèvres.

— Si, moi aussi.

Maggie attendit que l'employé ravi soit parti chercher une boîte appropriée au transport de l'instrument.

— Alors, tu es amoureuse de lui.

Embarrassée, Shannon chercha son porte-cartes au fond de son sac.

— Une femme peut très bien acheter un cadeau à un homme sans pour autant être amoureuse de lui.

— Certes, mais pas avec ce regard-là dans les yeux. Qu'est-ce que tu vas faire ?

— Que veux-tu que je fasse ? se surprit à dire Shannon. Je réfléchis.

— Ce n'est pas le genre d'homme à prendre les choses de l'amour à la légère, ni provisoirement.

Ces paroles, et le fait de savoir qu'elles étaient vraies, effrayèrent Shannon.

— Ne me pousse pas comme ça, Maggie, dit-elle d'une voix plus suppliante qu'elle ne l'eût souhaité. C'est compliqué ; j'essaie de faire de mon mieux.

Elle redressa la tête d'un air surpris en sentant la main de Maggie lui caresser affectueusement la joue.

— C'est difficile, n'est-ce pas ? De se retrouver face à quelque chose qu'on n'a jamais connu ?

Maggie laissa retomber sa main sur l'épaule de Shannon.

— En tout cas, dit-elle d'un ton plus léger, il va bégayer comme un fou quand tu lui donneras ça. Où est ce fichu vendeur ? Rogan va m'étriper si je ne t'amène pas à la galerie à trois heures tapantes.

— Tu dis ça comme si tu avais peur de lui.

— Je le lui fais croire parfois. Disons que c'est une façon de cajoler son ego.

Shannon tripota des harmonicas exposés sur le comptoir.

— Tu ne m'as pas demandé si j'allais signer ce contrat.

— On m'a fait remarquer à juste titre que ça ne me regardait pas.

Shannon sourit, puis tendit sa carte de crédit à l'employé.

— C'est pour cajoler mon ego que tu dis ça ?

— C'est mieux qu'un coup de pied dans les fesses, non ?

— Je vais signer, déclara abruptement Shannon. Je ne sais pas si j'ai pris cette décision à l'instant ou quand Rogan me l'a demandé, mais je vais signer.

Elle avala péniblement sa salive en posant une main tremblante sur son ventre.

— C'est maintenant à mon tour d'avoir la nausée.

— J'ai eu une réaction similaire dans les mêmes circonstances. C'est comme si tu venais de passer le volant à quelqu'un, c'est tout, compatit Maggie en la prenant par la taille. Il fera tout ce qu'il faut pour toi.

— Je le sais. En revanche, je ne sais pas si je ferai tout ce qu'il faut pour lui...

Elle regarda le vendeur emballer la cithare.

— Il semble que ce soit un problème que je rencontre ces temps-ci avec tous les hommes qui ont de l'importance pour moi.

— Je vais te dire ce qu'on va faire, Shannon. Nous allons passer au bureau de Rogan et régler cette affaire au plus vite. C'est le moment le plus dur à passer, je te préviens.

— D'accord.

Prenant le stylo que l'employé lui tendait, elle signa machinalement le reçu.

— Ensuite, nous rentrerons à la maison et nous déboucherons une bouteille du meilleur champagne de Sweeney.

— Tu ne peux pas boire. Tu es enceinte.

— C'est toi qui le boiras. Une bonne bouteille de champagne français à toi toute seule. J'ai dans l'idée que tu vas être ivre pour la seconde fois de ta vie.

Shannon poussa un soupir qui souleva sa frange.

— C'est bien possible.


Maggie avait vu juste. Quelques heures plus tard, Shannon réalisa que tous ses soucis et ses doutes s'étaient évaporés aussi vite que les bulles de la bouteille de dom-pérignon.

En amie pleine d'indulgence, Maggie l'écoutait marmonner dans sa barbe, prêtant une oreille compatissante à ses lamentations et riant à ses plus mauvaises
plaisanteries.

Quand Rogan arriva à la maison, Shannon était
assise dans le salon, en train de contempler d'un air
rêveur le peu de champagne qui restait dans son verre.

— Qu'est-ce que tu lui as fait, Margaret Mary ?

— Elle est un peu éméchée.

L'air contente d'elle, Maggie tendit ses lèvres à
Rogan.

En apercevant la bouteille vide, il haussa les sourcils.

— Ça ne m'étonne pas.

— Elle avait besoin de se détendre, dit vaguement
Maggie. Et de fêter ça. N'est-ce pas que tu te sens bien,
Shannon ?

— Très bien. Au poil ! fit-elle avec un sourire rayonnant. Bonsoir, Rogan. Tu es là depuis longtemps ? On
m'avait mise en garde contre toi, tu sais.

— Ah bon ?

— Absolument. Rogan Sweeney, le roi des malins...
Elle attrapa son verre et le vida d'un trait.

— Et c'est vrai.

— Prends ça comme un compliment, chéri, lui
conseilla Maggie. C'est comme ça qu'elle l'entendait.

— Oh, mais bien sûr, confirma Shannon. Il n'y a pas
un seul requin new-yorkais qui serait capable de t'en
remontrer. Et puis tu es tellement mignon.

Shannon se leva à grand-peine et gloussa en sentant
la tête lui tourner. Quand Rogan lui prit le bras pour
l'empêcher de tituber, elle s'appuya carrément contre
lui et lui donna un gros baiser sonore.

— J'ai des beaux-frères adorables, pas vrai, Maggie ?
Vraiment adorables.

— Des amours d'hommes, fit Maggie avec un sourire malicieux. Tous les deux. Tu veux aller faire un
petit somme, Shannon ?

— Non.

Le regard brillant, elle saisit son verre.

— Regarde, il en reste encore un peu. Je vais le prendre avec moi pour aller téléphoner. Il faut que je passe un coup de fil. Un coup de fil personnel, si vous permettez.

— Et qui vas-tu appeler? demanda Maggie.

— Je vais appeler Murphy Muldoon, dans le comté de Clare, en Irlande.

— Je viens avec toi, proposa Maggie, je te composerai le numéro.

— J'en suis parfaitement capable. J'ai son numéro sur mon petit agenda électronique. Je ne m'en sépare jamais.

Le verre oscillant dangereusement dans sa main, elle regarda tout autour d'elle.

— Où est-il passé? Aucune femme d'affaires performante ne peut survivre sans son agenda électronique.

— Il ne doit pas être loin, répliqua Maggie en faisant un clin d'œil à Rogan et en prenant Shannon par le bras. Mais il se trouve que j'ai le numéro en tête.

— Tu es une futée, Margaret Mary. Je l'ai remarqué tout de suite — même quand j'ai eu envie de te boxer.

— Sympathique de ta part. Tu n'as qu'à t'asseoir ici dans le fauteuil de Rogan et parler à Murphy tout le temps que tu voudras.

— Il a un corps incroyable. Je veux dire... Murphy.

Tout en pouffant de rire, Shannon se laissa tomber dans le grand fauteuil derrière le bureau de la bibliothèque.

— Mais je suis sûre que Rogan n'est pas mal non plus.

— Je peux te le confirmer. Tiens, on écoute ici et on parle là.

— Je sais me servir d'un téléphone. Je suis une professionnelle. Murphy?

— Attends, je n'ai pas fini de faire le numéro. Je ne suis pas une professionnelle, moi.

— Ça ne fait rien. Ah, ça sonne! Voilà Murphy. Murphy?

D'un geste amoureux, elle enlaça le récepteur, sans même voir Maggie quitter la pièce.

— Shannon? Je suis content que tu m'appelles. Je pensais à toi.

— Moi, je pense à toi tout le temps. C'est bien ça le problème.

— Tu as l'air un peu bizarre. Tu vas bien?

— Je vais merveilleusement bien. Je t'aime, Murphy.

— Comment? fit-il en montant la voix d'une octave.

— Je plane complètement.

— Tu *quoi*? Shannon, reviens un tout petit peu en arrière et recommence.

— La dernière fois que ça m'est arrivé, je venais d'entrer à l'université, il y avait une fête avec des quantités de vin. Des tonneaux entiers. J'ai été malade à crever. Mais cette fois, je ne suis pas malade. Je me sens juste...

Shannon fit pivoter le fauteuil et faillit s'étrangler avec le cordon du téléphone.

— ... incroyablement vivante.

— Bon sang, qu'est-ce que Maggie t'a fait? marmonna-t-il. Tu es ivre?

— Je crois...

Et pour s'en assurer elle plaça deux doigts devant ses yeux.

— J'en suis même sûre. Je voudrais que tu sois là, Murphy, juste à côté de moi, pour que je puisse grimper sur tes genoux et te mordiller partout.

Il y eut un instant de silence douloureux au bout de la ligne.

— Ce serait merveilleux, en effet, dit Murphy d'une voix tendue. Shannon, tu as dit que tu m'aimais.

— Tu le sais bien. Tout s'embrouille dans ma tête... Je vois des chevaux blancs, des broches en cuivre, des tempêtes, des coups de tonnerre, et nous deux en train de faire l'amour au milieu de la ronde de pierres et de hurler à la lune.

Elle se renversa en arrière tandis que toutes sortes de visions se mettaient à tourbillonner dans sa tête.

— On jette des sorts, reprit-elle dans un murmure. On gagne des batailles... Je ne sais pas quoi faire. Je n'arrive plus à réfléchir.

— Nous reparlerons de tout cela à ton retour. Shannon, tu m'appelles de l'autre bout du pays en étant complètement ivre — qu'est-ce que tu as bu?

— Du champagne. Le meilleur champagne français de Rogan.

— Je vois... Tu t'es saoulée au champagne pour me dire pour la première fois que tu m'aimes?

— Ça m'avait semblé être une bonne idée. Tu as une voix si magnifique...

Ses paupières se fermèrent lourdement.

— Je pourrais l'écouter toute ma vie. Je t'ai acheté un cadeau.

— C'est gentil. Redis-le-moi.

— Je t'ai acheté un cadeau.

Au grognement frustré qu'il émit, elle ouvrit les yeux et éclata de rire.

— Oh, j'avais compris. Je ne suis pas idiote. *Summa cum laude*, tu sais. Je t'aime, Murphy, ce qui ne fait que compliquer les choses, mais je t'aime. Bonne nuit.

— Shannon...

Mais elle tendait déjà la main en visant plus ou moins l'appareil, un œil à moitié fermé. Et ce fut purement un coup de chance si elle réussit à remettre le combiné en place. Ensuite, elle se pelotonna au fond du fauteuil, bâilla à s'en décrocher la mâchoire et s'endormit aussitôt.

# 20

— Et le lendemain matin, pas même un pas de travers, pas une grimace, rien.

Installée dans la cuisine de Brianna en train de boire du thé, Maggie jeta un regard admiratif à Shannon.

— J'étais vraiment très fière.

— Tu as un sens de la fierté un peu curieux, remarqua Shannon.

Toutefois, elle s'en félicitait elle aussi. Par chance, bien qu'elle eût largement abusé du dom-pérignon, la gueule de bois du lendemain lui avait été épargnée.

Vingt-quatre heures après avoir signé le contrat, elle était de retour dans le comté de Clare et savourait la distinction quelque peu douteuse de très bien tenir l'alcool.

— Tu n'aurais pas dû la laisser boire autant, argua Brianna en recouvrant son gâteau au chocolat d'une couche de guimauve.

— C'est une grande fille, objecta Maggie.

— C'est aussi la plus jeune.

— Oh, franchement! s'exclama Shannon en levant les yeux au ciel. Je ne pense pas que ce soit le problème. Toi et moi sommes nées la même année, par conséquent...

Frappée par ce qu'elle venait de dire, elle ne termina pas sa phrase et regarda fixement la table en fronçant les sourcils. C'était effectivement étrange, songeat-elle.

— Une année bien remplie pour papa, dit Maggie après un long silence.

Choquée, Shannon releva vivement la tête et croisa le regard candide de Maggie. La façon dont elle éclata de rire la surprit presque autant que le sourire rayonnant de Maggie. Brianna resta concentrée sur le glaçage de son gâteau.

— Tout de même, une bouteille entière, reprit-elle d'un ton calme et moralisateur. Tu aurais dû faire attention, Maggie.

— Eh bien, je me suis occupée d'elle, non? Après qu'elle s'est évanouie dans la bibliothèque...

— Je ne me suis pas évanouie, protesta Shannon d'un air outré. Je me reposais.

— Tu étais inconsciente, oui!

Maggie prit sa nièce dans ses bras quand Kayla commença à s'agiter dans son fauteuil.

— Et le pauvre Murphy qui n'arrêtait pas de rappeler comme un possédé! Mais qui l'a convaincu de ne pas sauter dans son camion pour rappliquer à Dublin, si ce n'est moi? Et ensuite, qui a emmené Shannon dans sa chambre et a veillé à lui faire avaler un bol de soupe avant de la laisser cuver?

Maggie tourna la tête en dressant l'oreille.

— Liam est réveillé.

Elle passa le bébé à Shannon, puis alla dans la chambre de Brianna où elle avait installé son fils pour faire la sieste.

Brianna recula d'un pas afin de juger du résultat de ce qu'elle venait de faire avant de se retourner.

— Et à part cette soirée mémorable, ton voyage à Dublin t'a plu?

— Oui. C'est une ville splendide. Quant à la galerie — c'est un peu comme si on entrait dans une église.

— C'est exactement l'impression que j'ai eue, moi aussi. Mais tu n'as pas encore vu celle de Clare. Je me disais que nous pourrions y aller tous ensemble, bientôt.

— C'est une bonne idée. Brianna...

Elle n'était pas tout à fait sûre d'être prête à le lui demander. Et encore moins à en accepter les conséquences.

— Quelque chose ne va pas?

— Je crois que... je voudrais voir les lettres, se hâta-t-elle de dire avant que son courage ne s'envole. Les lettres que ma mère a écrites.

— Bien sûr...

Brianna posa une main réconfortante sur l'épaule de Shannon.

— Je les ai rangées dans ma commode. Tu n'as qu'à aller les lire dans le salon, si tu veux.

Mais avant que Shannon se soit levée, une certaine agitation leur parvint depuis l'entrée. Des voix s'élevèrent, et Shannon sentit la main de Brianna se crisper brièvement.

— C'est maman, murmura-t-elle. Et Lottie.

— Ça ne fait rien...

Sans savoir très bien si elle était déçue ou soulagée, Shannon tapota la main de sa sœur.

— Je les lirai plus tard.

Puis elle se prépara à l'affrontement.

Maeve entra la première en continuant à parler très fort.

— Je vous dis et je vous répète que je ne lui demanderai pas. Mais si vous n'avez aucune fierté, je ne peux pas vous en empêcher.

En apercevant Shannon avec sa petite-fille dans les bras, elle redressa le menton d'un air hautain.

— Eh bien, vous avez l'air parfaitement chez vous, à ce que je vois.

— En effet. Avec Brianna, le contraire serait difficile. Bonjour, Mrs. Sullivan.

— Oh, appelez-moi donc Lottie comme tout le monde, mon enfant. Et comment va mon petit ange aujourd'hui? dit-elle en se penchant sur Kayla avec un regard d'extase. Vous avez vu, Maeve, elle sourit!

— Ce n'est guère étonnant. Elle est tellement gâtée!

— Brianna est une mère extraordinairement attentive, corrigea Shannon, malgré elle.

Maeve se contenta de renifler un grand coup.

— Dès que cette petite pleure, quelqu'un se précipite pour la prendre dans ses bras.

— Y compris vous, se moqua gentiment Lottie. Oh, Brie, quel superbe gâteau!

Résignée à en faire un autre pour ses clients, Brianna alla chercher un couteau.

— Asseyez-vous et prenez-en un morceau.

Liam débloula de la chambre voisine avec cinq pas d'avance sur sa mère.

— Gâteau! s'exclama joyeusement le petit garçon.

— Cet enfant doit avoir un radar dans l'estomac, ronchonna Maeve, avec toutefois un regard soudain plus lumineux. Il promet!

Pressentant une alliée, Liam la regarda avec un sourire radieux en lui tendant les bras.

— Un baiser!

— Viens t'asseoir sur mes genoux, ordonna Maeve. Et tu auras les deux, du gâteau et un baiser. Il a les joues un peu rouges, Margaret Mary.

— Il vient juste de se réveiller de sa sieste. Alors, Brie, tu coupes ce gâteau, oui ou non?

— Tu devrais faire plus attention à ton régime, remarqua Maeve. Le médecin m'a dit que tu avais des nausées matinales cette fois-ci.

Il eût été difficile de dire laquelle, de la mère ou de la fille, fut la plus stupéfaite de cette déclaration. Regrettant déjà ce qu'elle venait de dire, Maeve entreprit de donner des morceaux de gâteau à son petit-fils.

— Ce n'est rien du tout.

— Elle est malade comme un chien tous les matins, précisa Shannon en regardant Maeve droit dans les yeux.

— Maggie, tu m'avais pourtant dit que c'était passé! s'inquiéta Brianna avec une pointe de reproche dans la voix.

Furieuse et embarrassée, Maggie jeta un regard foudroyant à Shannon.

— Ce n'est rien du tout, répéta-t-elle.

— Elle ne supporte pas la moindre faiblesse.

Le commentaire caustique de sa mère la mit en rage. Mais avant qu'elle ait pu répondre, Shannon enchaîna en hochant la tête.

— Elle menace de mordre quiconque s'avise de vouloir l'aider. Pour quelqu'un de fort, avoir besoin d'aide n'est pas facile à accepter, vous ne trouvez pas, Mrs. Concannon? Pour quelqu'un comme Maggie, qui arrive à mener de front une vie de famille et une carrière exigeante, avoir l'estomac retourné et perdre tout contrôle de soi chaque matin est très humiliant.

— Quand je l'attendais, j'ai été malade tous les matins pendant trois mois, déclara Maeve d'un ton brusque. Une femme apprend à supporter ces choses — ce dont aucun homme ne serait capable.

— Ça c'est vrai, ils passeraient leur temps à pleurnicher.

— Aucune de mes filles n'a jamais été du genre à pleurnicher, jamais.

Maeve se tourna vers Brianna d'un air renfrogné.

— Dis-moi, comptes-tu rester encore longtemps avec cette théière à la main ou bien vas-tu te décider à enfin nous servir?

— Oh... pardon, parvint à articuler Brianna.

Et elle s'empressa de remplir les tasses.

— Merci, ma chérie, dit Lottie d'un air radieux, visiblement enchantée de la tournure que prenaient les choses.

Depuis plus de deux ans, elle faisait tout son possible pour pousser Maeve à se rapprocher de ses filles. Et ces derniers temps, la distance qui les séparait semblait quelque peu se réduire.

— Au fait, Maggie, ta mère et moi avons regardé ce matin les photos que nous avions prises dans ta splendide maison en France.

— Cette femme n'a pas plus de fierté qu'un mendiant, marmonna Maeve.

Néanmoins, Lottie se contenta de sourire.

— Cela nous a rappelé à toutes les deux les vacances merveilleuses que nous y avions passées. C'est dans le sud de la France, expliqua-t-elle à Shannon. La maison a tout d'un palace et surplombe la mer.

— Et reste vide à longueur d'année, ajouta Maeve. En dehors des domestiques.

Maggie faillit réagir à cette remarque, mais croisa le regard de Brianna. Au prix d'un gros effort, elle ravala ce qu'elle allait dire et opta pour quelque chose de plus habile.

— Justement, Rogan et moi en parlions l'autre jour. Nous espérions aller y passer quelques semaines cet été, mais nous sommes tous les deux trop débordés.

Elle poussa un soupir, en se disant toutefois qu'elle était en train de gagner des points pour entrer au paradis.

— Je dois dire que ça m'ennuie un peu qu'il n'y ait personne pour vérifier si tout va bien et si le personnel fait ce qu'il doit.

Ce qui était un énorme mensonge, et risquait évidemment de lui faire reperdre quelques points...

— Vous ne voudriez pas aller y passer toutes les deux un petit moment là-bas? Si vous pouviez vous arranger, vous me rendriez grand service.

Lottie eut du mal à ne pas sauter de joie et à se mettre à danser. Elle se tourna vers Maeve en inclinant légèrement la tête.

— Qu'en pensez-vous, Maeve? Ce devrait être possible, non?

La villa ensoleillée, le ballet des domestiques autour d'elle et le luxe incomparable d'une telle occasion apparurent très clairement à Maeve, qui se borna cependant à hausser les épaules, puis fit boire une goutte de thé à Liam qui s'impatientait.

— Voyager aggrave mes problèmes de digestion. Mais je suppose que je peux supporter quelques désagréments.

Cette fois, ce fut le regard de Shannon qui poussa Maggie à renoncer à donner libre cours à sa fureur.

— Je t'en serais très reconnaissante, dit-elle entre ses dents serrées. Je vais demander à Rogan de faire le nécessaire pour tenir l'avion à votre disposition.


Vingt minutes plus tard, Brianna refermait la porte sur sa mère et Lottie, puis traversa la cuisine pour serrer sa sœur dans ses bras.

— Bien joué, Maggie.

— J'ai l'impression d'avoir avalé un crapaud. Des problèmes de digestion, tu parles!

Brianna éclata de rire.

— Allons, ne gâche pas tout!

— Quant à toi, je te retiens, fit Maggie en pointant un doigt accusateur vers Shannon.

— Moi? rétorqua-t-elle d'un air innocent.

— Comme si je n'avais pas vu ce que tu avais en tête. « Elle est malade comme un chien, Mrs. Concannon. Elle menace de mordre quiconque s'avise de vouloir l'aider. »

— Ça a marché, non?

Maggie ouvrit la bouche, puis la referma en riant.

— Oui, mais mon orgueil en a pris un sacré coup...

Apercevant du mouvement derrière la fenêtre, elle s'en approcha pour regarder dehors.

— Apparemment, Conco est sorti de sa cachette. Et j'aperçois trois hommes qui se dirigent par ici. Tu vas devoir refaire du thé, Brie.

Elle continua à regarder par la fenêtre en souriant de plus belle.

— Diable, ils sont vraiment superbes tous les trois! Je prends celui qui a l'air de débarquer de la ville. Vous n'aurez qu'à vous partager les deux autres.

Shannon, le cœur battant la chamade, fit de son mieux pour se maîtriser quand Maggie alla ouvrir la porte. Conco entra comme une flèche et fila sous la table lécher les miettes que Liam avait eu la délicatesse de laisser tomber.

— Un gâteau...

Gray, par l'odeur alléché, repéra le gâteau à l'instant même où il franchit le seuil.

— Avec de la guimauve! Nous avons frappé à la bonne porte, les gars.

— Papa!

Liam bondit de sa chaise en tendant ses mains collantes à Rogan, qui eut la présence d'esprit de faire un détour par l'évier et de mouiller un coin de torchon avant de s'approcher de son fils.

Quant à Murphy, il resta figé devant la porte, sa casquette à la main, en dévisageant Shannon.

— Tu es revenue !

— Il y a quelques heures à peine.

Tout à coup, elle écarquilla les yeux en le voyant foncer sur elle, la faire se lever et l'embrasser d'une façon qu'un homme avisé ne s'autorise généralement qu'en privé.

Quand il la relâcha, elle était à bout de souffle. S'efforçant tant bien que mal de reprendre sa respiration, Shannon voulut se rasseoir, mais Murphy la retint fermement par le bras.

— Viens avec moi.

— C'est que... je...

En se retournant, elle vit tout le monde se reconcentrer subitement sur ce qu'il était en train de faire.

— Retiens-toi un peu, Murphy, railla Maggie avec bonne humeur en allant chercher des assiettes. Shannon a un cadeau à te donner.

— Oui. C'est vrai. Je...

— Je vais chercher le paquet, proposa Rogan.

— Tu veux une tasse de thé, Murphy ? demanda Brianna.

— Non, merci, fit-il sans quitter sa belle des yeux. Nous ne pouvons pas rester. Ce soir, Shannon vient dîner chez moi.

— Et prendre le petit déjeuner, chuchota Gray à l'oreille de sa femme.

— Merci, Rogan.

Shannon lui prit la boîte des mains en se demandant ce qu'elle allait faire maintenant.

— Qu'est-ce que c'est ? voulut savoir Gray. Ouvre-le... Aïe !

Le coup de coude que Brianna lui donna dans les côtes lui arracha une grimace.

— Il l'ouvrira tranquillement chez lui. Tenez, emportez du gâteau.

Elle avait déjà préparé des parts et tendit à Murphy une assiette recouverte d'un torchon.

— Merci. Viens avec moi, répéta-t-il.

Il prit Shannon par le bras et l'entraîna dehors.

— Heureusement que tu lui as collé une assiette dans les pattes, commenta Maggie, sinon il lui aurait sauté dessus avant même d'être arrivé au bout du jardin.

Effectivement, Murphy dut faire appel à toute sa volonté pour s'en empêcher. Il mourait d'envie de l'emmener au beau milieu des champs et de rouler dans l'herbe avec elle. Cependant, il concentra tous ses efforts à régler son pas sur celui de Shannon.

— J'aurais dû venir en camion.

— Ce n'est pas très loin, souffla-t-elle, hors d'haleine.

— Aujourd'hui, ça me paraît très loin. C'est lourd ? Laisse-moi porter ça.

— Non...

Elle refusa de lui donner le paquet. Il n'était pas léger, mais elle tenait à le porter elle-même.

— Tu risquerais de deviner ce que c'est.

— Tu n'aurais rien dû m'acheter. Le fait que tu sois de retour est un cadeau suffisant.

Murphy l'enlaça par la taille et la fit passer prestement par-dessus le muret.

— Tu m'as manqué à chaque seconde. Je ne savais pas qu'un homme pouvait penser autant de fois à une femme au cours d'une seule journée.

Et pour se calmer il se força à prendre trois longues inspirations.

— Rogan m'a dit que tu avais finalement signé le contrat. Tu es contente ?

— Une part de moi l'est, mais l'autre est terrorisée.

— La peur te poussera à faire de ton mieux. Tu vas devenir célèbre, Shannon, et riche.

— Je suis déjà riche.

Murphy faillit trébucher.

— Ah bon ?

— Enfin, relativement.

— Oh...

Il faudrait qu'il réfléchisse à la question, se dit-il. Mais pour l'instant, il n'avait qu'une envie : la débarrasser de sa ravissante veste de tailleur.

Lorsqu'ils arrivèrent à la ferme, il ouvrit la porte afin de la laisser passer. Puis il posa l'assiette sur le comptoir et l'aurait volontiers enlacée si elle ne l'avait pas pris de vitesse en allant se poster de l'autre côté de la table.

— Je voudrais que tu ouvres ton cadeau, dit-elle en le posant au milieu.

— Je veux te prendre dans la chambre, dans l'escalier. Ou même ici, sur le sol de la cuisine.

Shannon sentit son sang ne faire qu'un tour.

— Étant donné l'état dans lequel je suis, tu peux me prendre dans ta chambre, dans l'escalier *et* sur le sol de la cuisine.

En voyant le regard de Murphy s'embraser, elle leva la main.

— Mais je voudrais vraiment que tu regardes d'abord ce que je t'ai rapporté de Dublin.

Il se fichait pas mal de savoir si elle lui avait rapporté une fourchette en or ou une pelle ornée de pierres précieuses. Mais la douceur avec laquelle elle lui avait demandé cela le fit hésiter à se jeter sur elle en bondissant par-dessus la table. Aussi prit-il sagement le paquet qu'il entreprit de déballer.

Shannon vit tout de suite qu'il avait compris de quoi il s'agissait. Une expression de joie mêlée de surprise passa sur son visage. Tout à coup, il eut l'air aussi jeune et ébloui qu'un enfant découvrant ce dont il rêvait en secret au pied du sapin de Noël.

Délicatement, il sortit la cithare de la boîte et en effleura le bois.

— Je n'ai jamais rien vu d'aussi splendide.

— Maggie m'a dit que tu en avais fabriqué une tout aussi belle, et que tu l'avais donnée.

— Non, elle n'était pas aussi belle que celle-ci, murmura Murphy, l'air ravi.

Quand il releva la tête, une lueur émerveillée dansait au fond de ses yeux.

— Qu'est-ce qui t'a donné l'idée de m'acheter une chose pareille ?

— Je l'ai aperçue dans une vitrine, et je t'ai aussitôt

imaginé en train d'en jouer. Tu veux bien me jouer quelque chose, Murphy?

— Je n'ai pas joué de cithare depuis des années...

Mais il la déballa et la caressa avec beaucoup de délicatesse, comme il aurait caressé un poussin sortant de l'œuf.

— Je crois me souvenir d'un air.

Dès qu'il se mit à jouer, Shannon sut qu'elle avait vu juste. Un vague sourire flottait au coin de ses lèvres et son regard était lointain. Il interpréta une mélodie ancienne, très suave et très douce, comme un vin délicieux qu'on a laissé tranquillement décanter. Alors que la musique remplissait la cuisine, Shannon sentit ses yeux lui picoter et son cœur se gonfler.

— C'est le plus beau cadeau qu'on m'ait jamais fait, dit Murphy en reposant doucement l'instrument. Je vais le garder précieusement.

La bête impatiente qui l'habitait s'était apaisée. Il fit le tour de la table et lui prit tendrement les mains.

— Je t'aime, Shannon.

— Je sais, dit-elle en levant leurs mains jointes contre sa joue. Je le sais.

— Quand tu m'as appelé hier, tu m'as dit que tu m'aimais. Tu ne veux pas me le redire?

— Je n'aurais jamais dû t'appeler dans cet état, s'empressa-t-elle de dire avec nervosité. Je n'avais pas les idées très claires et...

Il lui embrassa le bout des doigts en la regardant patiemment.

— Je t'aime, Murphy, mais...

D'un baiser, il lui ferma la bouche, la réduisant au silence.

— Depuis que je t'ai entendu me dire ça, j'ai envie de toi. Tu veux bien venir là-haut avec moi?

— Oui.

Shannon se pressa contre lui, puis lui sourit, incapable de résister plus longtemps à l'ardeur de son désir et à la douceur de ses bras.

Une lumière magnifique inondait l'escalier qu'il lui fit monter en la portant dans ses bras et baignait le lit sur lequel il la déposa.

C'était si simple de se laisser bercer par cette lumière, par ses bras puissants qui l'enlaçaient amoureusement, tout comme par la promesse brûlante de ses baisers.

Shannon pensa tout à coup que ce serait la première fois qu'ils feraient l'amour dans un lit, avec un toit au-dessus de la tête. Les étoiles et l'odeur de l'herbe lui auraient vraisemblablement manqué s'il ne l'avait pas entourée d'une telle douceur.

Il avait mis des fleurs dans la chambre et sentit leur parfum discret quand il se pencha pour l'embrasser dans le cou.

Il y avait aussi des bougies, pour remplacer la lumière des étoiles. Et des draps de lin très doux à la place des couvertures en laine et de la prairie. Il étala ses cheveux sur l'oreiller, sachant que son odeur y resterait imprégnée.

Lorsque Murphy commença à la déshabiller, Shannon esquissa un sourire. Elle avait acheté deux ou trois autres petites choses à Dublin, et dès que Murphy entrevit un petit bout de soie rose, elle comprit qu'elle avait bien fait.

Avec beaucoup de calme et de concentration, il lui retira sa veste, son chemisier, son pantalon, puis laissa courir ses doigts sur la dentelle ivoire qui laissait deviner sa poitrine.

— Pourquoi ces choses-là font-elle craquer les hommes ? s'étonna-t-il.

Shannon lui sourit de plus belle.

— J'ai aperçu ça dans une vitrine, et j'ai pensé à toi en train de me toucher.

Il la regarda dans les yeux. Très lentement, il effleura le galbe de son sein, puis sa main descendit plus bas avant de remonter pour pincer le mamelon.

— Comme ça ?

— Oui... dit-elle en fermant les yeux. Exactement comme ça.

Sa main courut sur le caraco en soie qui se terminait par une bande de dentelle, juste sous la taille. Un peu plus bas, il vit un minuscule échantillon de soie assortie. Ses doigts se faufilèrent sous le triangle, et il la sentit tressaillir.

Et lorsque sa bouche remplaça ses doigts, Shannon se tortilla plus violemment encore.

Il prit le temps d'explorer les contours du tissu soyeux avant de s'aventurer au-dessous, sur sa chair déjà brûlante, conscient de l'exciter à la limite du supportable. Quand elle s'arc-bouta sous lui, assoiffée de plaisir, il résista encore. Il voulait un dernier cadeau.

— Dis-le-moi, Shannon...

Sa respiration était sifflante, et ses poings si crispés que les articulations en étaient toutes blanches.

— Dis-moi maintenant que tu m'aimes, que tu brûles de désir pour moi, que tu meurs d'envie que je vienne en toi, que je te remplisse. Que je te chevauche.

Elle le regarda en haletant, folle d'impatience qu'il la fasse jouir.

— Je t'aime...

Soudain, ses yeux se brouillèrent de larmes, des larmes brûlantes d'émotion tout autant que de désir.

— Je t'aime, Murphy.

Il plongea en elle, leur arrachant à tous deux un grognement rauque de plénitude, puis commença à aller et venir entre ses cuisses, puissant et magnifique.

— Redis-le-moi, exigea-t-il en les conduisant rapidement au bord de l'extase. Redis-le-moi.

— Je t'aime.

Presque en sanglots, Shannon enfouit son visage dans le cou de son amant, s'abandonnant à lui corps et âme.


Un peu plus tard, après avoir allumé les bougies, Murphy emmena Shannon dans la salle de bains, où ils jouèrent dans l'eau chaude, s'éclaboussant tels des enfants et faisant déborder la baignoire.

Au lieu de se préparer à dîner, ils se régalèrent du gâteau de Brianna, qu'ils arrosèrent de bière, mélange que Shannon savait ne pouvoir être qu'épouvantable, malgré son petit goût d'ambroisie.

Alors qu'elle se léchait les doigts avec gourmandise, elle vit la lueur qui brillait dans l'œil de Murphy. En moins d'une seconde, ils se jetèrent l'un sur l'autre et firent l'amour comme des bêtes sauvages, à même le sol de la cuisine.

Shannon aurait pu s'endormir là, exténuée, mais Murphy l'aida à se relever. Ils gagnèrent le couloir en titubant, ivres de fatigue, puis il l'entraîna dans le salon où ils se prirent à nouveau fougueusement sur le tapis.

Lorsqu'elle réussit à se redresser, Shannon avait les cheveux en bataille, les yeux brillants, et des courbatures partout.

— Combien de pièces y a-t-il dans cette maison ?

Il éclata de rire et lui mordilla l'épaule.

— Tu le sauras très bientôt.

— Murphy, nous allons nous tuer...

Mais quand sa main se referma sur son sein, elle laissa échapper un profond soupir.

— Je suis prête à en prendre le risque, si tu l'es aussi.

— Ça ne m'étonne pas de toi.


Il y en avait quinze, songea Shannon lorsqu'elle s'écroula sur les draps entortillés peu de temps avant l'aube. Il y avait quinze pièces dans cette immense ferme et, s'ils n'avaient pas réussi à toutes les baptiser, ce n'était pas faute de l'avoir voulu. Néanmoins, à un moment donné, leurs corps les avaient trahis. Et ils s'étaient effondrés sur le lit avec une seule idée en tête : dormir.

En s'enfonçant peu à peu dans le sommeil, Shannon repensa qu'il leur faudrait parler sérieusement, et au plus vite. Elle avait des choses à expliquer à Murphy. Il fallait à tout prix lui faire comprendre que l'avenir s'annonçait nettement plus complexe que le présent.

Tout en essayant de formuler des phrases dans sa tête, elle sombra dans un profond sommeil.

Et elle vit l'homme, son guerrier, son amant, sur son beau cheval blanc. Son armure scintillait et sa cape flottait au vent.

Mais cette fois, il ne galopait pas à travers champs pour venir la rejoindre. Au contraire, il s'enfuyait.

## 21

Murphy se dit que ce devait être l'amour qui lui donnait une telle énergie bien qu'il n'ait dormi qu'une heure. Il alla traire les vaches, nourrir les animaux, puis mena les chevaux au pâturage, le pas léger, en fredonnant un petit air, ce qui ne manqua pas de faire sourire le jeune Feeney.

Comme d'habitude, il lui restait une dizaine de tâches à accomplir avant le petit déjeuner. Ravi que ce fût le tour de son voisin de livrer les bidons de lait, Murphy passa ramasser les œufs du jour et examina une poule, qui finirait d'ici peu à la casserole, avant de rentrer à la maison.

Il venait d'abandonner l'idée de laisser Shannon dormir pendant qu'il avalerait une tasse de thé et quelques biscuits avant de se remettre au travail.

Lui monter ce thé et ces biscuits, et lui faire ensuite l'amour, encore toute chaude, toute douce de sommeil et à peine sortie de ses rêves, lui parut tout à coup nettement plus séduisant.

Il ne s'était nullement attendu à la trouver dans la cuisine, debout devant la cuisinière, le tablier que mettait sa mère quand elle lui rendait visite noué sur les reins.

— Je croyais que tu dormais.

Shannon lui jeta un coup d'œil et ne put s'empêcher de sourire en le voyant retirer sa casquette, ainsi qu'il le faisait chaque fois qu'il entrait quelque part.

— Je t'ai entendu rire avec le garçon qui t'aide à traire les vaches.

— Je ne voulais pas te réveiller...

La délicieuse odeur qui régnait dans la cuisine lui rappela les petits matins de son enfance.

— Qu'est-ce que tu fais ?

— J'ai trouvé du bacon et des saucisses, dit-elle en piquant celles-ci de coups de fourchette. C'est bourré de cholestérol, mais après la nuit dernière, je me suis dit que tu y avais droit.

Un sourire béat illumina soudain le visage de Murphy.

— Tu me prépares un petit déjeuner...

— Tu dois mourir de faim, étant donné tout ce que tu as déjà fait depuis le lever du jour, alors... Murphy !...

Elle poussa un cri et laissa tomber la fourchette lorsqu'il la prit dans ses bras en la faisant tourbillonner.

— Attention à ce que tu fais !

Il la reposa, mais garda le même sourire quand elle alla rincer la fourchette en ronchonnant vaguement.

— J'ignorais que tu savais faire la cuisine.

— Évidemment que je sais faire la cuisine ! Je ne suis pas aussi douée que Brianna, mais je ne me débrouille pas trop mal. Qu'est-ce que c'est que ça ?

Shannon tendit la main vers le seau qu'il avait posé par terre en entrant.

— Il y a là-dedans au moins trois douzaines d'œufs. Qu'est-ce que tu vas en faire ?

— J'en utilise une partie, et j'échange ou je vends le reste.

Shannon fronça le nez.

— Ils sont dégoûtants. Pourquoi sont-ils si sales ?

Murphy la dévisagea un instant avant d'éclater de rire.

— Oh, tu es vraiment trop adorable, Shannon Bodine !

— Visiblement, j'ai posé une question stupide. En tout cas, lave-les. Moi, je refuse d'y toucher.

Il hissa le seau sur la paillasse de l'évier, et commençait à laver les œufs quand elle réalisa tout à coup d'où ils venaient.

— Oh ! fit-elle en clignant des yeux et en retournant le bacon. C'est à vous dégoûter des omelettes ! Comment sais-tu qu'il s'agit bien d'œufs et non pas de petits poussins ?

Murphy lui lança un coup d'œil en biais pour vérifier si elle plaisantait ou non. La langue coincée dans la joue, il passa une autre coquille sous l'eau.

— S'ils ne crient pas, c'est bon.

— Oh, très drôle...

Shannon décida qu'elle préférait rester dans l'ignorance, estimant qu'il valait mieux penser aux œufs comme à quelque chose qu'on trouve tout propre et soigneusement emballé dans des boîtes au supermarché.

— Comment veux-tu tes œufs ?

— Comme tu voudras. Ça m'est égal. Tu as fait du thé ?

Il résista à l'envie de lui baiser les pieds.

— Je n'ai pas trouvé de café.

— J'en achèterai la prochaine fois que j'irai au village. Ça sent divinement bon, Shannon.

Il vit qu'elle avait mis la table pour deux. Il servit le thé en regrettant de ne pas avoir pensé à ramasser quelques-unes des fleurs sauvages qui poussaient le long de la grange. Quand elle apporta le plat sur la table, il s'assit.

— Merci.

Il y avait dans sa voix une sorte d'humilité qui éveilla en elle un mélange de culpabilité et de plaisir.

— Je t'en prie. Je ne mange jamais de saucisses, mais celles-ci ont l'air fameuses.

— Elles le sont sûrement. Mrs. Feeney les a faites il y a à peine deux jours.

— Faites ?

— Oui, dit-il en lui tendant le plat. Ils ont abattu le porc qu'ils engraissaient...

Murphy fronça les yeux en la voyant tout à coup pâlir.

— Quelque chose ne va pas ?

— Non, non...

Shannon repoussa le plat en hâte.

— C'est seulement qu'il y a certaines choses que je préfère ne pas visualiser.

— Ah, j'aurais dû y penser, répliqua-t-il avec un sourire d'excuse.

— Je ferais mieux de m'y habituer. L'autre jour, je suis arrivée en plein milieu d'une discussion que Brie avait avec je ne sais qui à propos d'agneaux de printemps.

Shannon frissonna, sachant désormais ce qui arrivait à ces ravissants petits agneaux au printemps.

— Ça te paraît cruel, je sais, mais c'est pourtant dans l'ordre des choses. Tom avait le même problème.

Décidant de se rabattre sagement sur les toasts, Shannon releva la tête.

— Oh ?

— L'idée d'élever quoi que ce soit dans l'intention de le manger lui était insupportable... Quand il a eu des poules, il ramassait les œufs, mais la plupart de ses poules sont mortes de vieillesse. C'était un homme au cœur tendre.

— Il a relâché les lapins, murmura Shannon.

— Ah, tu as entendu parler des lapins...

A l'évocation de ce souvenir, Murphy sourit.

— Grâce à eux, il allait faire fortune — jusqu'à ce qu'il finisse par devoir se rendre à l'évidence. Tom cherchait sans cesse à faire fortune.

— Tu l'aimais vraiment.

— Oui. Il n'a pas remplacé mon père — d'ailleurs il n'a même jamais essayé. Il n'était pas non plus l'image masculine dont on dit qu'un garçon a besoin. Il a été un autre père à partir de mes quinze ans, comme l'était le mien avant. Il était toujours là pour moi. Chaque fois que j'avais du chagrin, il apparaissait comme par enchantement, m'emmenait faire un tour sur les falaises, ou à Galway avec ses filles. La première fois que je me suis saoulé au whisky, c'est lui qui m'a tenu la tête. Et quand j'ai eu ma première fille, je...

Il s'arrêta, s'intéressant tout à coup à son assiette.

Shannon haussa un sourcil.

— Oh, ne t'arrête pas maintenant. Alors, que s'est-il passé quand tu as eu ta première fille ?

— Ce qui se passe toujours, je suppose. Ce petit déjeuner est un vrai régal, Shannon.

— Ne change pas de sujet. Quel âge avais-tu ?

Il la considéra d'un air malheureux.

— Ça ne me semble pas être une bonne idée de raconter ce genre de choses à la femme avec laquelle on partage son petit déjeuner.

— Lâche !

— Bon, d'accord.

Il opina du chef et enfourna une cuillerée d'œuf.

— Tu ne crains rien, Murphy, reprit-elle avec un rire léger qui retomba aussitôt. J'aimerais vraiment savoir ce qu'il t'a dit.

Comprenant que c'était important pour elle, il s'efforça de passer outre à son embarras.

— J'étais... J'étais allé...

— Tu n'es pas obligé de me raconter cette partie-là, dit Shannon avec un sourire encourageant. En tout cas, pas tout de suite.

— Après, reprit-il, soulagé d'avoir franchi ce premier pas, je me sentais extrêmement fier, viril, pourrait-on dire. Et aussi déboussolé qu'un singe à trois queues. Coupable, et terrifié à l'idée d'avoir pu mettre la fille enceinte en ayant été trop fougueux — disons plutôt, trop jeune et trop stupide pour y avoir pensé avant. Bref, j'étais assis sur le muret, en train de me demander quand j'allais pouvoir recommencer tout en ayant une peur bleue que Dieu me punisse d'avoir osé faire ça. Ou que ma mère ne s'en charge à sa place, et de façon nettement plus impitoyable.

— Murphy...

Oubliant ses bonnes résolutions, Shannon mordit dans une tranche de bacon.

— Tu es vraiment trop mignon.

— C'est un moment qui compte autant dans la vie d'un homme que dans celle d'une femme. Quoi qu'il en soit, j'étais assis là, en train de penser à ce que tu imagines, quand Tom est arrivé. Il s'est assis à côté de moi, sans rien dire, le regard tourné vers les collines. Mais ça devait se voir comme le nez au milieu de la figure... Au bout d'un moment, il m'a pris par l'épaule. « Tu es devenu un homme », m'a-t-il dit, « et tu es fier de toi. Mais être un homme, ça ne consiste pas seulement à se faufiler entre les cuisses d'une fille consentante. Être un homme, c'est aussi être responsable. »

Murphy prit sa tasse de thé en secouant la tête.

— Et moi, j'étais malade à l'idée que j'allais peut-être devoir l'épouser, alors que j'avais à peine dix-sept ans et que je ne l'aimais pas plus qu'elle ne m'aimait. Alors, je le lui ai dit. Il a hoché la tête, sans se mettre en colère ou me faire la morale. Il m'a seulement dit que si Dieu et le destin se montraient bons envers moi, il était sûr que je ne l'oublierais pas, et que je prendrais davantage de précautions la prochaine fois. « Et il y aura des prochaines fois », m'a-t-il dit, « car un homme ne s'arrête pas en chemin sur une route aussi belle que celle-là. Et une femme est une chose précieuse à prendre et à tenir dans ses bras. La femme qui est faite pour toi, quand tu la trouves, c'est comme un rayon de soleil. Cherche-la, Murphy, et si tu butines quelques jolies fleurs en chemin, traite-les avec beaucoup de gentillesse et d'affection, et prends garde à ne pas froisser leurs pétales. Si tu les aimes avec gentillesse, à défaut de les aimer avec constance, tu mériteras celle qui t'attendra au bout de ce chemin. »

Il fallut un instant à Shannon avant de retrouver sa voix.

— Tout le monde dit qu'il voulait être poète et qu'il n'avait pas les mots pour cela...

Elle pressa ses lèvres l'une contre l'autre.

— Moi, je ne trouve pas.

— Il savait les trouver quand c'était important, dit doucement Murphy. Mais pas forcément pour lui-même. Il y avait dans ses yeux une tristesse évidente, quand il ne savait pas qu'on le regardait.

Shannon contempla un instant ses mains. Elle avait les mains de sa mère, des mains aux longs doigts fins. Et elle avait les yeux de Tom Concannon. Que lui avaient-ils donné d'autre, tous les deux ?

— Tu veux bien faire quelque chose pour moi, Murphy ?

— Tout ce que tu voudras.

— Tu pourrais m'emmener à Loop Head ?

Il se leva et débarrassa les assiettes.

— Prends une veste, chérie. Le vent souffle fort, là-bas.


Shannon se demandait combien de fois Tom Concannon était venu se promener par ici, combien de fois il avait emprunté ces voies étroites qui serpentaient au milieu des champs. Le long de la route, elle aperçut plusieurs petits abris de pierres, ainsi qu'une chèvre attachée à un piquet en train de brouter l'herbe tendre. Sur le mur d'une maison blanche, elle vit un écriteau indiquant que c'était là le dernier pub avant New York, ce qui la fit vaguement sourire.

Quand Murphy gara le camion, elle constata avec soulagement que personne en dehors d'eux n'avait décidé ce matin de venir contempler la mer du haut des falaises. Ils étaient seuls, avec le vent hurlant et les vagues qui se fracassaient contre les rochers. Et les chuchotements des fantômes.

Shannon s'engagea sur le sentier boueux tracé au milieu des hautes herbes qui menait à la pointe extrême de l'Irlande.

Un vent violent lui cinglait le visage, renforcé par une longue course au-dessus des eaux sombres et des vagues déferlantes. Tout cela dans un bruit de tonnerre assourdissant. Au nord, on apercevait les falaises de Mohr et les îles d'Aran, émergeant d'un halo de brume.

— C'est ici qu'ils se sont rencontrés.

Shannon enlaça ses doigts à ceux de Murphy lorsqu'il lui prit la main.

— Ma mère me l'a dit le jour où elle est entrée dans le coma, elle m'a raconté qu'ils s'étaient rencontrés ici. Il pleuvait, il faisait froid, et il était tout seul. C'est ici qu'elle est tombée amoureuse de lui. Elle savait qu'il était marié, et qu'il avait des enfants. Elle savait aussi qu'elle commettait une erreur. Que ce n'était pas bien. Et ce n'était pas bien, Murphy, je n'arrive pas à me persuader du contraire.

— Tu ne penses pas qu'ils ont payé leur faute?

— Si, et même largement. Mais ça ne change rien au fait que...

Elle toussota afin de s'éclaircir la voix.

— Tout était plus simple quand je croyais qu'il ne l'aimait pas. Quand je n'arrivais pas à l'imaginer comme un homme bon, comme un père qui m'aurait aimée, si les circonstances avaient été différentes. J'avais un père qui m'aimait, ajouta-t-elle avec fierté. Et je ne l'oublierai jamais.

— Tu n'es pas obligée de moins en aimer un pour ouvrir un peu ton cœur à l'autre.

— J'ai le sentiment d'être déloyale. Et peu m'importe que ce soit logique ou pas. C'est ce que je ressens. Je n'ai rien à faire des yeux de Tom Concannon, ni de son sang, je ne...

Shannon mit la main devant sa bouche et laissa couler ses larmes.

— Le jour où elle m'a tout révélé, c'est comme si j'avais perdu quelque chose. Une illusion, l'image tranquille et sereine que me renvoyait le miroir de ma petite famille. Brusquement, tout a volé en éclats, et je n'arrive pas à reconstituer le puzzle.

— Comment te vois-tu maintenant?

— En mille morceaux, avec des liens que je ne peux plus renier. Et j'ai peur de ne plus jamais retrouver ce que j'avais.

L'air désemparé, Shannon se tourna vers Murphy.

— Sa famille l'a reniée à cause de moi, elle a connu la honte et la peur d'être seule. Et c'est à cause de moi qu'elle a épousé un homme qu'elle n'aimait pas.

Elle essuya ses larmes du revers de la main.

— Je sais qu'elle a fini par l'aimer. Un enfant devine ce genre de choses — ça se sent, tout comme on sait que ses parents se sont disputés même quand ils croient pouvoir le cacher. Mais elle n'a jamais oublié Tom Concannon, elle ne l'a jamais banni de son cœur, pas plus qu'elle n'a oublié ce qu'elle a ressenti en se promenant sous la pluie sur ces falaises le jour où elle l'a aperçu.

— Tu aurais voulu qu'elle l'oublie ?

— Oui. Je m'en veux. Parce que, en désirant cela, je sais que je ne pense pas à elle, ni à mon père. Je ne pense qu'à moi.

— Tu es trop dure avec toi-même, Shannon. Ça me fait de la peine de te voir te faire du mal comme ça.

— Tu n'as pas idée de la vie facile qui a été la mienne. Une vie pour ainsi dire parfaite...

Elle se tourna à nouveau vers l'océan, les cheveux fouettés par le vent.

— Avec des parents qui me passaient presque tout. Qui me faisaient confiance, me respectaient tout autant qu'ils m'aimaient. Ils voulaient pour moi tout ce qu'il y avait de mieux et s'efforçaient de me le donner. De belles maisons dans des beaux quartiers, de bonnes écoles... Je n'ai jamais manqué de rien, ni affectivement ni matériellement. Ils m'ont donné des bases solides et m'ont laissée choisir moi-même quoi faire de ma vie. Et voilà que je suis en colère parce que je découvre qu'il y a un vice de construction. Être en colère revient à tourner le dos à tout ce qu'ils ont fait pour moi.

— C'est absurde, il serait temps que tu arrêtes de croire ça, dit Murphy en la prenant fermement par les épaules. Est-ce la colère qui t'a poussée à venir ici où tout a commencé, en sachant ce qu'il t'en coûterait ? Tu sais que c'est ici qu'il est mort, et pourtant tu es venue affronter ça aussi.

— Oui. Et ça fait mal.

— Je sais, ma chérie, dit-il en la serrant contre lui. Je sais que ça fait mal. Il faut parfois que le cœur se brise un peu pour faire de la place.

— Je voudrais comprendre...

Appuyer sa tête contre son épaule lui fit du bien. Les larmes ne lui brûlaient plus, et le petit pincement qui lui serrait le cœur diminua peu à peu.

— J'aurais moins de mal à accepter si je comprenais pourquoi ils ont fait tous ces choix.

— Je crois que tu le comprends mieux que tu ne le penses.

Murphy se tourna et ils regardèrent à nouveau la mer, écoutant la violente et incessante symphonie des vagues qui s'abattaient contre les rochers.

— Cet endroit est magnifique. Au bout du monde... Il l'embrassa sur le front.

— Un jour, tu apporteras ton chevalet et tu peindras ce que tu vois, ce que tu sens.

— Je ne sais pas si j'en serai capable. Il y a trop de fantômes.

— Tu as peint le cercle de fées. Or les fantômes n'y manquent pas, et ils te sont tout aussi proches que ceux-là.

— L'homme et le cheval blanc, la femme dans le champ... tu les vois ?

— Oui. Je les voyais de façon floue quand j'étais enfant, et plus clairement depuis que j'ai trouvé la broche. Mais je les vois plus nettement encore depuis que tu es entrée dans la cuisine de Brianna et que tu m'as regardé avec ces yeux que je connaissais déjà.

— Les yeux de Tom Concannon.

— Tu sais très bien ce que je veux dire, Shannon. Tes yeux étaient froids alors. Je les avais déjà vus comme ça. De même que je les avais vus brûlants, brillants de colère et de désir. Ces yeux, je les avais vus en train de pleurer et en train de rire. Et je les avais vus avoir des visions.

— Je pense que les gens peuvent être très sensibles à un lieu ou à une atmosphère, dit Shannon avec prudence. Il y a eu plusieurs études là-dessus...

Elle s'arrêta en remarquant la façon dont il la regardait.

— Bon, d'accord, oublions un instant la logique. J'ai effectivement ressenti — je ressens — quelque chose dans le cercle des fées. Quelque chose d'étrange et de familier. Et je fais des rêves toutes les nuits depuis que je suis en Irlande.

— Et ça t'agace.

— Oui. Ça m'agace.

350

— Il y a une tempête, reprit-il doucement, en prenant soin de ne pas la bousculer.

— Parfois. Un éclair déchire le ciel, comme une lance de glace, le sol est dur, gelé, et on entend résonner le bruit des sabots avant même de voir le cheval et son cavalier.

— Et le vent souffle dans ses cheveux tandis qu'elle attend. Il la voit et son cœur se met à cogner aussi fort que les sabots du cheval contre le sol.

Shannon croisa les bras et tourna la tête. C'était plus facile de regarder l'océan.

— D'autres fois, il y a un feu dans une petite pièce sombre. Elle mouille son visage avec un linge. Il délire, il est brûlant de fièvre, à cause de ses blessures.

— Il sait qu'il va mourir, enchaîna doucement Murphy. Les seules choses qui le retiennent encore à la vie sont sa main, son parfum, le son de sa voix tandis qu'elle s'efforce de l'apaiser.

— Mais il ne meurt pas...

Shannon prit une longue inspiration.

— Je les ai vus faire l'amour, près du feu, au milieu de la ronde de pierres. C'est comme si je les regardais et que je participais en même temps. Je me réveille en sueur, toute tremblante, avec une folle envie de toi...

Elle se tourna alors vers lui, et il reconnut dans ses yeux un regard qu'il connaissait bien. Un regard fulminant de rage.

— Je ne veux pas de ça, Murphy.

— Dis-moi ce que j'ai fait, pour que ton cœur se détourne ainsi de moi.

— Ce n'est pas de ta faute...

Mais il la prit dans ses bras en la regardant avec insistance.

— Dis-moi ce que j'ai fait.

— Je n'en sais rien !

Elle avait crié. Stupéfaite de l'amertume contenue dans sa propre voix, Shannon se pressa contre lui.

— Je ne sais pas. Et si je le sais d'une certaine façon, je ne peux pas te le dire. Cet univers n'est pas le mien, Murphy. Ce n'est pas la réalité.

— Tu trembles...

— Je ne peux pas parler de ça. Je ne veux pas y penser. Ça rend tout plus fou et plus compliqué que ça ne l'est déjà.

— Shannon...

— Non.

Et elle prit sa bouche en un baiser désespéré.

— Cela ne suffira pas toujours à nous apaiser tous les deux.

— Ça suffira pour l'instant. Ramène-moi, Murphy. Ramène-moi, et nous nous arrangerons pour que cela suffise.

Exiger d'elle quoi que ce soit ne la ferait pas céder, il le savait. Pas en ce moment où elle se cramponnait de toutes ses forces à ses peurs. Ne sachant que faire, Murphy la prit par l'épaule et la ramena vers le camion.

Gray vit le camion arriver alors qu'il revenait à pied vers l'auberge. Il leur fit signe. Dès qu'il s'approcha de la vitre de Shannon, il sentit la tension. Et il devina sans peine, bien qu'elle eût fait de son mieux pour le cacher, qu'elle avait pleuré.

Il lança un regard appuyé à Murphy, exactement comme le ferait un frère à quiconque aurait rendu sa sœur malheureuse.

— Je reviens de chez toi à l'instant. Comme tu ne répondais pas au téléphone, Brianna a fini par s'inquiéter.

— Nous sommes allés faire un tour, lui dit Shannon. J'ai demandé à Murphy de m'emmener à Loop Head.

— Oh...

Ce qui expliquait pas mal de choses...

— Brie espérait que nous pourrions aller faire un tour à la galerie, tous ensemble.

— J'aimerais bien, répliqua Shannon, en pensant que cette escapade lui remonterait le moral. Et toi, Murphy ?

— J'ai deux ou trois choses à faire.

352

Il sentit que, s'il refusait de venir, Shannon serait déçue, mais de toute façon elle ne lui parlerait plus aujourd'hui...

— Vous pourriez m'attendre une heure ou deux ?

— Bien sûr. Maggie et le petit monstre viendront aussi avec nous. Rogan est déjà là-bas. Passe dès que tu es prêt.

— Il faut que j'aille me changer, se hâta de dire Shannon.

La main déjà sur la poignée de la portière, elle se retourna vers Murphy.

— Je t'attends ici, d'accord ?

— Très bien. Dans deux heures tout au plus.

Il fit un signe de tête à Gray, puis démarra.

— Dure matinée ? murmura Gray.

— Oui, à plusieurs titres. Il semble que je n'arrive pas à lui parler de ce qui va se passer après.

Ou de ce qui s'est passé avant, reconnut-elle intérieurement.

— Et que va-t-il se passer ?

— Il faut que je rentre à New York, Gray. J'aurais dû repartir depuis déjà une semaine.

Elle se blottit contre lui lorsqu'il la prit par l'épaule et laissa son regard errer sur la vallée.

— Ma place à l'agence en dépend.

— J'ai connu ça. Il n'y a pas moyen de s'en sortir sans bobos, dit-il en l'entraînant vers le portail de l'auberge. Si je te demandais ce que tu veux faire de ta vie, serais-tu capable de répondre ?

— Pas aussi facilement que j'aurais pu le faire il y a un mois.

Elle s'assit à côté de lui sur les marches du perron en fixant le massif de digitales et d'ancolies d'un air pensif.

— Tu crois aux visions, Gray ?

— C'est tout un programme !

— Oui, et une question que je n'aurais jamais imaginé pouvoir poser un jour à quelqu'un, répliqua Shannon en se tournant vers lui. Je te demande ça parce que tu es américain.

En le voyant se fendre d'un grand sourire, elle sourit à son tour.

— Je sais, ça a l'air idiot, mais comprends ce que je veux dire. Tu as beau avoir fondé un foyer ici, en Irlande, tu n'en restes pas moins un Yankee. Tu gagnes ta vie en écrivant des romans, en racontant des histoires, mais tu le fais avec du matériel moderne. Il y a un fax dans ton bureau.

— Oui, et ça change tout.

— Ce qui veut dire que tu es un homme du vingtième siècle, un homme qui regarde devant lui, qui comprend la technologie et l'utilise.

— Murphy a le modèle de trayeuse le plus performant qui soit, lui fit remarquer Gray. Et son nouveau tracteur est ce que la technologie peut offrir de mieux actuellement.

— Et il ramasse lui-même sa tourbe ! conclut Shannon en souriant. Il est imbibé de mystique celtique jusqu'à l'os. Tu ne vas pas me dire qu'une part de lui-même ne croit pas aux lutins et aux fées !

— C'est vrai. Je dirais que Murphy est un fascinant mélange entre l'Irlande ancienne et moderne. Mais tu voulais savoir si je croyais aux visions...

Il marqua une pause.

— Eh bien, oui, absolument.

— Oh, Grayson...

Désappointée, Shannon se leva d'un bond, fit quelques pas dans l'allée, puis pivota sur ses talons et revint vers lui.

— Comment oses-tu dire ça, toi qui portes des Nike et une Rolex, comment oses-tu prétendre que tu crois aux visions ?

Gray regarda ses chaussures.

— J'aime bien les Nike, et cette montre indique toujours l'heure exacte.

— Tu comprends très bien ce que je veux dire. Tu n'auras aucun problème pour entrer dans le vingt-et-unième siècle et tu prétends croire à ces absurdités qui datent du quinzième siècle ?

— Ça n'a rien d'absurde, et je ne pense pas que ça se

limite au quinzième siècle. Je pense que ça remonte à bien plus loin que ça et que ça continuera pendant encore de nombreux millénaires.

— Je suppose que tu crois également aux fantômes, à la réincarnation et aux crapauds qui se transforment en princes charmants.

— Mais oui.

Gray lui sourit, puis lui prit la main pour l'obliger à se rasseoir.

— Tu ne devrais pas poser une question dont tu sais d'avance que tu n'aimeras pas la réponse. Tu sais, quand je suis arrivé dans ce coin d'Irlande, je n'avais aucune intention d'y rester. Enfin, seulement six mois, le temps d'écrire mon livre, et je repartais. C'est toujours comme ça que j'ai travaillé, que j'ai vécu. Brianna est manifestement la raison principale qui m'a fait changer d'avis. Mais il n'y a pas que ça. J'ai reconnu cet endroit.

— Oh, Gray! s'exclama à nouveau Shannon d'un air exaspéré.

— Un matin, je marchais dans les champs quand j'ai aperçu la ronde de pierres. Je suis resté devant, médusé, et j'ai ressenti comme une secousse, une force qui ne m'a pas surpris le moins du monde.

La main de Shannon se crispa soudain dans la sienne.

— Tu es sérieux?

— Mais oui. Je pouvais me promener le long des routes, rouler jusqu'aux falaises, traverser le village, errer au milieu des ruines ou des cimetières, je me sentais lié à quelque chose, comme je ne m'étais jamais senti lié à rien ni à personne auparavant. Je n'ai pas eu de visions, mais je savais que j'étais déjà venu ici, et que je devais y revenir.

— Et ça ne te donne pas la chair de poule?

— J'étais littéralement terrorisé, tu veux dire! s'exclama-t-il gaiement. De même que tomber amoureux de Brianna m'a fichu une trouille bleue. Et toi, ma vieille, qu'est-ce qui te fait le plus peur?

— Je ne sais pas. Je fais de drôles de rêves.

— Tu me l'as déjà dit. Vas-tu te décider cette fois à me les raconter?

— Il faut que j'en parle à quelqu'un, murmura Shannon. Chaque fois que j'essaie d'en parler avec Murphy, je... je panique complètement. Comme si quelque chose prenait le contrôle sur moi. Or je ne suis pas du genre hystérique, ni particulièrement fantasque. Mais je n'arrive pas à m'en défaire.

Elle commença à lui raconter le premier rêve, en lui décrivant tous les détails, et ce qu'elle éprouvait. Les mots lui venaient facilement, sans qu'elle ait la gorge nouée comme quand elle essayait d'en discuter avec Murphy.

Néanmoins, elle savait qu'il y avait autre chose, un pan de rêve qui lui échappait, un dernier lien qu'une part d'elle-même refoulait.

— Il a la broche, conclut-elle. Murphy a la broche que j'ai vue en rêve. Il l'a trouvée dans le cercle des fées quand il était enfant, et il dit que c'est à ce moment-là qu'il a commencé à faire les mêmes rêves.

Fasciné, et enregistrant froidement dans un coin de sa tête les faits et les images qui pourraient éventuellement lui servir dans un prochain livre, Gray siffla entre ses dents.

— C'est un peu lourd comme histoire !

— A qui le dis-tu! J'ai l'impression d'avoir une hache de cent kilos au-dessus de la tête.

Il plissa les yeux.

— J'ai dit lourd, pas effrayant. Il n'y a là rien de menaçant.

— Eh bien, je me sens menacée. Ça ne me plaît pas de sentir qu'on envahit ainsi mon inconscient. Quand je vois un magicien disparaître dans un nuage de fumée, je sais qu'il y a un truc. Ça m'amuse, ça me distrait si c'est bien fait, mais je sais pertinemment qu'il y a une trappe, que c'est de la supercherie.

— Le vieux combat entre le rationnel et l'irrationnel. Entre raison et émotion. Tu n'as jamais essayé de te détendre vraiment, histoire de voir quel côté l'emporte?

— J'ai pensé aller consulter un psychanalyste, marmonna-t-elle. Mais je me dis que ces rêves s'arrêteront dès que je serai de retour à New York et que j'aurai retrouvé ma petite routine.

— Et tu as peur que ces rêves ne s'arrêtent pas.

— Oui. Et j'ai très peur que Murphy ne comprenne pas pourquoi je dois repartir.

— Et toi, tu le comprends ? demanda calmement Gray.

— Logiquement, oui. De même que je comprends ce qui me lie à cet endroit. A Murphy et à vous tous. Je sais qu'il faudra que je revienne, que je ne briserai jamais les liens qui nous unissent, je n'en ai aucune envie. Je sais aussi que la vie que je vais retrouver ne sera plus la même que celle que j'ai connue avant. Mais je ne peux pas changer mes rêves, Gray, pas plus que je ne peux rester ici en laissant ma vie partir à la dérive. Même pour Murphy.

— Tu veux un conseil ?

Shannon leva les bras, puis les laissa retomber d'un air d'impuissance.

— Au point où j'en suis, pourquoi pas ?

— Pense à ce que tu vas retrouver là-bas et à ce que tu vas laisser derrière toi. Fais une liste, si cela peut t'aider à y voir plus clair. Et quand tu auras pesé le pour et le contre, regarde de quel côté penche la balance.

— Pas très original, comme conseil ! railla-t-elle. Mais il n'est pas si mauvais que ça. Merci.

— Avant de me remercier, attends d'avoir reçu ma note.

Shannon rit et posa la tête sur son épaule.

— Vraiment, je t'adore !

Rougissant, et sincèrement flatté, Gray l'embrassa sur la tempe.

— Dis-toi bien que c'est réciproque.

## 22

Shannon eut un coup de foudre immédiat pour la galerie Worldwide de Clare. La maison, qui ressemblait à un manoir, était à la fois originale et d'une merveilleuse sobriété. Les jardins, ainsi que le lui expliqua Murphy lorsqu'elle descendit du camion, étaient l'œuvre de Brianna.

— Elle n'a pas fait les plantations elle-même, poursuivit-il. Elle n'avait pas le temps de venir ici tous les jours avec sa pelle et ses pots. Mais c'est elle qui a dessiné l'emplacement du moindre dahlia et du moindre massif de roses.

— Encore une histoire de famille.

— Oui. Rogan et Maggie ont travaillé au projet de la maison avec l'architecte, et ils ont décidé de la couleur de la peinture de chaque mur. Ce qui a bien entendu donné lieu à des discussions très animées.

Il prit la main de Shannon au moment où Gray se garait à côté d'eux.

— Ils ont tous investi énormément d'amour dans ce projet.

— Ça a l'air de très bien marcher, commenta Shannon en voyant le nombre de voitures déjà garées sur le parking.

— La présidente d'Irlande est venue ici.

Il y avait dans la voix de Murphy de la fierté, mais aussi une sorte d'émerveillement.

— Deux fois. Et elle a acheté une des œuvres de Maggie, ainsi que d'autres artistes. Ce n'est pas rien de voir un rêve se transformer en réalité.

— Non.

Comprenant fort bien ce qu'il sous-entendait par là, Shannon fut contente de voir Brianna et les autres venir les rejoindre.

— Et garde tes mains dans tes poches, Liam Sweeney, conseilla Maggie à son fils. Sinon je te passe les menottes.

Et avec un sourire qui démentait sa menace, elle prit son fils dans ses bras.

— Alors, Shannon, qu'est-ce que tu en dis?

— C'est magnifique, et tout aussi impressionnant que les galeries de Dublin ou de New York.

— Ici, c'est une vraie maison, ajouta Maggie en se dirigeant vers l'entrée.

Shannon sentit le parfum des fleurs — des roses et des pivoines — et de la pelouse fraîchement tondue, épaisse comme du velours. Quand elle pénétra à l'intérieur, elle vit que c'était en effet une maison, meublée avec soin, accueillante, qui respirait la grâce et l'élégance.

Des tableaux ornaient le mur de l'entrée principale, de très beaux portraits au crayon célébrant les visages et les humeurs du peuple irlandais. Dans la première salle, s'alignaient des aquarelles rêveuses qui s'harmonisaient parfaitement avec le divan incurvé et les teintes pâles de la pièce. Il y avait aussi des sculptures, les œuvres de verre incomparables de Maggie, ainsi qu'un buste de jeune femme sculpté dans de l'albâtre et des petits lutins à l'air futé en bois brillant. Un tapis tissé main dans des tons de bleu éclatants décorait le plancher, et un somptueux jeté de canapé en coton épais était drapé sur le dossier du sofa.

Il y avait des fleurs toutes fraîches du matin dans des vases en verre miroitants et des poteries.

Shannon éprouva un petit choc en découvrant son propre tableau sur un mur. Ébahie, elle s'approcha pour regarder son aquarelle de Brianna.

— Je suis très fière qu'il soit ici, dit celle-ci en venant la rejoindre. Maggie m'avait dit que Rogan en avait exposé trois, mais sans me préciser que celui-ci en faisait partie.

— Trois?

Shannon sentit son cœur s'accélérer de façon plutôt désagréable.

Maggie s'approcha, luttant avec Liam qui se tortillait dans tous les sens.

— Au départ, il voulait n'exposer que *La Ronde*, mais il a finalement décidé d'accrocher les deux autres pendant quelques jours. Histoire d'appâter les gens. De leur donner un petit aperçu de ce qu'il y aura à ton exposition cet automne, et de faire circuler la rumeur. Il a déjà reçu une offre pour *La Ronde*.

— Une offre?

Shannon eut tout à coup l'impression que son cœur lui remontait dans la gorge.

— Quelqu'un veut l'acheter?

— Je crois qu'il a parlé de deux mille livres. Ou de trois mille...

Maggie haussa les épaules, sous le regard éberlué de Shannon.

— Mais, bien entendu, il en veut le double.

— Le double...

Elle faillit s'étrangler, puis, certaine qu'il s'agissait d'une plaisanterie, secoua la tête.

— Tu as bien failli m'avoir.

— Rogan est gourmand, dit Maggie dans un sourire. Je n'arrête pas de lui dire qu'il demande des prix exorbitants, et il prend à chaque fois un malin plaisir à me prouver que j'ai tort en vendant au prix qu'il avait fixé. S'il décide d'en demander six mille livres, il les obtiendra, je t'assure.

La partie rationnelle du cerveau de Shannon convertit la somme en dollars et l'enregistra. L'artiste qu'elle était, en revanche, se sentait à la fois agacée et affligée.

— D'accord, fiston, dit Maggie à Liam qui n'arrêtait pas de gesticuler. Au tour de ton père de s'occuper de toi.

Et elle s'éloigna avec lui, laissant Shannon devant le tableau.

— Quand j'ai vendu le yearling, dit Murphy de sa voix douce, ça m'a brisé le cœur. Il était à moi, tu comprends.

Il fit un petit sourire à Shannon lorsqu'elle se tourna vers lui.

— J'étais là à sa naissance, j'ai veillé sur lui, je l'ai entraîné et je me suis fait du souci quand il s'est blessé au genou. Mais il fallait que je le vende, je le savais bien. On ne peut pas élever des chevaux sans jamais en vendre. Tout de même, ça m'a brisé le cœur.

— Je n'ai jamais vendu aucune de mes peintures. J'en ai fait cadeau, mais ce n'est pas la même chose...

Elle prit une longue inspiration.

— Je n'imaginais pas que ça me ferait cet effet. Je me sens excitée, comblée et horriblement triste.

— Ça te fera peut-être du bien de savoir que Gray a promis à Rogan de l'écorcher vif s'il vend ta *Brianna* à quelqu'un d'autre qu'à lui.

— Mais je la leur avais donnée !

Murphy se pencha pour lui chuchoter quelque chose à l'oreille.

— Ne le dis pas trop fort, Rogan a l'oreille fine.

Cela fit rire Shannon, et elle le laissa lui prendre la main pour l'entraîner dans la salle suivante.


Il se passa plus d'une heure avant que Shannon ne se laisse convaincre de monter au premier étage. Il y avait tellement d'objets à voir, à admirer, à désirer... La première chose qu'elle remarqua en arrivant dans le salon du haut fut une longue et sinueuse coulée de verre qui faisait penser à un dragon.

— Je le veux.

Possessivement, elle laissa courir sa main sur le corps en forme de serpent. C'était une œuvre de Maggie, il n'y avait aucun doute. Shannon n'eut pas besoin de regarder les initiales M.M. gravées sous la queue pour le savoir.

— Laisse-moi te l'acheter.

— Non, dit-elle fermement en se tournant vers Murphy. J'ai envie d'avoir une œuvre de Maggie depuis plus d'un an, et je sais combien Rogan en demande. Je peux maintenant me l'offrir. Enfin, presque. Je suis sérieuse.

— Tu as bien accepté les boucles d'oreilles.

Et elle les portait, remarqua-t-il avec plaisir.

— Je sais, et c'est très gentil à toi de me le proposer. Mais c'est important pour moi. Je tiens à acheter moi-même quelque chose qu'a fait ma sœur.

La lueur têtue qui était apparue dans le regard de Murphy s'estompa.

— Ah, si c'est pour cette raison, je suis très content.

— Moi aussi. Je suis très contente.

Et elle sourit lorsqu'il plaqua ses lèvres sur les siennes.

— Excusez-moi, dit Rogan sur le seuil de la porte. Je vous dérange.

— Non, pas du tout...

Shannon se précipita vers lui, les bras tendus.

— Je ne sais comment t'expliquer l'effet que ça me fait de voir ma peinture ici. C'est une chose à laquelle je n'avais jamais pensé. Mais que ma mère a toujours voulue. Alors, merci...

Elle garda ses mains dans les siennes et l'embrassa sur la joue.

— Merci d'avoir permis qu'un de ses rêves devienne réalité.

— Tout le plaisir est pour moi. Et je suis convaincu que cela continuera à en être un pour toi comme pour moi pendant des années.

Voyant qu'elle semblait hésiter, Rogan changea de sujet :

— Brianna est dans la cuisine. Je n'ai pas pu l'en empêcher. Vous venez prendre le thé ?

— Ah, Rogan, tu es là...

Un sourire suffisant au coin des lèvres, Maggie entra dans la pièce.

— J'ai confié Liam à Gray. En lui disant que ça l'entraînerait pour le jour où Kayla commencerait à marcher et à courir dans tous les sens.

Elle prit Rogan par le bras.

— Brie a préparé du thé et, le ciel la bénisse, elle a apporté une boîte de biscuits au sucre candi de chez elle.

— Je descends tout de suite, dit Rogan en lui tapotant la main d'un air absent. Veux-tu qu'on aille dans mon bureau, Shannon?

— Non, ce n'est pas la peine. Je voulais te parler du dragon.

Il n'eut pas besoin de regarder dans la direction qu'indiquait sa main pour savoir de quoi elle parlait.

— *Le Souffle de feu* de Maggie, dit-il en hochant la tête. Une œuvre exceptionnelle.

— Tu peux le dire! s'exclama sa femme. J'ai sué sang et eau et j'ai dû recommencer au moins une dizaine de fois avant d'obtenir ce que je voulais.

— Je le veux.

Shannon était une excellente négociatrice, elle était capable de discuter avec les meilleurs tailleurs de diamants comme avec les directeurs des petites galeries de Soho, mais cette fois, ses talents ne faisaient pas le poids face à la force de son désir.

— Je voudrais l'acheter et qu'on me l'expédie à New York.

Murphy se figea subitement, ce que personne ne sembla remarquer, excepté Maggie.

— Je vois.

Tout en réfléchissant, Rogan observait Shannon.

— C'est une pièce absolument unique.

— Inutile de chercher à me convaincre. Je te fais un chèque.

Maggie se détourna de Murphy et redressa les épaules, prête au combat.

— Rogan, je ne te laisserai pas...

Shannon s'amusa de voir Maggie se taire à la seconde même où Rogan leva la main.

— Les artistes ont tendance à s'attacher sentimentalement à leur travail, dit-il posément, tandis que sa femme le fixait d'un air furibond. Raison pour laquelle ils ont besoin d'un associé, de quelqu'un qui sache garder la tête froide.

— La grosse tête, oui! maugréa Maggie. Qui vous suce jusqu'au sang. Foutus contrats... Il continue à m'en faire signer, comme si je ne lui avais pas déjà fait un enfant et que je n'en portais pas un autre dans mon ventre !

Rogan se contenta de lui lancer un bref regard.

— Tu as terminé? demanda-t-il sans lui laisser le temps de l'insulter. Étant l'associé de Maggie, je vais donc parler en son nom et te dire que nous aimerions t'en faire cadeau.

Shannon allait protester, mais Maggie la prit de vitesse.

— Rogan Sweeney, jamais je n'aurais cru possible d'entendre une telle phrase de ta bouche !

Et elle éclata de rire, visiblement aux anges, puis prit le visage de Rogan entre ses mains et l'embrassa fougueusement à pleine bouche.

— Je t'aime...

Toujours aussi rayonnante, elle se tourna vers Shannon.

— Et ne t'avise pas de refuser, lui ordonna-t-elle. C'est pour moi un moment de grande fierté et d'émerveillement pour l'homme que j'ai épousé. Alors, serrez-vous la main et concluez vite l'affaire avant que Rogan ne retrouve son sens de l'avarice habituel.

Émue par tant de gentillesse, Shannon ne la contrariera pas.

— C'est très généreux. Merci. Je crois que vais aller prendre ce thé, et jubiler tranquillement, avant de terminer la visite.

— Je t'accompagne. Maggie, Murphy, vous venez?

— Nous vous rejoignons dans une seconde.

Maggie fit un petit signe discret à son mari, puis attendit que leurs pas se fussent éloignés. Sans un mot, elle prit Murphy affectueusement par le bras.

— Quand elle a demandé qu'on lui expédie à New York, elle n'a pas réalisé ce qu'elle disait, fit-elle au bout d'un moment.

C'était justement ça le pire, songea Murphy en fermant les yeux afin de lutter contre la douleur lancinante qui le rongeait.

— Pour elle, c'est automatique. Elle doit repartir.

« Si tu veux qu'elle reste, tu vas devoir te battre.

Murphy serra les poings. Il pouvait se battre contre des êtres faits de chair et de sang. Pas contre des fantômes.

— Je n'ai pas encore dit mon dernier mot, déclarat-il calmement, avec une intensité dans la voix qui redonna espoir à Maggie. Et elle non plus.

Il ne demanda pas à Shannon si elle voulait rentrer à la ferme avec lui et se contenta de l'y conduire. Lorsqu'ils sortirent du camion, au lieu de se diriger vers la maison, il l'entraîna par-derrière.

— Tu dois t'occuper des chevaux ?

Elle jeta un coup d'œil sur ses pieds. Il n'avait pas ses bottes, mais les chaussures qu'il mettait pour aller en ville ou à l'église.

— Tout à l'heure.

Il était préoccupé, elle l'avait senti pendant tout le trajet en revenant d'Ennistymon. Elle était désolée qu'il fût encore contrarié par ce qu'ils s'étaient dit à Loop Head. Tout à coup, elle fut prise de panique à l'idée qu'il allait insister une nouvelle fois pour qu'elle lui parle de ses rêves.

— Murphy, je vois bien que tu n'es pas content. Mais ne pourrions-nous pas laisser tout ça un peu de côté ?

— C'est ce que je fais depuis trop longtemps.

Il regardait ses chevaux s'ébattre dans l'enclos. Il avait un client pour l'alezan, celui qui se tenait justement si fièrement devant lui, et il savait qu'il devrait s'en séparer.

Cependant, il y avait des choses auxquelles un homme ne pouvait renoncer.

Lorsqu'il entraîna Shannon vers la ronde de pierres, il sentit sa main se crisper dans la sienne. Il la lâcha et la regarda en face, sans la toucher.

— Il fallait que ça se passe ici. Tu le sais.

Bien que tremblant intérieurement, elle le regarda droit dans les yeux.

— Je ne comprends pas de quoi tu parles.

Il n'avait pas de bague. Il savait pourtant précisément laquelle il voulait pour elle — une bague avec un cœur, deux mains et une couronne. Mais pour l'instant, il n'avait que lui-même à lui offrir.

— Je t'aime, Shannon. Autant qu'un homme est capable d'aimer. Je te le dis ici, sur cette terre sacrée, alors que le soleil illumine les pierres de ses rayons.

Cette fois, son cœur se mit à battre follement, d'émotion autant que de nervosité. Elle voyait clairement ce qu'il y avait dans son regard, et elle secoua la tête, tout en sachant que rien ne pourrait l'arrêter.

— Je te demande de m'épouser. De me laisser partager ta vie, et d'accepter de partager la mienne. Je te le demande ici, sur cette terre sacrée, alors que le soleil illumine les pierres de ses rayons.

Une violente émotion l'envahit, comme une vague, et elle eut la sensation qu'elle allait se noyer.

— Ne me demande pas ça, Murphy.

— Je te l'ai demandé. Mais tu ne m'as pas répondu.

— Je ne peux pas. Je ne peux pas faire ce que tu me demandes.

Un éclair passa dans ses yeux bleus.

— Tu as le droit de faire ce que tu veux. Dis que tu ne veux pas, sois franche.

— D'accord, je ne veux pas. Et j'ai été franche dès le départ.

— Tu ne l'as pas plus été envers moi qu'envers toi-même, répliqua-t-il.

Il souffrait le martyre, mais rien ne pourrait l'arrêter.

— C'est faux ! s'écria Shannon, aussi furieuse et malheureuse que lui. Je t'ai dit depuis le début que je ne voulais pas que tu me fasses la cour, que nous n'avions aucun avenir ensemble, je n'ai jamais prétendu autre chose. J'ai couché avec toi parce que j'avais envie de toi, mais ça ne signifie pas que je vais tout changer pour toi.

— Tu m'as dit que tu m'aimais.

— Oui, je t'aime, dit-elle avec ferveur. Je n'ai jamais aimé personne comme je t'aime. Mais ça ne suffit pas.

366

— Moi, ça me suffit amplement.

— Eh bien, pas moi. Je ne suis pas toi, Murphy. Je ne suis pas Brianna, ni Maggie.

Shannon pivota sur elle-même, résistant de toutes ses forces à l'envie de frapper ces maudites pierres à coups de poing.

— Quoi que j'aie pu perdre quand ma mère m'a dit qui j'étais, je vais le retrouver. Et je vais reprendre ma vie. Car j'ai une vie à moi.

Le regard sombre et foudroyant, elle vint se planter juste devant lui.

— Tu crois que je ne sais pas ce que tu veux ? J'ai vu l'expression de ton visage quand tu es arrivé l'autre matin et que tu as vu que je préparais le petit déjeuner. C'est ça que tu veux, Murphy. Une femme qui s'occupe de ta maison, qui t'accueille dans son lit, qui te fasse des enfants et qui se contente d'avoir un jardin, une vue sublime sur la vallée et de beaux feux de tourbe.

Elle venait de toucher au cœur de ce qu'il était.

— Et ces choses-là ne sont pas dignes de toi, je suppose ?

— Elles ne sont pas faites pour moi, rectifia Shannon, refusant de se laisser blesser par son amertume. J'ai une carrière, que j'ai négligée trop longtemps. J'ai un pays, une ville, un chez-moi, et je veux les retrouver.

— Tu es ici chez toi.

— Ici, j'ai une famille, dit-elle prudemment. J'ai des gens qui représentent beaucoup pour moi. Mais ce n'est pas chez moi.

— Qu'est-ce qui t'en empêche ? Tu crois vraiment que je veux t'épouser pour que tu me fasses à manger et que tu laves mon linge ? Je me suis débrouillé tout seul pendant des années, et je continuerai à le faire. Je me fiche pas mal que tu ne fasses rien. Je peux engager quelqu'un, s'il le faut. Je ne suis pas pauvre. Quant à ta carrière, personne ne te demande de l'abandonner. Tu peux parfaitement peindre de l'aube au coucher du soleil si le cœur t'en dit, je serai seulement fier de toi.

— Tu ne me comprends pas.

— Non, je ne te comprends pas. Je ne comprends pas comment tu peux m'aimer, savoir que je t'aime et décider quand même de t'en aller. Quel compromis veux-tu que je fasse ? Tu n'as qu'à me le dire.

— Il ne s'agit pas de compromis ! hurla-t-elle, déchirée par la force de son amour. Nous ne sommes pas en train de parler de déménager dans une nouvelle maison ou d'aller habiter dans une autre ville. Nous parlons de deux continents différents, de deux mondes différents. De ce qui nous sépare toi et moi. Il ne s'agit pas de réorganiser un emploi du temps. Il s'agit d'abandonner quelque chose pour autre chose de complètement différent. Pour toi, ça ne change rien, mais pour moi, ça change tout. C'est trop me demander.

— C'est la destinée. Tu t'acharnes à ne pas vouloir l'accepter.

— Je me fiche complètement de tous ces rêves, de ces fantômes et de ces esprits errants ! C'est de moi qu'il s'agit, et je suis faite de chair et de sang. La seule chose qui m'intéresse, c'est ce qui se passe ici et maintenant. Je veux bien te donner tout ce que je peux, et je ne veux pas te faire souffrir. Mais si tu me demandes plus, tu ne me laisses pas d'autre choix.

— Dis plutôt que tu refuses d'en envisager un autre...

Murphy recula. Son regard était plus calme, avec seulement une petite pointe de feu derrière le bleu glacier.

— Tu veux me faire croire que tu vas t'en aller en sachant ce que nous avons vécu ensemble, en sachant ce que tu ressens pour moi, et que tu vas rentrer à New York et y être heureuse ?

— Je vivrai comme je dois le faire, comme je sais le faire.

— Tu refuses de laisser parler ton cœur, et c'est cruel de ta part.

— Cruel ? Et toi, tu ne crois pas que tu me fais du mal en me demandant de choisir entre ma main droite et ma main gauche ?

Shannon sentit soudain un froid glacé tomber sur elle et la pénétrer jusqu'aux os. Elle croisa les bras.

— Oh, pour toi, c'est facile! Tu ne risques rien, tu n'as rien à perdre...

Ses yeux brillaient d'une lueur étrange, elle avait l'air hors d'elle.

— Mais tu ne trouveras pas plus que moi la paix.

Sur ces mots, qui lui brûlèrent la langue, elle fit volte-face et s'enfuit en courant. Le bourdonnement qui résonnait à ses oreilles était sans doute dû à la colère. Un torrent d'émotion la submergeait, la poussant au bord du vertige, et une douleur intense lui déchirait le cœur.

Mais elle avait l'impression que quelqu'un courait avec elle, à l'intérieur d'elle, quelqu'un qui était aussi désespéré, aussi amer et aussi malheureux qu'elle.

Elle revint en courant à perdre haleine à travers champs, et ne s'arrêta même pas en arrivant dans le jardin de Brianna ou quand le chien bondit à sa rencontre. Toujours en courant, elle traversa la cuisine et ne se retourna pas lorsque Brianna l'interpella.

Et elle courut jusqu'à ce qu'elle ait refermé la porte de sa chambre derrière elle, et qu'elle n'ait plus aucun endroit où fuir.


Brianna attendit une heure avant de venir frapper doucement à la porte. Elle s'attendait à trouver Shannon en larmes, ou endormie à force d'avoir pleuré. Ce qu'elle avait pu apercevoir de son visage quand elle avait traversé la cuisine lui laissait supposer qu'elle était malheureuse et en colère.

Mais lorsqu'elle ouvrit la porte, elle ne trouva pas Shannon en train de pleurer. Elle la trouva en train de peindre.

— La lumière baisse...

Shannon ne prit même pas la peine de relever la tête. Elle peignait à grands traits fougueux et rageurs.

— Il me faut des lampes, j'ai besoin de lumière.

— Bien sûr. Je vais t'en apporter.

Brianna s'avança. Le visage de Shannon n'était pas celui de quelqu'un ravagé par le chagrin, mais d'à moitié fou.

— Shannon...

— Je ne peux pas parler pour l'instant. Il faut que je termine ça, que je le fasse sortir de moi une fois pour toutes. Il me faut plus de lumière, Brie.

— D'accord. Je m'en occupe.

Tout doucement, elle referma la porte derrière elle.


Shannon peignit toute la nuit, ce qu'elle n'avait encore jamais fait de sa vie. Elle n'en avait jamais ressenti le besoin ou l'envie. Mais là, elle n'avait pas pu faire autrement. Le jour était déjà levé quand elle s'arrêta, des crampes dans les doigts, les yeux brûlants et la tête vide. Elle n'avait pas touché au plateau que Brianna lui avait monté à un moment de sa veille et n'avait toujours pas faim.

Sans un regard pour la toile achevée, elle mit ses pinceaux à tremper dans un pot de térébenthine, puis se laissa tomber sur le lit, tout habillée.

Lorsqu'elle se réveilla, le corps raide et engourdi, le soleil était sur le point de se coucher. Cette fois, elle n'avait pas rêvé, en tout cas elle ne se souvenait de rien. Elle avait dormi d'un sommeil de plomb qui lui laissa la curieuse impression de sortir d'une coquille avec une légère sensation de vertige.

Avec des gestes mécaniques, Shannon se débarrassa de ses vêtements, se doucha et se rhabilla, toujours sans un regard pour la toile qu'elle avait terminée. Elle prit le plateau laissé intact et le descendit dans la cuisine.

Dans l'entrée, elle aperçut Brianna en train de dire au revoir à des clients. Shannon passa près d'elle sans un mot, fila dans la cuisine déposer le plateau et se versa une tasse du café préparé pour elle de longues heures plus tôt.

— Je vais en faire du frais, proposa Brianna en venant la rejoindre.

— Non, non, ça ira comme ça.

Shannon souleva sa tasse avec un pauvre sourire.

— Je suis désolée. Sincèrement. Toute cette nourriture est perdue...

— Ça ne fait rien. Je vais te préparer quelque chose. Tu n'as rien mangé depuis hier, et tu es toute pâlichonne.

— Je crois que ça me fera du bien, en effet.

Vidée de toute énergie, Shannon alla s'installer à table.

— Tu t'es disputée avec Murphy ?

— Oui et non. J'aimerais mieux ne pas en parler tout de suite.

Brianna alluma le gaz sous la cocotte avant d'aller prendre quelque chose dans le réfrigérateur.

— Bien, je n'insiste pas. Tu as terminé ton tableau ?

— Oui, répondit Shannon en fermant les yeux.

Il lui restait toutefois encore une chose à faire.

— Brie, je voudrais voir ces lettres. Maintenant. J'ai besoin de les voir.

— Dès que tu auras mangé, rétorqua Brianna en coupant du pain pour lui faire un sandwich. Je vais appeler Maggie, si ça ne t'ennuie pas. Nous devrions faire ça ensemble.

— Oui...

Shannon repoussa sa tasse.

— Nous devrions faire ça ensemble.

## 23

Elle avait sous les yeux les trois lettres entourées
d'un ruban rouge défraîchi. Cet homme devait être un
sentimental, songea Shannon, pour avoir attaché les
lettres d'une femme, trois pauvres petites lettres, avec
un ruban dont la couleur passerait avec le temps.

Elle n'avait pas demandé de cognac, mais fut
reconnaissante à Brianna quand celle-ci vint en poser
un verre devant elle. Elles s'étaient installées dans le
petit salon, toutes les trois, et Gray avait emmené le
bébé chez Maggie.

La maison était calme.

A la lumière de la lampe, car le soleil avait déjà
commencé à décliner, Shannon rassembla tout son
courage et ouvrit la première enveloppe.

C'était bien l'écriture de sa mère. Elle la reconnut
tout de suite. Une écriture lisible, féminine, concise.

*Mon très cher Tommy.*

Tommy... Dans sa lettre, elle l'appelait Tommy. Elle
l'avait également appelé ainsi quand elle lui avait parlé
de lui, pour la première et dernière fois.

Mais pour Shannon il était Tom. Tom Concannon
qui lui avait donné ses yeux verts et ses cheveux châtains. Tom Concannon, qui avait été piètre fermier
mais bon père. Qui avait rompu la promesse faite à son
épouse pour aimer une autre femme — et l'avait finalement laissée partir. Qui avait voulu être poète et faire
fortune mais était mort sans avoir réalisé aucun de ses
rêves.

Elle continua à lire et ne put faire autrement que d'entendre la voix de sa mère, et l'amour et la gentillesse qu'elle contenait. Mais aucun regret. Shannon ne décela pas la moindre trace de regret dans ces mots qui ne parlaient que d'amour, de devoir et de la complexité des choix. Il y avait du désir, oui, et des souvenirs, mais pas de remords.

*A toi pour toujours*, écrivait-elle à la fin. *A toi pour toujours, Amanda.*

Avec beaucoup de soin, Shannon replia la première lettre.

— Elle m'a dit qu'il lui avait répondu. Mais je n'ai trouvé aucune lettre parmi ses affaires.

— Sans doute ne les a-t-elle pas gardées, murmura Brianna. Par respect pour son mari. Par loyauté et par amour pour lui.

— Oui.

Shannon avait envie de le croire. Un homme qui s'était donné entièrement à une femme pendant plus de vingt-cinq ans n'en méritait pas moins.

Elle ouvrit la deuxième lettre, qui commençait et se terminait de la même manière que la première. Mais entre les lignes, on sentait qu'il y avait là bien plus que le souvenir d'un amour impossible et trop bref.

— Elle savait qu'elle était enceinte, parvint à dire Shannon. Quand elle a écrit cette lettre, elle le savait. Elle devait être affolée, peut-être même désespérée. Comment pouvait-il en être autrement ? Mais elle écrit calmement, sans le mettre au courant, sans même lui laisser deviner quoi que ce soit.

Maggie prit la lettre lorsqu'elle l'eut repliée.

— Elle avait probablement besoin de temps pour réfléchir à ce qu'elle allait faire, à ce qu'elle pouvait faire. Sa famille — d'après ce que le type de Rogan a découvert — aurait refusé de l'aider.

— Quand elle leur a annoncé, ils ont insisté pour qu'elle quitte la ville et pour qu'elle m'abandonne quelque part afin d'éviter le scandale. Mais elle a refusé.

— Elle te voulait, dit Brianna.

— Oui, elle me voulait.

Shannon ouvrit la dernière lettre. Elle eut le cœur brisé en la lisant. Comment sa mère avait-elle pu éprouver de la joie? Car, malgré l'anxiété et la peur qu'on devinait entre les lignes, il y avait là une joie indéniable. On sentait même un rejet farouche de la honte que ne manquerait pas de susciter une femme célibataire enceinte d'un homme marié.

Au moment où elle avait écrit cette lettre, il était évident qu'elle avait déjà fait un choix. Sa famille avait menacé de la déshériter, mais peu lui importait. Elle avait pris ce risque, et bien d'autres encore, pour l'enfant qu'elle portait.

— Elle lui dit ici qu'elle n'est pas toute seule, reprit Shannon d'une voix tremblante. Mais elle lui a menti. Elle était seule. Elle a dû partir dans le Nord pour trouver du travail parce que sa famille lui avait coupé les vivres. Elle n'avait rien.

— Elle t'avait, toi, corrigea Brianna. C'est ce qu'elle voulait. C'est ce qu'elle a choisi.

— Mais elle ne lui a jamais demandé de venir la rejoindre ou de la laisser revenir auprès de lui. Elle ne lui a jamais donné une chance, elle lui a seulement dit qu'elle était enceinte, qu'elle l'aimait et qu'elle s'en allait.

— Mais si, elle lui a donné une chance, répliqua Maggie en posant la main sur l'épaule de Shannon. Celle d'être le père des enfants qu'il avait déjà et de savoir qu'il en aurait un autre qui serait choyé et aimé. Peut-être a-t-elle pris cette décision sans rien lui demander afin de lui éviter de se sentir coupé en deux, ce qui serait sans doute arrivé, quoi qu'il eût choisi. Je pense qu'elle a fait cela pour lui, pour toi, et peut-être même pour elle.

— Elle n'a jamais cessé de l'aimer, ajouta Shannon en repliant la lettre. Bien qu'elle ait beaucoup aimé son mari, elle n'a jamais cessé. Elle a pensé à lui avant de mourir, comme lui a pensé à elle. Ils ont tous les deux trouvé et perdu ce que certaines personnes ne rencontrent jamais.

— On ne peut pas savoir ce qui se serait passé...

Tendrement, Brianna renoua le ruban autour des lettres.

— Ni rien changer à ce qui est arrivé. Mais tu ne penses pas que nous avons fait pour eux ce que nous pouvions faire de mieux en étant là réunies toutes les trois, comme une famille ? En ayant fait des sœurs de leurs filles ?

— J'aimerais que ma mère sache que je ne suis plus en colère. Que j'ai fini par comprendre.

Il y a quelque chose d'apaisant dans le fait de comprendre, se dit Shannon.

— S'il avait été encore vivant lorsque je suis arrivée ici, j'aurais essayé de l'aimer.

— Tu en es sûre ? fit Maggie en lui serrant l'épaule.

— Oui. En ce moment, c'est même la seule chose dont je sois sûre.

Une nouvelle lassitude l'envahit lorsqu'elle se leva. Brianna se leva à son tour et lui tendit les lettres.

— Tiens, elles sont à toi. Ta mère aurait voulu que tu les aies.

— Merci...

Le papier paraissait si fin entre ses doigts, si fragile... et si précieux.

— Je vais les garder, mais elles sont à nous trois. J'ai besoin de réfléchir.

— Bois ton cognac, dit gentiment Brianna en lui tendant le verre. Et prends un bon bain chaud. Ça apaise le corps et l'esprit.

C'était un excellent conseil qu'elle comptait bien suivre. Cependant, à peine entrée dans sa chambre, Shannon déposa son verre. Attirée par la toile, elle alluma les lampes avant de s'en approcher.

Elle examina l'homme sur son cheval blanc, la femme. L'éclat de la broche en cuivre et du sabre. Le mouvement de la cape et la longue chevelure châtaine qui flottait au vent.

Mais il y avait autre chose. Une chose qui la fit s'asseoir doucement au bout du lit, le regard rivé sur la toile. C'était bien elle qui avait tracé chaque coup de pinceau, et pourtant il lui semblait impossible d'avoir réussi à accomplir un tel travail.

Elle avait transformé une vision en réalité. Elle se rendit compte soudain qu'elle avait été destinée à le faire depuis toujours.

Le souffle haletant, Shannon ferma les yeux et attendit d'en acquérir la certitude, de voir en elle-même aussi clairement qu'elle avait vu les personnages auxquels elle avait donné vie à l'aide de ses couleurs et de ses pinceaux.

C'était si simple, songea-t-elle. Pas compliqué du tout. C'était la logique qui avait tout compliqué. Mais maintenant, même en étant rationnelle, tout lui paraissait simple.

Il lui suffisait de passer quelques coups de fil. Aussitôt, elle décrocha le téléphone, décidée à aller au bout de ce qu'elle avait entrepris en venant en Irlande.

Elle attendit le lendemain matin pour aller voir Murphy. Le guerrier avait quitté la femme un matin, aussi était-il juste de boucler la boucle au même moment de la journée.

L'idée qu'elle ne le trouverait pas ne lui traversa pas l'esprit une seule seconde. D'ailleurs il était là, au milieu de la ronde de pierres, la broche à la main, dans la brume qui scintillait au-dessus de l'herbe, tel le souffle des fantômes.

Il releva la tête en l'entendant arriver. Elle vit une lueur de surprise et de désir passer dans son regard qui redevint aussitôt glacial — talent que Shannon ne lui connaissait pas.

— Je me suis dit que tu viendrais peut-être ici...

Mais sa voix n'était pas glaciale. Ça, il n'y arrivait pas.

— Je voulais laisser ça pour toi. Mais puisque tu es là, je te la donne, et je te demande de bien vouloir écouter ce que j'ai à te dire.

Shannon prit la broche, nullement inquiète ni étonnée cette fois de la sentir vibrer au creux de sa paume.

— Je t'ai apporté aussi quelque chose.

Elle lui tendit la toile, enveloppée d'un papier épais, mais il ne fit pas un geste pour la prendre.

— Tu m'avais demandé de peindre quelque chose

pour toi. Quelque chose qui te ferait penser à moi. Eh bien, ça y est, je l'ai fait.

— C'est ton cadeau d'adieu?

Il prit le tableau, fit deux pas de côté et, sans l'ouvrir, le posa par terre contre une pierre.

— Ça ne me suffit pas, Shannon.

— Tu pourrais y jeter un coup d'œil.

— J'aurai tout le temps de le faire une fois que je t'aurai dit ce que j'ai à te dire.

— Tu es en colère, Murphy. J'aimerais te...

— Évidemment que je suis en colère! Contre nous deux. Toi et moi sommes deux fieffés imbéciles! Tais-toi, ordonna-t-il, et laisse-moi dire les choses à ma manière. Tu as raison sur certains points et j'ai tort sur d'autres. Mais je n'ai pas tort en disant que nous nous aimons et que nous sommes faits l'un pour l'autre. J'ai passé les deux dernières nuits à y réfléchir, et je reconnais que je t'ai demandé beaucoup plus que je n'en avais le droit. Il y a une autre solution que je n'avais pas envisagée, que je n'ai pas voulu voir parce que cela m'était plus facile que de regarder les choses en face.

— Moi aussi, j'ai réfléchi.

Elle lui tendit les bras, mais il recula brusquement.

— Tu ne peux pas attendre une minute et me laisser finir? Je pars avec toi.

— Pardon?

— Je viens avec toi à New York. Si tu as besoin de plus de temps pour que je te fasse la cour — ou comme tu voudras appeler ça —, je suis d'accord pour te le donner. Mais tu finiras par te marier avec moi. Et ne te raconte pas d'histoires, je ne ferai aucun compromis là-dessus.

— Un compromis?...

L'air bouleversée, Shannon se passa la main dans les cheveux.

— Parce que tu appelles ça un compromis?

— Tu ne peux pas rester, par conséquent je viens avec toi.

— Mais... et ta ferme?

— La ferme peut bien aller au diable! Crois-tu vrai-

ment que ça compte à mes yeux plus que toi ? Je suis
doué pour le travail manuel. Je peux trouver du boulot
n'importe où.

— Là n'est pas la question...

— Si, c'est important pour moi de ne pas me faire
entretenir par ma femme.

Il avait élevé la voix, comme pour la mettre au défi
de prétendre le contraire.

— Tu peux me traiter de sexiste, d'imbécile, ou de ce
que tu voudras, ça ne changera rien. Et je me fiche de
savoir si tu croules sous l'argent ou si tu n'en as pas,
que tu choisisses de le dépenser en t'achetant des grandes maisons ou des grosses voitures, de le donner ou
de le jouer aux dés. Mon problème, ce n'est pas de
t'entretenir, c'est de m'entretenir moi.

Shannon garda le silence une seconde et essaya de se
calmer.

— Je ne peux pas te traiter d'imbécile alors que tu
dis une chose parfaitement sensée, par contre, je ne
me gênerai pas pour le faire si tu évoques seulement
l'idée d'abandonner ta ferme.

— Je vais la vendre. Je ne suis pas idiot. Personne
dans ma famille ne s'intéresse à l'agriculture. Je vais
donc en parler à Mr. McNee, à Feeney et à quelques
autres. C'est une bonne terre.

Pendant un instant, Murphy laissa errer un regard
douloureux sur les collines.

— C'est une bonne terre, répéta-t-il. Ils sauront
l'apprécier à sa juste valeur.

— Bon, très bien ! riposta-t-elle, la voix vibrante de
passion. Fiche en l'air ton héritage, ta maison ! Pourquoi ne pas te crever le cœur pendant que tu y es ?

— Je ne peux pas vivre sans toi, dit-il simplement.
Et je ne le veux pas. Après tout, ce n'est que de la boue
et de la pierre.

— Je t'interdis de dire ça ! s'écria Shannon, folle de
rage. Cette terre est tout pour toi ! Oh, tu sais t'y
prendre pour me faire sentir minable et égoïste ! Mais
ça ne marche pas.

Elle se retourna, les poings serrés, et arpenta le

cercle des fées, allant de pierre en pierre. Puis elle s'appuya de tout son poids sur l'une d'elles, comprenant tout à coup ce qui se passait. Depuis le début, tout avait tourné autour de ça.

Shannon s'appliqua à retrouver son calme avant de se retourner et de regarder Murphy en face. C'était étrange... Elle se sentait soudain si calme, si sûre d'elle...

— Tu serais capable d'abandonner pour moi la chose qui fait que tu es ce que tu es?

Elle secoua la tête et enchaîna, sans lui laisser le temps de répondre.

— C'est drôle, c'est vraiment très drôle. La nuit dernière, et celle d'avant, j'ai fouillé et examiné mon âme dans ses moindres recoins. J'en ai jeté une partie sur cette toile. Et quand j'ai eu fini de tout bien examiner, j'ai compris que je ne partirais nulle part.

Elle vit briller une petite lueur dans le regard de Murphy qu'il prit soin de faire disparaître en vitesse.

— Tu veux dire que tu vas rester ici et renoncer à ce que tu veux? Et tu crois que je supporterais de te voir ici en te sachant malheureuse?

— Tout abandonner... Se sacrifier...

Un demi-sourire au coin des lèvres, Shannon se passa la main dans les cheveux.

— J'ai fini par comprendre ça aussi. Je quitte New York. Là-bas, on ne sent pas l'odeur de l'herbe et on ne voit pas les chevaux s'ébattre dans la nature. On ne voit pas la lumière frôler les prés d'une façon qui vous serre la gorge. J'échange le bruit des klaxons contre le chant des hirondelles et des alouettes. Ça va vraiment être très dur à supporter!

Elle fourra ses mains dans ses poches et recommença à faire les cent pas avec une expression qui dissuada Murphy de la toucher.

— Mes amis — disons plutôt mes relations — penseront de temps en temps à moi en hochant la tête d'un air amusé. Peut-être que quelques-uns d'entre eux viendront me rendre visite, histoire de voir pour quoi j'ai renoncé à une existence aussi palpitante. Eh bien, je l'échange volontiers contre une famille, des gens dont je me sens plus proche que je ne me suis jamais sentie de personne à New York. Tu parles d'une mauvaise affaire !

Shannon s'arrêta pour regarder entre les pierres le soleil qui en se réchauffant faisait s'évaporer peu à peu la brume.

— Et puis, il y a ma brillante carrière, et tous ces échelons qu'il faut à tout prix gravir. Encore cinq ans, et j'aurai droit à la clé symbolique qui donne accès aux toilettes réservées à la direction sans aucun problème... Shannon Bodine a tout pour réussir, elle a du talent, de l'ambition et ne rechigne pas à bosser soixante heures par semaine. J'ai eu mon lot de semaines de ce genre, crois-moi, et il m'est apparu que pas une seule ne m'avait procuré la joie ou la simple satisfaction que j'ai éprouvée la première fois que j'ai sorti mes pinceaux, ici, en Irlande. Alors, tu vois, ça va m'être très difficile d'échanger mes tailleurs Armani contre une blouse de peintre !

Shannon se retourna.

— Ce qui, si je ne me trompe, ne laisse plus qu'une dernière chose. Si je rentre à New York, je me défonce pour grimper le prochain barreau de l'échelle et je suis toute seule, pendant que l'homme qui m'aime est à cinq mille kilomètres.

Elle leva les bras au ciel.

— C'est absurde. Je n'abandonne rien en restant, parce qu'il n'y a rien là-bas. C'est l'éclair de génie que j'ai eu hier soir. Il n'y a rien là-bas à quoi je tienne, dont j'aie besoin ou que j'aime. Tout est ici, avec toi.

Murphy allait faire un pas vers elle, mais elle l'arrêta d'un geste.

— Il a cependant fallu que tu t'en mêles, n'est-ce pas ? Et du coup, quand nous nous disputerons, je ne pourrai plus jamais te jeter à la figure la liste de tout ce que j'ai fait pour toi. Parce que je n'aurai rien fait de spécial, et je le sais. Alors que toi, tu étais prêt à tout.

Il n'était pas certain d'arriver à parler, et quand il le fit ce fut pour dire une simple phrase d'une voix mal assurée :

— Tu vas rester avec moi.

Shannon alla chercher la toile qu'il avait posée contre une pierre. D'un geste impatient, elle arracha le papier qui la protégeait.

— Regarde ça et dis-moi ce que tu vois.

Un homme et une femme sur un cheval blanc, aux visages étonnamment familiers, dans un paysage éclaboussé de lumière. Le cercle des fées en arrière-plan, avec deux des pierres qui gisaient maintenant à terre encore en place. La broche en cuivre fermait la cape qui tourbillonnait dans le vent.

Mais il vit surtout que si l'homme retenait le cheval d'une main, de l'autre, il serrait tendrement la femme. Et elle était blottie contre lui.

— Ils sont ensemble.

— Je ne voulais pas les peindre comme ça. Il était supposé s'en aller, comme il l'a fait, l'abandonner alors qu'elle le suppliait de rester, qu'elle le lui demandait à genoux, en pleurant, faisant fi de tout amour-propre.

Shannon respira un grand coup avant de finir de lui raconter ce qu'elle avait vu, dans sa tête et dans son cœur, au moment où elle avait peint.

— Il l'a abandonnée parce qu'il était soldat, et que se battre était toute sa vie. J'imagine qu'il avait des guerres à mener, comme d'autres doivent labourer la terre. Il voulait bien l'épouser, mais ne voulait pas rester, or elle avait plus besoin qu'il reste avec elle que de se marier. Car elle savait qu'elle portait son enfant.

Murphy leva les yeux, le regard sidéré.

— Son enfant...

— Elle ne lui en a rien dit. Cela aurait pu tout changer, mais elle ne lui en a rien dit. Elle voulait qu'il reste pour elle, qu'il renonce à son sabre et lui prouve ainsi qu'il l'aimait plus que lui-même. Lorsqu'il a refusé, ils se sont disputés. Ici. Exactement ici. Et ils se sont dit des choses blessantes parce qu'ils étaient malheureux. Il lui a rendu la broche, de rage, et non pas pour qu'elle se souvienne de lui comme le dit la légende, puis il est parti. En continuant à croire qu'elle l'attendrait. Mais après son départ, elle l'a maudit, et elle a juré qu'il ne connaîtrait pas le repos, pas plus qu'elle, tant qu'il ne l'aimerait pas assez fort pour renoncer à tout le reste.

Shannon serra la broche dans sa main.

— En regardant dans les flammes, elle l'a vu tomber sur le champ de bataille, elle l'a vu se vider de son sang et mourir. Et elle a mis son enfant au monde, seule. Elle avait attendu, en vain, qu'il l'aime suffisamment.

— Je me demandais depuis longtemps ce qui s'était passé, j'essayais de le voir, mais je n'y arrivais pas.

— Connaître les réponses gâche la magie, dit Shannon en reposant la toile. Désormais, ils sont réunis. Je veux rester, Murphy. Et ce n'est pas le choix de cette femme, ni celui de ma mère, c'est le mien. Je veux faire ma vie ici, avec toi. Je te jure que je t'aime assez pour ça.

Il lui prit la main et la porta fébrilement à ses lèvres.

— Tu me laisseras te faire la cour, Shannon ?

— Non ! s'exclama-t-elle en riant. Par contre, je veux bien te laisser m'épouser.

— Ma foi, je m'en contenterai.

Il l'attira contre lui et enfouit son visage dans ses cheveux.

— Tu es faite pour moi, Shannon. Tu es ma femme.

— Je sais.

Elle ferma les yeux, la tête contre son cœur. Il battait fort, à un rythme calme et régulier. L'amour lui avait finalement permis de boucler la boucle, songea-t-elle, et avait apporté les réponses à toutes ses questions.

— Rentrons à la maison, Murphy, murmura Shannon. Je vais te préparer le petit déjeuner.

4371

Achevé d'imprimer en France (La Flèche)
par CPI Brodard et Taupin
le 20 février 2012-67966.
EAN 9782290338506
1er dépôt légal dans la collection : janvier 1996
Éditions J'ai lu
87, quai Panhard-et-Levassor, 75013 Paris
*Diffusion France et étranger : Flammarion*